JN114398

Le Japon et son empire

あるフランス人
記者の記録

1932年の
大日本帝国

アンドレ・ヴィオリス Andrée Viollis［著］ 大橋尚泰［訳］

訳者はしがき

本書は、一九三二年（昭和七年）三月から六月にかけて日本に滞在したフランスの女性ジャーナリスト兼ルポルタージュ作家、アンドレ・ヴィオリスが書いた『日本とその帝国』（Andrée Viollis, *Le Japon et son empire*, Paris, Grasset, 1933）の全訳である。

一九三二年（昭和七年）といえば、満洲事変の翌年にあたる。当時、第一次世界大戦でドイツに勝利したフランスやイギリスなどのヨーロッパ列強は、表むきは世界平和を守るため、その実は戦勝国の利益を守るための機関として国際連盟を設置し、それまでアフリカやアジアで獲得してきた自国の植民地の領土保全という目的もあって、現状維持を柱とするヴェルサイユ体制を築いていた。とくにフランスは、隣国ドイツを封じこめ、ドイツから賠償金を取りたてつづけるためにも、国際連盟による枠組みを重視していた。他方、国際連盟に加盟していなかったアメリカは、第一次世界大戦を契機に世界第一の経済大国となっていたが、遅まきながら満洲に進出して経済活動を展開しようとするにあたって、日本が日清・日露戦争で獲得していた満洲での既得権益を日本に手ばなさせようと画策していた。

こうしたなか、一九三一年（昭和六年）九月の柳条溝（りゅうじょうこう）（柳条湖）での線路爆破事件をきっかけとして起きた満洲事変は、日本にしてみれば現状打破の機会だったが、国際連盟からは現状維持への重大な挑戦とみなされ、同時にアメリカの敵対意識をあおる結果となり、ちょうど十年後の一九四一年（昭和十六年）の真珠湾攻撃ではじまる太平洋戦争への伏線として、あともどりできない決定的な事件となった。

本書の著者ヴィオリスは、世界最大の発行部数を誇っていたフランスの新聞「ル・プチ・パリジャン」紙の特派員として、取材先のフランス領印度支那（インドシナ）にむかう船旅の途中で満洲事変の報に接した。印度支那での取材を終えてもフランスには帰国せず、そのままきな臭さがただよう極東に足をのばし、上海でたまたま一九三二年（昭和七年）一月末の上海事変の勃発に立ち会ったのち、さらにその震源地である日本を取材するために、同年三月に来日したのだった。折しも日本国内では、年のはじめの血盟団による二件の暗殺事件につづき、五月十五日には犬養（いぬかい）首相までもが暗殺されるという血なまぐさい雰囲気のなかで、日本は国際連盟との訣別も視野にいれながら独自路線を歩もうとしていた。こうして、政治的・軍事的に「日本はどこへむかうのか」がヴィオリスの取材のテーマとなった。

本書は、一九三二年（昭和六年）の満洲事変と一九三三年（昭和八年）の国際連盟脱退に挟まれた、日本にとって決定的に重要な時期の日本人の「生の声」を集めたものとして、貴重な記録となっている。同時に、一貫したテーマに沿って取材が進められているので、推理小説や冒険小説を読むような興味すら与えてくれる。ヴィオリスはジャーナリストになる前は小説を書いていただけあって、人物や街の描写も巧みで飽きさせない。

若い頃からフェミニズムや社会主義に惹かれていたヴィオリスは、ちょうど本書刊行の前後から、ドイツでのナチスの擡頭(たいとう)を受けて反ファシズムの立場を強めるようになっていたので、本書でもところどころでこうした政治的態度が透けてみえる部分がある。ただし、ルポルタージュは客観的な立場で情勢を伝えるのが使命であるという考え方をもっていたので、あまり自分の意見は前面に出さず、なるべく中立を保とうとしている。だから、立場の異なる人が読んでも、それほど反感を抱かずに読み進めることができる。

ヴィオリスは、日本の事情をフランス語で説明するにあたって、該当する語彙がみあたらない場合は、すこしずれたフランス語の単語を用いている。それを日本語に訳すにあたっては、「逆輸入」のような手続きとなり、多くは日本で当時使われていた言葉または現在使われている言葉にもどしたが、あえて逐語訳した箇所もあるので、多少語彙が稚拙だと感じられる部分もあるかもしれない。

また、解説でふれるようにヴィオリスの本は一冊だけ一九四二年（昭和十七年）に日本語訳がでており、そこでは当然ながらフランス語のChine(シンヌ)はすべて「支那」という言葉で訳されている。一九三二年（昭和七年）当時は、もちろんまだ中華人民共和国は存在せず、清国が滅亡したのちに「中華民国」は成立していたものの、依然として軍閥や共産党軍が幅をきかせて近代国家としての体(てい)をなしておらず、現在の「中国」とおなじ名前で呼ぶことは混乱を招く。当時の日本では、外交文書などを除けば、あたり前のように「支那」と呼ばれていたわけであり、ちょうど江戸時代の話をする場合に「東京」ではなく「江戸」と呼ぶのが適当であるように、本書でも歴史用語として基本的に「支那」という呼称を用いた。

本書の第一章は、一九三二年（昭和七年）三月中旬にヴィオリスが上海を離れ、船で横浜にむかう場面からはじまる。

原文にない言葉はきっこうカッコ内に補い、訳注は巻末にまとめた。

1932年の大日本帝国◉目次

［編集部注］

・本文中の＊番号は訳注を示し、巻末にまとめて掲載した。
・本文中の＊原注は、原著者による注記を示し、奇数頁に傍注とした。
・〔 〕亀甲括弧内の小さな文字は、訳者による補足を示した。
・巻末の人名索引は、原著者の本文（第一章〜第二十一章）より抽出したものを掲載した。

【略年表】

一八三九(天保十)年	イギリスが清への侵略を開始(阿片戦争)
一八五三(嘉永六)年	米国のペリーが黒船で来航して日本を威嚇
一八五四(嘉永七)年	米国が日米和親条約(不平等条約)を押しつける
一八五八(安政五)年	フランスが印度支那への侵略を開始 フランスが日仏修好通商条約(不平等条約)を押しつける
一八六八(明治元)年	明治維新
一八七〇(明治三)年	普仏戦争が始まり、翌年フランスがドイツに敗北
一八九四(明治二十七)年	日清戦争が始まり、翌年日本が清に勝利
一八九八(明治三十一)年	米国がハワイを併合
一九〇二(明治三十五)年	米国がフィリピンを植民地化
一九〇四(明治三十七)年	日露戦争が始まり、翌年日本がロシアに勝利
一九〇五(明治三十八)年	日本の朝鮮支配と米国のフィリピン支配を認めあう桂・タフト協定
一九一〇(明治四十三)年	日本が韓国を併合
一九一一(明治四十四)年	日本が不平等条約の撤廃にほぼ成功

一九一四（大正三）年
第一次世界大戦が勃発
日本が青島（チンタオ）のドイツ軍を攻撃

一九一五（大正四）年
日本が中華民国に二十一か条の要求を突きつける

一九一八（大正七）年
第一次世界大戦が終結

一九一九（大正八）年
パリ講和会議、ヴェルサイユ条約調印

一九二一（大正十）年
十一月四日、原敬（たかし）首相が中岡艮一（こんいち）に暗殺される
十一月十二日、ワシントン海軍軍縮会議が始まる

一九二二（大正十一）年
ワシントン条約締結

一九二三（大正十二）年
九月一日、関東大震災

一九二四（大正十三）年
「排日移民法」が米国で成立

一九二七（昭和二）年
四月二十日、政友会の田中義一内閣が発足
七月二十四日、芥川龍之介自殺

一九二八（昭和三）年
二月二十日、第一回普通選挙
三月十五日、三・一五事件（共産党員の一斉検挙）

一九二九（昭和四）年
四月十六日、四・一六事件（共産党員の一斉検挙）
七月二日、民政党の浜口雄幸（おさち）内閣が発足、外務大臣は幣原（しではら）喜重郎
十月二十四日、米国で世界大恐慌が始まる

一九三〇（昭和五）年

一月十五日、浜口内閣の井上準之助蔵相が金の輸出を解禁（金解禁）
一月二十日、ロンドン海軍軍縮会議が始まる（同年ロンドン条約締結）
五月二十日、草刈英治少佐が切腹
九月十四日、ドイツの選挙でナチスが躍進
十一月十四日、浜口首相が佐郷屋留雄（さごうやとめお）に狙撃される

一九三一（昭和六）年

四月十四日、民政党の第二次若槻（わかつき）礼次郎内閣が発足
九月十八日、柳条溝（柳条湖）事件に端を発して満洲事変が勃発
十月十七日、十月事件（クーデター未遂）
十二月十三日、政友会の犬養毅内閣が発足、陸軍大臣は荒木貞夫
高橋是清蔵相が金の輸出を再禁止

一九三二（昭和七）年

一月八日、桜田門事件（天皇の列に朝鮮人テロリストが爆弾を投げつける）
一月二十八日、（第一次）上海事変勃発
二月九日、前蔵相の井上準之助が暗殺される（血盟団事件）
二月二十日、第三回普通選挙
二月二十二日、「爆弾三勇士」が上海郊外で自爆
二月二十九日、満洲事変に関して国際連盟のリットン調査団が来日
三月一日、満洲国建国

三月五日、三井財閥総帥の団琢磨が暗殺される（血盟団事件）
三月二十日、第六十一臨時議会の開院式（議会は二十四日まで）
三月二十八日、上海で空閑少佐が自殺
四月十五日、赤松克磨らが社会民衆党を脱党
四月二十九日、上海天長節爆弾事件
五月十五日、犬養毅首相が暗殺される（五・一五事件）
五月二十六日、斎藤実内閣が発足

一九三三（昭和八）年

一月三十日、ヒットラー内閣成立
二月二十四日、国際連盟総会で満洲国について審議、日本が退場
二月二十七日、ドイツ国会議事堂放火事件
対日強硬派のフランクリン・ルーズベルトが米国大統領に就任

一九三四（昭和九）年

二月六日、フランス国会で右派によるクーデター未遂事件
三月五日、フランスの左派が「反ファシズム知識人監視委員会」を結成

一九三五（昭和十）年

七月十四日、フランスの左派連合「人民戦線」による大規模集会
十月三日、イタリアのムッソリーニがエチオピアに侵攻

一九三六（昭和十一）年

二月二十六日、二・二六事件
七月十七日、スペイン内戦が始まる

一九三七（昭和十二）年	七月七日、盧溝橋事件が勃発、支那事変が始まる
一九三九（昭和十四）年	八月二十三日、独ソ不可侵条約
	九月一日、ドイツ軍がポーランドに侵攻（第二次世界大戦が始まる）
	九月三日、フランスがドイツに宣戦布告
一九四〇（昭和十五）年	六月十四日、ドイツ軍がパリを占領
	六月二十二日、ヴィシー政権誕生
	九月二十七日、日独伊三国同盟
一九四一（昭和十六）年	六月二十二日、ドイツがソ連に侵攻（独ソ戦が始まる）
	十二月八日、日本が真珠湾を攻撃（太平洋戦争が始まる）
一九四四（昭和十九）年	六月六日、連合軍がフランスのノルマンディーに上陸
一九四五（昭和二十）年	八月十五日、日本が降伏

【満洲事変頃の満洲】

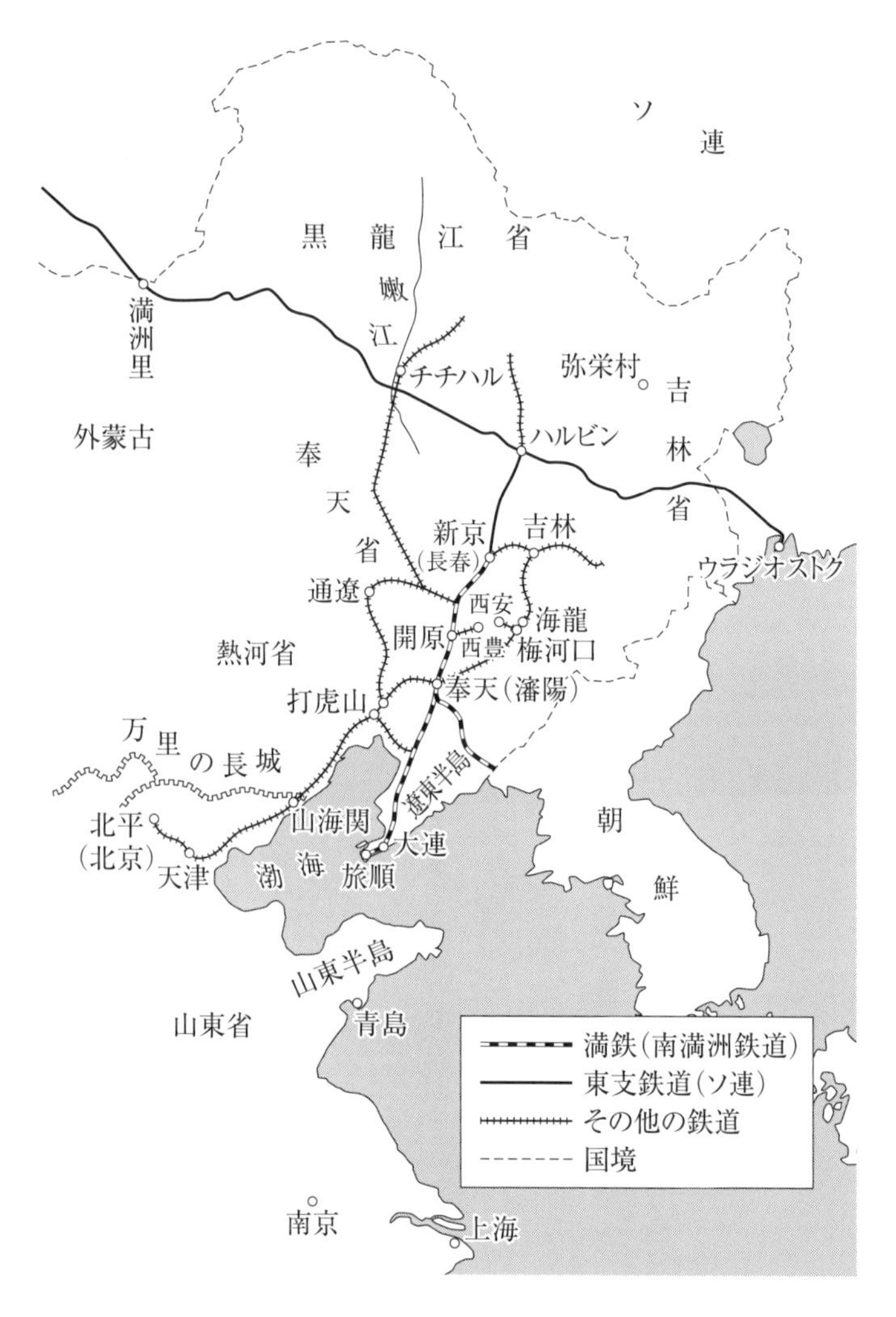
ソ
連
黒龍江省
嫩江
満洲里
チチハル
弥栄村
吉林省
外蒙古
ハルビン
奉天省
新京
(長春)
吉林
ウラジオストク
通遼
西安
海龍
開原
西豊
梅河口
熱河省
奉天(瀋陽)
打虎山
万里の長城
遼東半島
北平
(北京)
山海関
朝鮮
大連
天津
渤海
旅順
山東半島
山東省
青島
満鉄(南満洲鉄道)
東支鉄道(ソ連)
その他の鉄道
国境
南京
上海

【上海事変当時の上海】

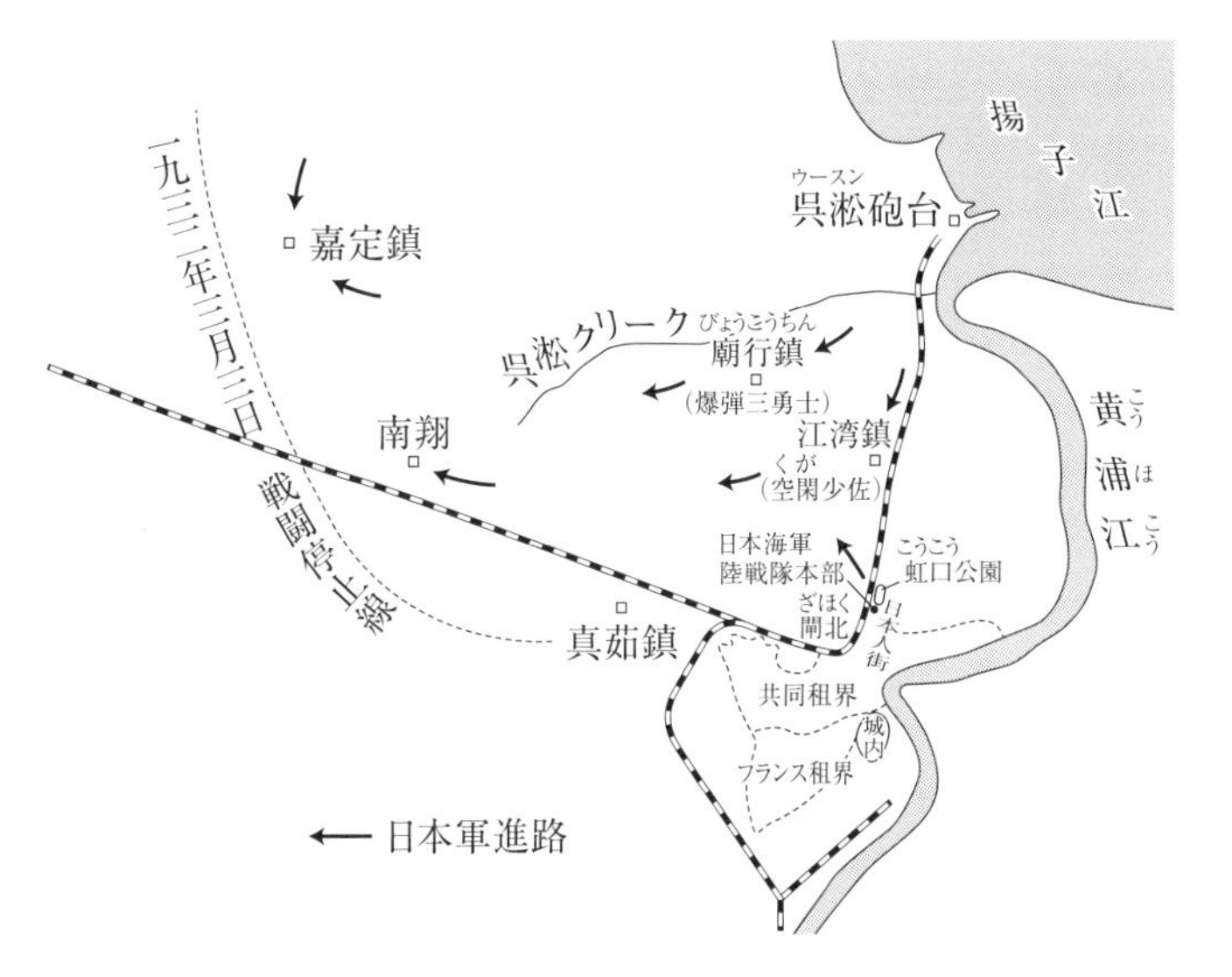

揚子江
ウースン
呉淞砲台
嘉定鎮
一九三二年三月三日
戦闘停止線
呉淞クリーク
びょうこうちん
廟行鎮
(爆弾三勇士)
江湾鎮
くが
(空閑少佐)
南翔
日本海軍
陸戦隊本部
こうこう
虹口公園
ざほく
閘北
日本人街
真茹鎮
共同租界
城内
フランス租界
こうほこう
黄浦江
日本軍進路

【ヴィオリスの来日経路】

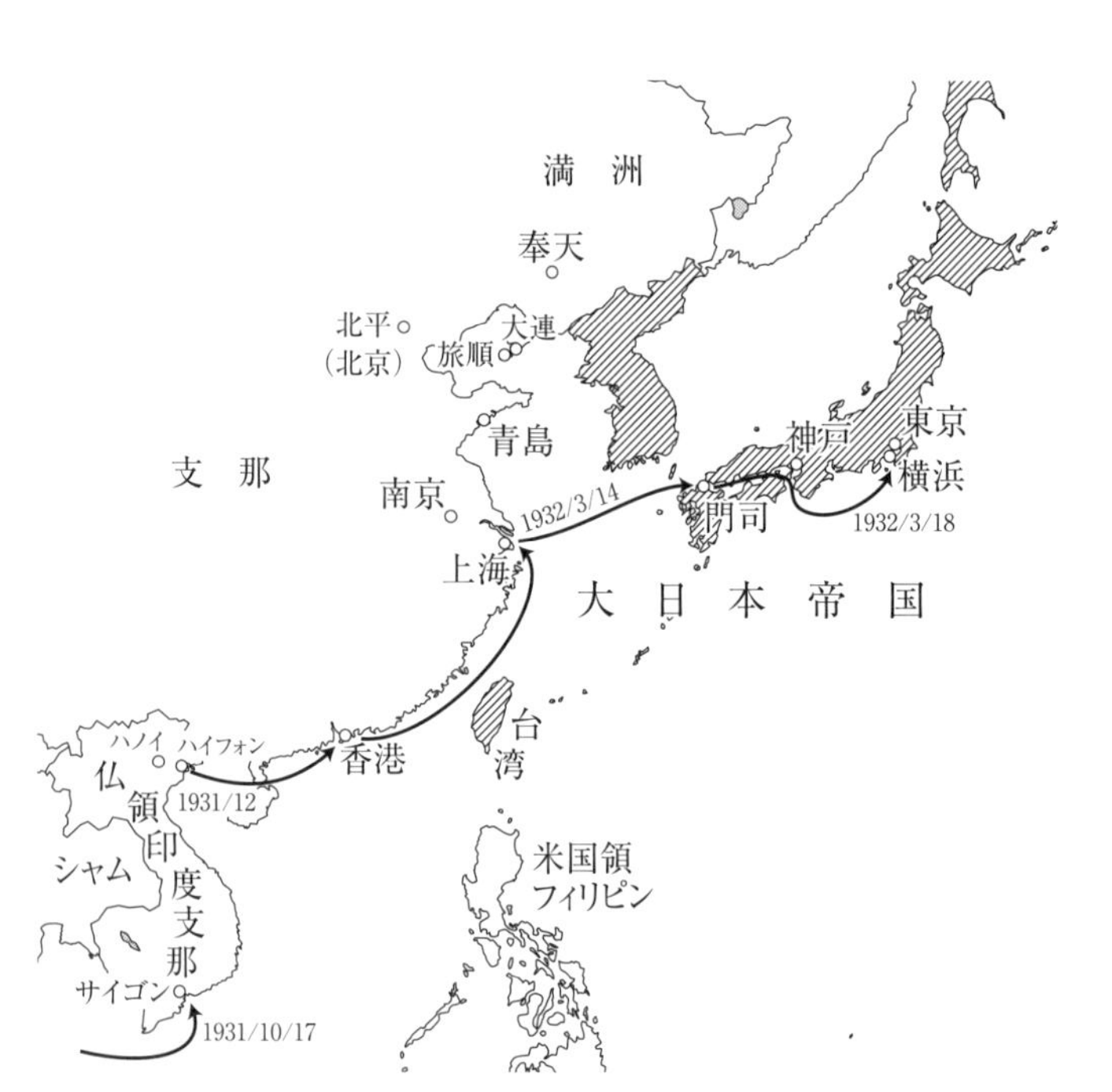
満 洲
奉天
北平
（北京）
大連
旅順
青島
支 那
南京
上海
1932/3/14
門司
神戸
東京
横浜
1932/3/18
大 日 本 帝 国
台
湾
香港
ハノイ
ハイフォン
1931/12
仏
領
印
度
支
那
シャム
サイゴン
1931/10/17
米国領
フィリピン

第一章　上海から横浜への途上

一九三二年〔昭和七年〕三月中旬頃、私は上海から横浜にむかう船に乗っていた。例の〔上海〕「事変」[*1]の急展開に立ち会ってきたところだった。この事変で一万五千人が死に、さらに一万五千人が疫病で亡くなり、数十万人のあわれな人々が路頭に迷い、大都市ほどの広さがあった閘北区[*2]があとかたもなく破壊され、十五ほどの村が廃墟と化したのだった。それは文明世界への挑戦であった。

塩沢〔幸一〕海軍少将が手厳しい最後通牒を突きつけたとき、ちょうど私は上海にいたのだが、一月二十八日、呉鉄城上海市長は威厳のある、しかし悲痛な言葉で最後通牒の要求をすべて受諾したのだった。その日の午前中、日本人街[*3]にいた私は日本軍による直前演習を目撃し、さらに同日夜には突然の攻撃にも立ち会った。それから一か月以上のあいだ、市街地では血みどろの戦闘、村では火事に居あわせ、砲撃や爆撃の音を聞き、また身近にあびる機会を得た。十九路軍の兵隊による予期せぬ激しい抵抗には、他の人たちと同様、私も驚かされた。とるにたりない武器で、ほとんど補給も受けず、ヘルメットもかぶらず、靴も履かぬまま、世界屈指の現代的な装備をもつ〔日本〕軍を相手に三十四日間ももちこたえたのだ。支那、このたんなる「地理的な呼称」にすぎず、「理想も愛国心ももたない」といわれてきた支那人の国民的な団結の高揚、憤慨による奮起は注目に値した。塹壕に積み重なった死骸や、病院のベッドの上の負傷兵に同情をよせ、鼻をつくような焼けこげた匂いや腐敗臭をかぎながら、私はいまだ煙のくすぶる廃墟と化した街や村を見にいったものだった。

そしていま、議論の余地のある日本の勝利について、日本での反応を確かめにゆこうとしていた。

日本、この驚きにみちた国。つい六十年前[*4]までは、かたくなに世界のあらゆる息吹きから閉ざされ、意図的に孤立した謎めいたアジアの小さな王国だった。それがいまでは、奇跡的ともいえる速さで一連の変革をなしとげた結果、極東に君臨し、たび重なる戦争に勝利して覇権を確立している。現代の強国の一つとして、〔第一次世界大戦では〕連合国側に立って戦い、国際会議や国際連盟でも優位な立場に立った。

ところが突然、日本は単独行動に走ろうとしているようなのだ。もはや、大小の刀を差してずんぐりとした馬に乗り、古い浮世絵のなかを血気盛んに駆けめぐっている、あのおそるべき武士ではなく、それよりもはるかに危険な、文明国と呼ばれる国が誇るあらゆる高度な武器、すなわち大砲、戦艦、潜水艦、戦闘機、毒ガスなどをふんだんに装備した、現代の兵隊……。

この日本の驚くべき新しい態度は、どこからくるのだろう。これほどよく知られていながら秘められたこの国とは、いったい何なのだろう。とりわけ、この国は何を望んでいるのだろう。

どこへむかおうとしているのだろう。

＊＊＊

私たちの船は、この日出づる帝国の魅惑の玄関口である内海〔瀬戸内海〕に入り、平和な緑の小島のあいだをゆっくりと進んでいた。凍てつく冬は支那に置きざりにしてきたのだ。ここでは物憂い春がめざめていた。空も海もおなじ淡い青だった。微風だになかった。水面や丘のあたりには、けだるく蒸気が漂っていた。あるときは砂浜に村落が弱々しく身をよせあい、奇岩から垂れた老松が複雑な枝を投げかけていた。あるときは海岸に沿って建造物が不機嫌そうに煙突をつらね、単調な灰色の長い列をつくっていた。ときどき丘の中腹に寺院の反った屋根や石燈籠が見えた。

頭のなかで、さまざまな映像や文学的な記憶が入り乱れていた。

まず、浮世絵。横なぐりの驟雨のなかを、大きな麦わら帽子をかぶり、腰をまげて走りまわる農夫。白鳥のような首をして、大きな黒い髷をゆい、軽蔑するように横をむいてポーズをとった、のっぺりした頬の無表情な女の顔。太鼓橋が渡された青い奔流。それから、金色の地に、おどろくほど新鮮な牡丹の花が揺れている屛風。凝った細工のほどこされた、うるし塗りの箱。小さな煙管。『お菊さん』のほほ笑み。そして、戦艦の司令塔で勇壮なポーズのまま動かぬ『ラ・バタイユ』[*5]の提督。

そのほかにも、こんどは現実の映像が浮かんでくる。北フランスのどこかの豪華なホテルで見かけた、鼈甲（べっこう）のめがねにフロックコートを着た、黄色くて背の低い、重要な代表団の紳士たち。手を膝に置いて腰をまげ、微笑とつぶやきを絶やさず、蛇のようにシューシューと奇妙な音をたてながら、あやつり人形（マリオネット）[*6]のようにいつまでもお辞儀をくりかえしていた。格式張った、複雑な礼儀作法だった。

それとは対照的な、つい最近の上海の戦闘での光景。ヘルメットをかぶり、鬼のような足どりで、痩せた影が逃げるのを追いかける、あごの突きでたずんぐりとした兵隊。拳銃を突きつけ、まげた背中に音をたてて銃床を振りおろしながら、ひきつった笑いを浮かべた顔。そして、支那人の老婆の腰を銃剣で突き刺す、あんずのような丸い頬をした若い水兵。老婆はあわれな変形した足でつまづき、倒れては起きあがり、進退きわまった鼠（ねずみ）のように情けない叫びをあげる……。フラッシュをたいたように脳裏に刻まれた、瞬間的な光景。

しかし、たびたび思いだすのは、すこし滑稽な記憶だ。それはスイスでおこなわれた〔第一次世界大戦の〕休戦後のある会議でのできごとだった。地中海と黒海の沿岸諸国だけにかかわる問題を処理するための会議だったが、日本の代表団は他の国よりも数が多く、重要人物もまじっていた。とてもきちんとして、モーニングコートに手袋をはめ、髪を黒くなでつけ、ふさわしい機会には必ず輝くばかりのシルクハットを誇らしげにかぶり、一つの審議も欠席せず、いつも一番のりで観察し、耳を傾け、メモをとっていたが、けっして口を開くことはなかった。しかし、一晩じゅう部屋からタイプライターを打つカタカタという音が聞こえていた。ホテルでは日本の代表団は壁沿いにすべるように歩き、いい寄ろうとすると曖昧に短い言葉を発して逃れるような身ぶりですり抜け、ほほ笑み、お辞儀をするさまは完璧に礼儀正しかったが、かたくななまでに捉えどころがなかった。影のような人々……。

ある朝、六時頃だったが、私は街の下にある湖[*7]に行き、ボートにのろうとしていた。人けのない水面は眠ったようで、もやが立ちこめていた。薄い空気のなかを、突然何かが転がってきて衝突するかのように、ぴちゃぴちゃと櫂（かい）をこぐ大きな音、耳ざわりな大声、激しい笑い声が響いてきた。この場ちがいな邪魔者、無作法な人たちは、いったい何者なのだろう。

霧のなかから一団が近づき、姿が現れた。この野蛮で上機嫌な田舎者たちは、ボートの上に立ちあがり、互いに呼びかけあい、櫂をふりまわし、大声でどっと笑い、ある者はまっ裸でびしょ濡れになり、またある者は髪を振り乱してだらしなく、豪放磊落（らいらく）だったが、さてこの人たちを見て、いったいだれだと気づかされたことか。まったく完璧で、立派できちんとして無口な、あの日本の代表団だったとは。

「あの人たちは理解できない、絶対に理解できるわけがない。」と、そのとき私は悲しくくりかえした。「あの人たちが見せているのは、顔ではなく仮面（マスク）なのだわ。」

いま、甲板の手すりにもたれながら、私は不安にかられてつぶやく。「どうしたら理解できるのでしょう。」と。

＊＊＊

「それは容易なことではありませんよ。」と、頷きながら、航海の道づれのハンス・ミューラーさんが答える。「日本人ほど入りこみにくいものはありません。自尊心があると同時に臆病なのです。いや、自尊心があるからこそ臆病なのです……。」

スイス人のハンス・ミューラーさんは二十五年前から支那と日本を往復し、ときどき米国にも足をのばしている。スイスの複数の大企業の代表として、巨大なエンジンやら、チョコレートやら、時計やらコンデンスミルクやら、いろいろなものを売りこんでいる。おそらく武器や弾薬も販売しているのだが、なぜか慎み深く、それについてはひと言もふれない。中立国の国民として、うらやむべき精神の自由をもち、明晰に、また皮肉めかしながらも率直に、人々や物事を観察している。ミューラーさんはこうつづける。

「私に助言できることがあるとしたら、それは、手ばなすことだけです。横浜に到着する前に、伝説や紋切り型のよせ集めを捨て去ることですよ。こうしたものによって、もうずっと前から世界に対して日本のほんとうの顔が隠されてきたのです。日本人は、イギリス人がいうところの『ウィンドウ・ドレッシング』、つまり『ショーウィンドウの飾りつけ』術にたけています。最初の『ショーウィンドウ飾りつけ係』として、運よくあの愛想のよいほら吹き、ラフカディオ・ハーンがみつかり、その詩的な発露を日本人はきわめて巧みに利用し、広めたのです。こうして、絵葉書にとっても旅行代理店にとっても都合のよい『神秘的な日本』、桜の花、紫色や金色の寺院、砂糖をまぶしたような山、金銀の派手な絹の着物を着たゲイシャ、笑顔のかわいらしいムスメが飾られるようになったのです。こうした美しい人工的な装飾は、すべて入念に手入れされ、たしかにまだ存在してはいますが、しかし苛酷な悲しい現実をカムフラージュしているのです。

低俗な日本趣味は時代遅れです。古来のすばらしい芸術も時代遅れです。もっとも、こうした芸術は支那からとりいれたものです。絵画、屛風、うるし塗りなどは、もう美術館か古いお屋敷、骨董屋でしかお目にかかれません。また、保守的概念、宗教、古来の家族的な美徳——といっても、それほど徳の高いものだったわけではありませんが——、こうしたものの拠りどころ、危険ないわゆる先進的概念の襲来に対する堅固な砦としての日本についていうならば、いまや、むしろ現代の最先端をゆき、完全に文明化され、諸国家の奏でるコンサートのヴァイオリン首席奏者となってジュネーヴで長々しい議論のお飾りをつとめている日本のほうが、もう現実に近いものとなっています。

イギリス老婦人のいわゆる『背の低い完璧なジェントルマン』[*8]は、世界の平和主義者たちが金切り声をあげて告発しているような『極東のドイツ野郎』[*9]に変貌することになるのでしょうか。それとも、この両者はおなじ人なのでしょうか。たしかなのは、この愛すべきとはいえないにしても、きわめて尊敬するに足る民族は、ほんとうにおそるべき危機に瀕しているということです。この民族は、伝統ある過去と危険にみちた未来のあいだに挟まれ、心ならずも、地理的な宿命と歴史的・経済的な必然にしたがっていますが、こうした宿命や必然によって、破滅をひき起こすように追いやられ、おそらくはその最初の犠牲者となろうとしているのです……。ええ、心ならずも……。アジアの地図はごらんになったことがありますか。それでは、あらためてごらんなさい。これほど教えられるものはありませんから……。」

私をデッキの内側のほうにつれてゆき、ボードに貼ってある雑多な色に塗りわけられた大きな地図の前で説明をつづけた。

「ほら、これが日本です。まるで極東に置かれた細い『丸カッコ閉じる』のようじゃありませんか。しかし同時に、アジアと太平洋に君臨する雛壇(テラス)でもあります。日本はカムチャッカ半島の南から台湾の南端まで、長さにして三千五百キロメートル近く、緯度にして三十度にわたってならぶ、大きな六つの主要な島[*10]で構成されています。これをとりかこむように、無数の小島がちらばっていて、数えたわけではありませんが、三千ほどあります。注目すべきは、世界の偉大な文明がそうであるように、温帯に位置しているということです。台風や激しい温度差にも見舞われますが、現代の地理学者によると、こうした条件は人間の肉体的・精神的な活動に刺戟を与えます。そのうえ非常に山がちで、相当数が火山なのですが、山脈や峰が多く、これが国土の大部分を占めています。ですから、面積はフランスよりも狭く、イギリスよりも若干広い程度ですが、そのうちの十七パーセントでしか耕作できません。ちぎれちぎれになった海岸沿いにへばりつくようにして、狭い平野にどれだけの人がひしめいているかご存知ですか。朝鮮と台湾をいれると、八千三百万人ですよ。なんとフランスの倍以上です。しかも年間百万人ものペースで人口が増えつづけているのですからね。まったく破滅的な増加です。さて、この人々は、おそらく太古にシベリア、中央アジア、マレーシアから渡ってきたようですが、長い世紀にわたって完全に世界から隔絶して生活してきました。一度たりとも占領されたことがないという、聞いたこともないような幸運に恵まれたのです。何世紀か前に蒙古(モンゴル)によってすこし侵略されかかっただけです。こうして、ゆっくりと時間をかけて、独特な様式と風習をもった、まったく均質な人種が形成され、確立されました。こうした孤立がこの人々の性格に刻印を残し、自尊心と愛国心、まあこの二つはまじりあっているのですが、これが発達しました。

いまや、なにかのまちがいで、あるいは欧米が主導して、といってもかまいませんが、孤立から抜けださねばならなくなり、現代文明の利器と呼ばれるものを急いで、ほんとうに大急ぎで飲みこんだわけですが、いまや海と山に挟まれた狭い平野で息苦しくなっています。これまで以上に、近くにある広大な隣国、支那に目をつけ、物欲しげに見るようにさえなっているのは、当然のなりゆきではありませんか。支那は組織もまとまりもなく、たえまない内戦は一時的なものかもしれませんが、疑いのないところであって、いわば無防備な餌食となっているのではないでしょうか。それに、日本人はずっとこの領土を手にいれようと考えてきましたし、それは何世紀も前に、むかしの大名たちが夢見たことでした。現在、少なくとも日本人は自分たちの生産物のはけ口をここに見いだそうとしています。日本は生産量が内需を上回っているからです。満洲に関しては、三十年以上前に、日本が日清戦争に勝利して足がかりをつかみました。その後、一連の条約——そのうちの少なくとも一つ、あの『一九〇五年の秘密協定』[*11]は信憑性が疑わしいのですが——によって、いくつかの権益を手にいれました。それを利用して地位を固めたのです。利用ではなく濫用というべきかどうかは、重要ではありません。日本人には満洲が必要なのです。それは、あまった人口をそこに吐きだすためというよりも——それはまた別の話なので——、むしろ市場を確保し、とりわけ日本の産業にたりない原材料を確保するためなのです。これは日本人にとって生きるか死ぬかの問題です。この経済的な必要性にまさる議論はありません……。」

「それでは、十九世紀中頃に、ペリー提督が船舶や世界の通商のために開港するように日本に強要したときは……?」と私が尋ねる。

「ええ、おそらく提督は二十世紀にむけて戦争の準備をしていたのでしょう。しかし、いまは歴史の講義をするつもりはありません。ただ、日本人はアジアにおける自分たちの使命を本気で信じているということだけは覚えておいてください。多くの日本人が天皇の神聖な出自を信じているか、または信じているふりをしています。どちらでもおなじことです。日本人の宗教は、ほとんど家族や氏族の祖先、とりわけ日本の象徴である天皇の祖先への崇拝で成りたっています。つまり、結局のところ、愛国心が宗教だということです。蛇足かもしれませんが、数世紀にわたる意図的な鎖国のあいだ、この国を支配していたのは、刀をしるしとする大名と侍による軍事的カーストであって、これを封建的な首長である将軍家が支えるという構図で、この国の大多数の人々はきわめて苛酷な規律に縛られていました。

こうして、伝統的に日本では軍の役割が大きくなり、軍人の名誉の掟である『武士道』がすべての意識を厳密に縛るようになったのです。また、こうして、これほど長いあいだ、人々はおどろくほど従順で受け身的だったのです。支配階級の活力と、被支配階級の献身、そして両者に共通する、驚異的な量の仕事への一丸となったねばり強さこそが、日本の変革の奇跡を可能にしたのです。

しかしながら、何ごとにも終わりがあります。あれほど長いあいだ日本人を押さえつけてきたむかしからの土台の上に、日本人は現代的な大きな建物を据えました。しかし、あまりにも雑多な材料をもちいて、あまりにも性急に建てたがゆえに、このすばらしい建物には亀裂や欠陥が目だち、その重みで、虫に喰われた古い土台がぐらついています……。日本の政治体制はまだできあがってから日が浅く、日本人の考え方や風習は封建的なままです。ここに、現在、世界をゆるがしている危機が加わったのですから、どれほど差しせまった危機が日本をおびやかしているのか、おわかりでしょう。」

　私たちの船は、忙しそうな港に入っていた。小型の商用蒸気船、日の丸を掲げた客船、太鼓腹の大型貨物船などがすれちがって移動し、貨物船から吐きだされる太い煙が、むこう岸にならぶ工場から立ちのぼる羽根飾りのような灰色の煙とまじりあっていた。

「門司（もじ）*12です。石炭の港ですよ。大きなセメント工場があります。」とハンス・ミューラーさんが教えてくれた。

　絹が擦れるような音をたてて、帆を張った大きな漁船が私たちの船とゆっくりとすれちがっていた。反った船尾は城のごとくにそびえ立ち、まるで十字軍の頃の帆船のようだった。ロープのあいだを、猿のようにすばしこく黄色い小さな男たちが飛びまわっていたが、裸同然で、あぶらぎった黒い長髪に顔が隠れていた。そのうちの一人がひとっ飛びして、船首（へさき）にしゃがみこむと、まだぴちぴち跳ねている魚を両手でつかみ、うれしそうに顔をゆがめて、むさぼりはじめた。

ちょうどそのとき、水平線の彼方から銀の水しぶきをあげ、機首を水上にもたげながら、ものすごい勢いで飛行艇[*13]が現れた。この誇り高い架空の動物のような乗りものをあやつっていたのは、ヘルメットをかぶって白い制服をびしっと着こみ、おごそかな横顔をくっきりと示し、きびきびとした仕草をした、若い神のような男だった。

「ごらんになりましたか。」と、ハンス・ミューラーさんがいった。「あの二種類の人たちは、何世紀もの時間によってへだてられているようにみえます。しかし、どちらもおなじ国の人間なのです。あの美しい完璧なロボットの制服の下をいくらつついてみても、生の魚をかじる原始人のことはわかりませんよ。

そうそう、最後に一つエピソードを。これはロシア帝政時代に、中央ヨーロッパのある王国の大使としてペテルブルクに駐在していた、むかしかたぎの外交官から聞いた話です。その外交官は、ペテルブルクで日本の大使ととても親しくしていましたが、この日本の大使はたいへん礼儀正しく、節度も教養もあったそうです。さて、二人が王室の主催する熊狩りに招待されたときのことです。とうとう熊が追いつめられ、仕留められました。この文明化され、洗練された日本の大使が熊に駆けよったのですが、そのときに私の古くからの親友が受けた衝撃は、いかばかりだったでしょう。なんと、傷口の血をごくごくと飲みほしたというのです。『けだもののように傷口をなめまわす凶暴な横顔の表情は、絶対に忘れられない。』と、親友は軽く身ぶるいしながら語ってくれました。もう二十年も前の話だと反論されるかもしれません。しかし、日本人はそれほど変わったでしょうか。きわめて現代的な文明の層の下にひそむ、この野蛮な底流。これこそ、日本人を研究するときに忘れてはならない部分です。なぜなら、ここに日本人のアンバランスの深い原因の一つがあるからです。もちろん、ほかにも原因はあります。しかし、どの原因も矯正できないものではありません。この民族には、あれほど強い生命力、あれほどの成長と拡大への意志があるのですから。もっとも、これがまた他の危険をはらんでいるのですが……。

さあ、それでは、見て、聞いて、理解してごらんなさい、もし可能なら。」

第二章　日本の世論と上海「事変」

上海を離れたとき、私は強力な日本の兵器、好戦的な日本人の考え、ひっきりなしに東京から打電されてくる強硬な電報に圧倒されていた。だから、さぞかし日本の首都も戦争熱に浮かされ、勝利に酔って熱狂した群衆が走りまわっているのではないかと想像していた。しかし、まもなくそれは誤りであることに気づかされることになった。一見したところ、東京は平和であると同時に、せわしなくみえる。歩道では地味で節度のある群衆がゆっくりとした足どりで歩いている。あの上海で押しよせていた無数の人々の群れ、しわがれた金切り声を上げながら逃げまどっていた新聞売りの少年たち、群衆、めまぐるしい動き、人の波は、どこへいったのだろう。あの騒音、笑い、支那人たちの叫びは、どこへいったのだろう。

上海にいたときのように、店のショーウィンドウに国粋主義的なポスターや風刺画がないか探そうとしたが、無駄だった。軍歌も、いさましい足どりで行進する軍隊も、それに類するものは何もなかった。いらだたしいほどの静けさだった。

しかし、明日の午前中、臨時議会の開院式のために天皇が宮城からおでかけになると新聞が告げている。[*14] 十時三十七分だと書かれ、正確さへの不思議な配慮が示されている。天皇が外出されることはめったにない。来日早々、この神聖な存在、日本の神をかいまみる幸運に恵まれるのだろうか。日本国民の熱狂に立ち会う幸運に。

十時よりも前に、満々と水をたたえた濠（ほり）にかこまれた、宮城の巨大な石垣がそびえる広々とした広場についた。見わたすかぎり、どっしりとした赤茶をおびた石垣がつらなり、そこに武具飾りのような黒松の群れと、反った三重の屋根の建物が見えた。中央で突きでた細い橋には二つの坂道がつうじており、ここから御一行が下りてこられるのだろう。[*15]

しかし、群衆はどこなのだろう。君主を歓呼して迎えるために集まったのは、あそこにいる五百人ほどの人たちだけなのだろうか。私も加わることにする。前列には女性と子供、小道をへだてて男たち。この二つのグループのまわりを警官の列がとりかこんでいる。警官のうち、ある者は赤い飾り紐のついた黒い制服、またある者はカーキ色の制服に朱色の飾りのついた帽子をかぶり、脇にサーベル、腰に拳銃をさげている。多くの者が鉄のめがねをかけ、黒い絹の猿轡（さるぐつわ）のようなもので口を覆っているが、これは黴菌（ばいきん）が入らないようにするためのもので、私は通りすがりの多くの人がしているのに気づいていた。[*16] この治安を維持する人たちは、つつましい小市民がうやうやしい陰気な沈黙を守りながら動かずに辛抱づよく待っているのを、疑い深そうな細い目で見おろし、監視している。ときどき、靴、草履（ぞうり）、下駄などが一足たりとも整然とした状態を乱さぬようにと、足や肩を押して観客の列を直している。

正面のはるか彼方では、地味な制服を着た一団が整列しており、白い手袋が浮かびあがってみえる。時間がゆっくりとすぎてゆく。ぼんやりとした空に太陽がのぼる。だれも話さず、だれも動かない。子供までもが沈黙し、身を固くしている。ちらほらと、数台の輝く自動車に乗って、それよりもさらに輝かしい将軍が何人かやってくる。突然、警官たちがみなおなじ仕草で懐中時計に目をやり、みなおなじ仕草で黒い猿轡を外してポケットにしまう。群衆も、みなおなじ仕草で嵐になぎ倒される葦のようにお辞儀をし、帽子をとる。ヨーロッパ風のかぶりものをかぶった女性でさえもそうするのだ。

ついにらっぱが鳴り響き、遠く、はるか遠くに、輝く鹵簿が見える。鹵簿は人けのない中を進む。先頭と要所要所に、旗を掲げた白と赤の槍騎兵が配され、四頭立ての渋い赤のうるし塗りの馬車が十五両ほどつづき、それぞれの脇に近衛騎兵の格好をした輝く従者がつきしたがっている。ほとんどの馬車はからっぽだ。一、二両の馬車のなかに、羽根飾りのような二角帽の形が見えたように思った。天皇陛下はといえば、善良な人々からはまったく見えないままだ。人々は地面にひれ伏したまま、叫び声一つあげず、身動き一つしない。この人々をよく監視するために、鹵簿に背をむけた警官たちが鋭い目つきをしている。これで終わりだった。

私はあっけにとられたまま、何を待っているのかもよくわからずに、ずっとそこにいた。ああ、これはパリの人々が勇敢な自国の大統領や外国の君主を出迎えるときの、騒々しくもすこし冷やかすような、率直な歓喜ではない。また、イギリス人の王室に対する愛情にみちた熱意でもない。私が夢想していた熱烈な喝采は、いったいどこにあるのだろう。

「何を考えているのですか。」と日本人の友人が私の不満に答えるようにいう。「陛下は人間ではなく、君主ですらなく、神なのだということをご存知ないのですか。神を前にして喝采したり、叫んだり、身ぶり手ぶりをまじえたりしますか。そもそも、天つ神の御子なのですから、厚かましくも直視しようとする者や、とりわけ上から見おろそうとする者の目をくらませ、雷で打ちます。ですから、陛下がお通りになるところは窓をすべて閉め、カーテンはすべて引かねばならないのです……。」

「それに、」と友人はすこし考えてから話をつづける。「これはテロを防ぐためでもあります。二か月前、警視庁の前で、陛下の御一行に爆弾が投げつけられたこと[*17]は、もしかしてご存知ありませんでしたか。」

なるほど、今日のようであれば、爆弾を投げるのは無理だったろう。

***

日本人の感情表現は、どこで発見できるのだろう。新聞では、駅で上海帰りの部隊――わずか一個師団半――が熱狂する群衆に迎えられたと報じられていた。そうかもしれない。しかし、私は日比谷公園[*18]の前の、東京でいちばん立派な通りで、旗を振りながら歓呼の声をあげている兵隊を満載したトラックを見かけたが、何人かの通行人が無関心そうに振りかえっていただけだった。

ようやく、二つの劇場と多くの映画館で「上海三勇士」[*19]の崇高な犠牲をたたえる劇や作品が演じられていることを知る。この三人の兵隊は、上海郊外での激しい戦闘が終盤にさしかかったある日、自爆しながら敵の防禦用の工作物を破壊したのだった。この三人は国民的英雄とみなされ、家族には栄誉、恩典、慰問金が授けられた。

歌舞伎座に行ってみる。ここは「日本のコメディー・フランセーズ」とでも呼ぶべき、東京屈指のみごとな劇場で、ふだんは古典的な作品を演じている。春休み中なので、地方に住む人や田舎者がたくさん首都に来ていて、広い劇場なのに満員となっている。上演は四時から夜の十時半までつづく。はじめに定番の劇が演じられ、奇妙な血なまぐさい急展開を、あの上のほうの天井桟敷の観客がものすごい叫びをあげて盛り立てる。幕間になると、観客は休憩ロビーに行き、三人の兵隊をしのんで設けられた一種の祭壇の前に列をつくる。国旗を背にして、ほぼ等身大の三人の写真が飾られている。一人の若者は挑発的なまなざしで精悍なつら構えをしているが、他の二人は少女のようなほほ笑みを浮かべた丸顔の青年だ。写真の下には、三人の軍服、赤い帯を巻いたカーキ色の帽子、サーベル、背嚢が置かれている。祭壇の白い布の上には果物皿が二つ置かれ、山盛りになった紅白のお菓子が死者の霊に手向けられており、その間に置かれた香炉から立ちのぼる煙が芳香をただよわせている。観客が順にやってきて、お椀からわずかなお香をつまみ、香炉に落としてゆく。とても簡素で、とても感動的だ。しかし――アジア人が無表情だからなのか――人々のまなざしには、感動よりも好奇心のほうが読みとれる気がする。

いよいよ劇そのものがはじまる。みごとな演出だ。日本軍の塹壕。夜である。大砲がとどろいている。一人の将校が配下の兵と協議している。早朝、支那兵が襲撃にくるらしい。先手を打つことが肝心だ。しかし、砲兵隊の努力にもかかわらず、なかなか有刺鉄線の柵を破壊することができない。ダイナマイトで爆破しようと試みる者はいないか？　すぐに三人の志願者が名のりをあげる。

舞台転換。塀のむこう側の、支那軍の広大な塹壕の前では、銃撃による閃光と煙のなかで、ひゅうひゅういう弾丸の音、カタカタという機関銃の音がする。ダイナマイトをつめた長くて重たい筒を持ち、身をかがめて三人の兵隊が走りながら入ってくる。そのうちの一人が倒れ、他の二人が一瞬立ちどまって導火線に点火する。この段階で、爆弾を置きざりにして身を隠すこともできたかもしれない。しかし、有刺鉄線のところまで運んでゆくことに決め、また走りはじめる。突然、ものすごい爆音が聞こえ、赤くなった空に無数の破片が飛びちる。同時に、客席からも楽団席からも、百人ほどの日本兵が飛びだし、舞台によじのぼって歓声をあげ、この突破口から敵軍に襲いかかる。不安にかられるほどリアルな光景だ。この瞬間、客席では拍手喝采と「万歳、万歳。」の叫び声が響きわたる。ただし、観客が三千人も入っているにしては、拍手喝采や叫び声はまばらな気がする。とりわけ、すぐにやんでしまう。戦争中のパリやロンドンだったら、こうした場面では、はるかに大きな熱狂が巻き起こるはずだ。

ただちに、あとかたもなく散った三人の兵隊をしのぶ葬式の場面となり、ふたたび静寂にもどる。総司令官、将校、兵卒がかわるがわるやってきて祭壇の前で頭を下げる。休憩ロビーの祭壇とおなじように、この不幸な青年たちの武器と、背嚢に入っていたこまごまとした宝物がすべて祭壇に置かれている。みなそれぞれ、供え物をもってくる。お菓子、「酒」――日本のアルコールだ――、煙草など、兵隊が好むすべてのもの。手向けるものが何もなかった者は、早春に白い小さな花を咲かせる梅の木から、開花した一枝を手折り、瓢箪(ひょうたん)に挿して祭壇の中央に供える。きわめて日本的で、とても感動的な仕草だ。その後、観客からはなんの反応もないまま上演が終わる。

⁂

こうした抑制は、新聞でもみられ、おもに満洲や国際連盟、国内政治の議論が記事にとりあげられていたが、上海までは打電されてこなかった、情勢や世論の動向への謎めいた示唆にみちている。人々の会話はきわめて控えめだ。私に話をしてくれた人たちは、完璧な規律をあかしだてるように、全員一致で、ほとんどおなじ言葉を使って、日本海軍は戦端を開くのを余儀なくされたということだけを説得しようとする。民間服を着た支那兵が、陰険にも突然、日本軍の兵士を襲ったではないか。自分の生命を守り、おなじ日本人の財産を守ることは当然のつとめではないか。同時に、上海共同租界のすべての外国人の財産を守ることも。

こうした主張は、上海でも幾度となく聞かされていたので、よく知っていた。しかし、前にも述べたように、一九三二年〔昭和七年〕一月二十八日の午前中、私は〔上海〕「事変」の端緒となるこの日の夜の日本軍の攻撃の準備作業に立ち会っていたので、懐疑的なままだった。

だから私は黙っていた。そして、その後の作戦や結末についての東京の人々の意見だけを知ろうと努めた。しかし、レポーターも、政治家も、かつてパリで知りあった友人までもが、まるで草むらの蛇のように私の指のあいだから身軽にすり抜けていった。

光栄にもお会いいただいた芳沢外務大臣[*20]もまったくおなじで、お話のなかで上海「事変」はたいへん「不幸」なことだと認めたが、すぐに話題を変えてしまった。

例の沈黙の壁、あの日本人の顔を隠す仮面（マスク）に、もう私は突きあたっているのだろうか。ある消息通のヨーロッパ人に尋ねてみた。

「もしかして、軍人のような日本人の考え方、戦争や征服好きの本能というのは、伝説にすぎないのでしょうか。」

「そんなことはありませんよ。」とその人はいった。「しかし、大臣がおっしゃったように、日本人にとって、上海事変は過ちですね。この過ちは、少なくとも部分的には海軍軍令部によるものです。ワシントンとロンドンの軍縮会議以来、海軍の士官たちは、自分たちの役割と権威が損なわれ、弱められたと感じてきたそうです。それで、長いあいだ『我々は女のように扱われておる。女のように行動しておるのだ。』と苦々しく語ってきました。

今年の一月、血気盛んな塩沢少将率いる司令部の面々は、派手に巻きかえす機会がやってきたと考えました。『陸軍は満洲を陛下に差し上げた。それなら海軍は上海を献上することにしよう。』といったそうです。そして、日本政府からの命令を求めることも待つこともなく、攻撃をしかけたのです。口実はいとも簡単にみつかりました。……以上がこの失態の公式バージョンです。」

私の友人はすこし黙ってから、ふたたび語りはじめた。「じつをいうと、この説明はかなり疑わしいと思っています。そもそも、上海は大部分がヨーロッパ列強のものとなっているわけですから、日本海軍が天皇に献上するというのは無理な話です。日本政府、少なくとも表むきの政府が――いや、実際、裏の政府もありますのでね――あずかり知らぬうちに塩沢少将が最後通牒を送りつけたというのは、ありうることです。しかし、塩沢少将はかばわれました。私が思うに、むしろ日本軍は、突然攻撃をしかけて上海を奪いとることで、支那政府の内部対立を浮きぼりにしてから、突然和平を強要したいと考えていたのではないでしょうか。そうすれば、支那政府は満洲でなしとげられた既成事実を承認し、東三省(とうさんしょう)[*21]を放棄せざるをえなくなるはずでした。そうなれば、国際連盟もアメリカも、この行為を認めざるをえなくなるはずでした。

しかし日本政府は、襲撃によって支那が奮起すること、つまり支那の国民感情が高まることを計算にいれていませんでした。さらに、十九路軍の予期せぬ抵抗は、想定外の形で、いつまでもつづきました。もう奇襲の効果は失われていました。部隊の増派が決定され、大急ぎで輸送がくりかえされ、同時に不安が増大していきます。状況が長びき、予想に反して支那兵は塹壕戦に巧みであることが明らかとなったのです。

日本の政府内でも、多額の予算をつぎこんでますます多額の予算を要求する陸軍大臣と、財源がないと主張する大蔵大臣とのあいだで軋轢(あつれき)が生じていきました。実業家や財界人は、支那市場が封鎖されたことで、自分たちが破産するのは火をみるよりも明らかだと断言するようになりました。外交官は、ジュネーヴと世界の世論の離反を招いてしまったと歎(なげ)いていました。

アメリカ政府は憤慨していました。日本人は唖然としながら不安にかられていました。『なんたることだ。あの商人ふぜいの卑怯な国民である支那人に、古くからの大和の国の武士がこれほど長いあいだ足どめをくらっているとは。面目丸つぶれではないか。』というわけです。

こうして、上海での勝利は――もし勝利というものがあったとしての話ですが――、日本人にとって、喜びではなく安堵だったのです。」

第三章　日本軍の領地、満洲

上海事変に関しては世論は割れていたが、満洲の問題に関しては全員一致して譲らなかった。「ごく貧しい百姓から天皇陛下まで、あの土地に対するわれわれの権利の正当性を確信していない日本人は一人もおりません。」と、私が日本に来てからというもの、人々はあらゆる調子で異口同音にいうのだった。「この権利に異議をとなえたり、行動を邪魔だてしようものなら、日本全体が立ちあがります。」

国際連盟が満洲に調査団を派遣する挙にでたことを受け、ほとんどの新聞は、毎日驚くほど一致して、国際連盟の日本代表団を召還する可能性について論じていた。そして、巧妙かつ辛辣な議論を滔々（とうとう）とならべて、それが時宜にかなっていることを論証していた。

たしかに芳沢〔外務〕大臣は、それは「新聞のでっちあげ」であり、召還は問題とはなっていないと私に語った。「少なくとも、さしあたってはね。」と意味深長に大臣はつけ加えた。

日本は軍部の権限が大きいことが知られているが、いつの時代でも日本では政府よりも軍部のほうが権限が強かった。「将軍」の時代とおなじように現代でも、陸海軍の指導者からなる軍の勢力は、大元帥たる天皇のみに属している。陸海軍の指導者は、自分の行為について議会でいかなる責任もとらない。

だから、陸軍大臣はいつでも重要人物である。しかし、荒木貞夫将軍[*22]は、その地位による権威に加え、ゆるぎない個人的影響力をもっている。天皇から大臣に親任された荒木将軍は、まれにみるほど青年将校たちから支持されており、古株の将軍たちに対する下剋上を幾度となく助けてきたといわれている。とくに一九三一年〔昭和六年〕秋、満洲において青年将校たちが名だたる実業家や財界人による居丈高な干渉に反抗したときはそうだった。

荒木将軍は、世論や他の大臣の意向はほとんど気にかけないといわれている。閣議では、しばしば心ここにあらずといった感じで、かたくなに沈黙を守る。そして、長い議論のすえに、ようやくある結論に達したところで立ちあがり、全員一致の意見に断乎反対し、自分の意志を押しつける。どのようなときでも、内閣の団結のためにあれこれと思いなやむことはほとんどなく、自分の属する内閣との不一致を公言してはばからない。

「閣下には独裁者の素質があるんですよ。」と、ある日、多くの支持者の一人が感服しながらこっそりと私にささやいた。

こうしたわけで、これほどまでに人々を吸いよせるような影響力を現在の日本で行使している人にお会いするにあたって、私は不安を感じていた。そうした影響力は、すでに陸軍省の玄関からして感じられ、ここは日本としてはかなり異例の熱い活気にみちていた。将校たちが出入りし、靴の響く音、大きな声や高笑いが聞こえ、そうこうするうちに荒木将軍の二人の協力者が出迎えてくれたが、その単刀直入な感じのよさは、日本の多くの役人の堅苦しい儀式的な物腰とは対照的だ。

突然、さっと二人が立ちあがり、顔がいっそう輝いたかと思うと、荒木将軍がきびきびとした歩調で入ってくる。見たところ五十五歳くらいだが、渋い浅緑のごわっとした布地でぞんざいに仕立てられた、勲章も徽章(きしょう)もついていない簡素な軍服を着て、細身で軽快だった。花崗岩からじかに強引に切りだしたような蒙古(モンゴル)系の顔は、広い両頬、意志の強そうなあご、剛毛で先の尖った口ひげ、その下に厚い唇をそなえており、もしたえまない微笑によって小さく鋭い目の隅に皺ができていなかったとしたら、いかめしく怖そうにみえたことだろう。この陽気な微笑に接すると、声や動作から発散される凝縮された活力と相まって、なぜこの人がこれだけの支配力を及ぼし、忠誠心を抱かせるのかがわかる気がする。

日本人が巧みにあやつるすべを心得ている、儀礼的な多くの社交辞令がかわされ、その優雅さに、あわれなヨーロッパ人である私はどうしたらよいかわからなくなったあとで、ようやく円卓をかこんで腰をかける。洗練されたカップのなかで、ばら色の紅茶が湯気を立てている。最初にいくつか時事的な質問をしてから、日本の新聞で展開されつづけている国際連盟への反対キャンペーンに話をむけてみる。ジュネーヴの日本代表団の召還は、ありうることだとお考えなのだろうか。

一瞬、荒木将軍の微笑が消えた。ついで、ゆっくりとした口調で、

「日本が国際平和の維持を目的とする組織から去るというのは、重大な問題でありまして、我々

はまだその可能性を想定してはおりません。しかしながら、一つ強調しておかねばならんのは、わが国の生死にかかわる問題について、満洲や上海に現実の利害ももたず、また状況について十分な理解もしていないようないくつかの小国が厚かましくも反対するというのは、真に抗議せずに受けいれることはできないということであります。これは、日本国民の全員一致した意見を述べているにすぎんのです。さて、国際連盟の態度と行動によっては、いずれ日本で深刻な不満が不可避的に巻き起こる可能性は、大いにあります。ですから、国際連盟には、特定の宣伝（プロパガンダ）を信ずることなく、表面的な事柄に隠された真相を追求し、正面から事実を見据え、この問題の歴史的な実情や地域的な条件を精査し、最終的に独立した判断を表明されることを期待しましょう。もし、現状に即して問題を解決すべきでありながら、得意になって単に感情的、感傷的な議論に終始するとしたら、国際連盟は信用を失い、破滅へと追いやられる他はないでありましょう……。」

むらのなかった強い声は、一瞬、いらだった口調によってかすれる。ついで、さらに攻撃的な熱意をこめて、短いセンテンスのあいまに断乎たる調子で二本の指でテーブルを叩きながら言葉をつづける。

「満洲の秩序と平和は、なんとしても維持せねばなりません。我々は、内外のあらゆる攪乱（かくらん）分子をはねのけ、秩序と平和を守ることができます。満洲のためにこそ、この三十五年間のうちに二度も戦争をし、多くの日本人が血を流したのです。我々にとって、かの地は経済的に貴重であるだけではなく、戦略的にも重要であります。満洲は日本の防衛態勢の一部なのです。のみならず、我々は満洲に心情的な価値も認めております。一八九六年〔明治二十九年〕、日本は支那から満洲を獲得しました。しかし、三国干渉によって――これにはフランスも含まれておるんですよ――満洲を支那人に還付せねばなりませんでした。数年後、満洲を占領したのはロシアでした。これに対して、こんどは新しい戦争、日露戦争が起こりました。多大な犠牲を払って勝利した我々は、自発的に満洲を支那の手にもどしてやりました。支那が我々に感謝し、日本企業と在留邦人を友好的に扱ってくれることを期待してのことです。しかし、なんと正反対でした。二十年このかた、支那はますます耐え難い嫌がらせと侮辱をあびせかけてきました。こんどこそ、もうたくさんです。満洲では新しい国家が誕生しました。この国家が我々に対して信義をもって振る舞いつづけるのであれば、経済的援助も軍事的支援も惜しむものではありません。我々は、この国を、だれもが入りこみ、だれもが繁栄できるような地上の楽園にしたいと考えておるのです。この国が攻撃されたり迫害されたりしたら、我々としては黙っているわけには参りません。」

この歴史的な概略がいささか偏っているという点についてはふれずに、あえて口を挟んでみた。

「むこうに新たな部隊を派遣するという話は、ないようですね。聞くところによると、ソビエトは……。」

荒木将軍は制する仕草をして、

「たしかに、満洲北部の情勢は複雑で、非常に深刻となっております。まもなく我々が重大な決定をせざるをえなくなるというのは、ありうべきことです。わが軍当局は待機し、監視を怠っておりません……。」

荒木将軍はこれ以上は話をしなかった。しかし、この会見のすぐあとで、ある愛国団体が主催した会議の席上での訓示では、もっと腹蔵なく意見を述べた。ソビエトはシベリア国境に部隊を集め、極東での空軍力を増強していると告げたうえで、こう締めくくったのだ。「国際連盟もソビエトも、我々の為すことを阻むことはできないであろう。我々は我々の道を歩む。どのような障害物もとり除く用意はできている。」

政治的・経済的な困難によって状況が悪化するおそれがあることに私が話をむけると、荒木将軍はすこしそっけなくいった。

「国家的な危機の際には、日本人はつねに団結し、あたかも一人の人間であるかのように歩むものです。」

荒木将軍の協力者の一人が笑いながらつけ加える。

「我々のことはご心配なく。我々はいつでも切り抜けることができますから。」

いや、日本のことではなく、世界平和のことが心配なのです……とは私はいいだすことができない。そこへ、ある一団がお待ちかねだと、だれかが告げにきた。荒木将軍は立ちあがり、麾下(きか)の者とすこし言葉をかわしてから私のほうにむき直り、

「フランスを尊敬している理由をもう一つお聞かせしましょう。フランスは一八七〇年から七一年の〔普仏〕戦争に負けたあとで、多額の賠償金を一、二年たらずで支払いました。しかも

不平や文句を言わず、値切ることもせずに支払いました。そうできることではありませんよ、そうできることではね。」

こういって目くばせをすると、自分の軽口が気に入ったように、高笑いして立ち去った。控えの間では、待ちかねていた大勢の将校が靴のかかとを鳴らすのが聞こえた。


***

次の日の夜、私は日本人の友人と夕食をとっていた。東京のある大学で外国文学の教授をしている人で、フランスと、とくにイギリスに長く滞在したことがあり、イギリスの政治体制に強いあこがれを抱いている。ヨーロッパの習慣と考え方に慣れてしまったせいか、あらゆる日本人と同様に愛国者でありながら、帰国後はすこししっくりこないと感じていると、打ち明けてくれた。

この教授は、この前の選挙で衆議院議員になった元同僚をつれてきていた。

ブロンド色の畳の上にじかに置かれた座布団(クッション)の上にすわりこんだ私たちの前には、低いテーブルが据えられ、おままごとでもするかのように、優美な陶器の小皿や小鉢がならべられていた。そろそろ夕食も終わりかけていたが、これまでに、揚げた海老、若い竹の芽、雁(がん)の肉、松葉に刺したきのこ、その他たくさんの変わった繊細な料理が供された。高く髷(まげ)をゆった女中が笑顔でひざまづき、私と一緒にいる二人の男の、壊れそうな凝った盃にひっきりなしに「酒」をつぐ。すこしウォッカの味のする、米でできた日本のアルコールだ。二人の黄色い顔がだんだん赤銅色に染まり、もう曖昧な社交辞令はどこへやら、私のことなど眼中にないかのように、思い出話や冗談に花を咲かせていた。

そして、自然と、おきまりの題目である満洲の話になった。代議士は、職業上の義務を思いだし、これまで私が何度となく聞かされてきた常套文句をこと細かにくりかえし、最後に満洲国へのもったいぶった讃辞を述べた。満洲国は気高い戦士の国で、しばらく前に支那を征服し、何代にもわたって〔清国〕皇帝を輩出したのち、ついに独立を回復したのだ、と。

さらに代議士はこう話をつづけた。「圧政に苦しむ民族に対してあれほど寛大なフランスなら、この国が国内で秩序と平和をふたたび確立するのを、なぜわれわれが手助けしたのか、きっと理解していただけるでしょう。われわれはこの国を隷属させようとはしていませんし、領土的な野心もまったくありません……。」

話は滔々と流れるように、よどみなく展開されていた。ついで演説者は、長い皇帝の血統の最後につらなる〔愛新覚羅(あいしんかくら)〕溥儀(ふぎ)を讃美しはじめた。溥儀はとても勇敢に権力の責任と執政としての職務を引き受けてくれた、云々。私はあきらめて注意して拝聴しながら、視線はぼんやりと教授のほうにむけていた。酒がきいてきたせいだろうか、教授の蒙古(モンゴル)系の顔の頬がほてったように赤くなり、鋭い目が輝き、皮肉めいた微笑で唇が反ってきた。突然、友人の目を見据えると、断乎たる口調で一語一語、はっきりと叫んだ。「そんなのは全部、真っ赤な嘘だ。君だって、よく知っているはずだろう。」

代議士は急に黙り、はじけるように笑った。当惑を隠すときに日本人がする笑いだ。教授は私のほうにむいていった。

「この人のいうことを信じちゃいけませんよ。満洲国は日本軍がつくりあげたもので、溥儀は日本軍のあやつり人形です。日本軍は満洲に手も出し、足も出し、この自称『国家』の機関のすべてを、軍隊も財政も警察も、すべてをとりしきり、あらゆるところに入りこんで、職員に金を払って毎日出勤させ、勢力を広げているんです。満洲は日本軍の領地なのです。支配下に置いている満洲を、日本軍はけっして手ばなすことはないでしょう。たとえ政府が命じたとしても。いや、政府が命じることはないでしょう。日本軍は日本をも支配しているんですから。」

代議士が抗議するそぶりをみせると、

「反論するには及ばん。君だってよく知っているだろう。われわれはファシズムへの道を歩んでいるんだ。おそらく軍事独裁の一歩手前だ。明治大帝から授かった憲法は危機に瀕している。六十年かけて現代的で自由で進歩的な国家をつくろうとしてきた試みは、おびやかされているようにみえる。われわれは、同盟国だった国、平和を維持しようと努めている国と結んでいた条約を破棄しようとしている。最悪の冒険へと突き進んでいるんだ。だれのせいだ?」

こういうと、裁きを下すように友人に腕をむける。「大部分は、君ら国会議員のせいだ。仲間意識にとらわれて、たえず争いばかりして、金の力に盲従し、スキャンダルばかりだから、君らが弱体化し、軍人の力が増すんだ。」

代議士は、おとぎ話の仔羊のように、か細い声でそっとつぶやく。「しかし、おれは代議士になってからまだ三か月もたってないんだぞ……。」

こんどは、教授がはじけるように笑う。「それなら、フランスの大作家にならって、こういおう。『なんだって、またあんな危険な泥舟に乗りこんだんだ』[*23]と。」

代議士はふたたび説明をはじめる。「でもなあ、日本軍には、わが国でも最高の頭脳をもった、私利私欲のない、進歩的な考えをもった人だっているじゃないか。結局、日本軍が正しいんじゃないのか。国際連盟は、この問題について情報を把握しようともしないくせに、のこのこと何しにやってきたんだ。支那人が破ろうとしている条約のことすら知らないじゃないか。だいたい、日本が国際連盟に加盟していて、なんの利益があるというんだ。顧慮せねばならない二つの大国、すなわち米国とソ連は加盟してないじゃないか。それに、この組織は、古い国、つまりこれ以上なにも欲しがろうとしておらず、何世紀にもわたって獲得してきたものを守ろうとしているだけの古い国にとっては、ぜひとも必要なのだろう。しかし、若い情熱的な国民、拡大して大きくなることが死活問題にかかわるような国民にとっては、むしろ害になるんじゃないのか。ヨーロッパ人は満腹だが、われわれは飢えているんだ。」

すこし酒を飲みすぎたせいか、無遠慮なまでに正直になっているのに、あっけにとられながら私は聞いていた。

教授は両腕を上げて、「おいおい、君もかい。まったく、伝染は広がるものだな。それもなんという速さで。」と叫んだ。それから私にむかって、

「満洲の問題で時間をつぶしてはなりませんよ。かの地には、公式の合言葉をつかうなら、親日家と匪賊（ひぞく）しかいないということを知っておけば十分です。つまり、この問題は副次的なもの

です。むしろ、これは昨今の大きな現象である国家主義、あるいはお望みならファシズムといってもかまいませんが、[*24]この現象に付随する問題にすぎません。日本を見て理解するために来られたのですから、この現象をこそ調査されるべきです……。」

「そう大げさにいいなさるなよ。」と代議士がつけ加える。「日本には、まだ政府もあれば、議会もあるんだから。ちょうど臨時議会も召集されたばかりだ。」

そして私にむかってほほ笑みながら、「議会を傍聴してみませんか。」と提案した。

第四章　多様な顔をもつ東京

いまからまだ九年もたっていない一九二三年〔大正十二年〕九月一日、未曾有の地震〔関東大震災〕が起き、東京がほぼ完全に壊滅した。この大惨事の結果、四十万軒の建物が灰燼に帰し、七万五千人の死骸が焼け、百五十万人が路頭に迷った。ところがいまでは東京は人口二百万人[*25]を超える首都として生命と活気にあふれており、このことは日本人のねばり強い活力を雄弁に物語っている。

美しい首都？　それはちがう。街の美しさというのは、即席でつくられるものではない。広大で混沌としていて、統一も計画性もなく、磁極となるべき歴史的記念碑もないこの街は、人々を途方に暮れさせ、失望させる。どうしたら道に迷わずにいられるのだろう。どうしたら手がかりがつかめるのだろう。

この街は、平野のはるか彼方まで広がり、何キロメートルにもわたって街区や村がつづき、よせ集まり、染みのように黒々と工場や倉庫が点在し、筋のように走る長い道路はどれもこれもよく似ているので、見わけるのが難しい。道路の両側には灰色っぽい建物がならび、単調であると同時に雑然としていて、木と紙の骨組み〔障子〕のあるむかしながらの和風の家と、おきまりの鉄筋コンクリートの出窓のあるイギリス風のあばら家とが奇妙な調和をみせている。こうした建物の多くは、正面にアンテナがとりつけられ、電線がさまざまな高さや角度で張りめぐらされているので、無数の電線越しにしか空を眺めることができない。タールを塗った柱、金属製クレーン、小さなエッフェル塔のようなものが林立し、そのなかに丸い丘のように石油タンクやガスボンベが存在している。

こぢんまりとした緑の庭を見かけて目の休まることもあるが、とりわけ巨大な広告の看板が繁茂しており、世界的に有名な商品がどぎつい色で称讃されている。イギリスの石鹸の効能によってザリガニ色の肌になった醜悪な子供、歯ブラシを物欲しそうに見ているまぶしいばかりのあごをもつ金髪のアメリカ女性、飼い主の声に興奮している忠犬など。

ところどころに水路がある。東京は多くの異名をとったが、とりわけ「極東のヴェネチア」とも呼ばれたことがある。[*26] しかし残念ながら、いうにいわれぬ美しい弧をえがく浮世絵の優雅な小橋は、実用的だが魅力のない鉄橋に置きかわっている。その下では、水が流れているというよりも重たくどろっとよどみ、付近の工場からの怪しげな虹色の液体に覆われており、新築なのに荒れはてた廃屋のあいだからは悪臭を放つへどろが見え、そこに古い籠、ブリキの缶、牡蠣(かき)の殻、下駄などが沈んではまりこんでいる。岸につながれた平底舟の上には、野菜や木材が積まれ、さらに髪の乱れた女や洟(はな)をたらした子供、犬、魚籠(びく)などが乗っていて足の踏み場もない。ところどころに、水路や建物をまたいで高いところに金属の橋が架けられており、市電が五分おきにきしむような轟音をたてて通過するのだが、どの車両の窓からも鈴なりになった頭が見える。これが東京の場末だ。街のはずれまで行って農村部にでるには、自動車で一時間以上もかかる。そうかと思うと、他の街にでくわすこともあり、単調な通り、工場、倉庫などがならんでいる。横浜だ。前ぶれもなく出現し、やはり混沌と広がっていて、意気を阻喪させる。

もちろん、中心部はもっと品がある。もっとも、どこが中心なのか特定するのは難しいのだが。美しい大通りがつくられ、そのうちのいくつかには街路樹が植えられ、十分な広さのあるまっすぐな通りもある。しかし、判で押したように、おなじように平凡な二階建てか三階建ての建物が規則的にならんでいて、波打つようにつらなる屋根瓦の海の上に、ところどころ灯台か戦艦のようにビルが突きでている。ビルはきまって鉄筋コンクリートで「耐震」だそうだ。これを日本人はとても自慢にしている。東京に足を踏みいれるやいなや、人々は控えめに微笑しながら、松坂屋は見たか、郵船ビルは見たか、とりわけ丸ノ内ビルは見たかと尋ねる。丸ノ内ビルこそはビルのなかでもっとも美しく、極東で最大のビル、The biggest（ザ・ビッゲスト）なのだと人々はつけ加える。

直線的な白いブロックのような銀行に挟まれて建つ丸ノ内ビルは、何百もの窓がうがたれた十三階か十六階[*27]ほどもある有無をいわせぬ巨大なかたまりで、これにくらべると、その正面に建つ「中央停車場」がちっぽけにみえる。この駅舎はつとめて陽気に振る舞おうとしているかのようで、赤と白の雑多なルネッサンス風の外壁の上に、鐘塔やら、尖塔やら、ドームやら、イスラム風の塔やらが、奇妙なほどにぎやかにとりつけられている。

丸ノ内ビルもあらゆるビルの例にもれず、いちばん下の階には広いホールがあり、弾力のある床を乳白色の光が照らしており、その周囲にはさまざまな店が軒をつらね、店先では大勢の人があくびをしながらぶらついている。無数のオフィス、診療所、歯科医院、弁護士事務所、美容院、映画館、劇場、つれこみ宿、屋上レストランなどが入っている。

しかし、わずか十三階か十六階しかないとは、なんと悲しいことか。七十六階もある兄貴分のニューヨークの巨人のような摩天楼[*28]の群れにくらべれば、あわれな東京の低いビル群は小人族（ピグミー）のようだ。ニューヨークの縦筋を刻んだ白くて長い物体は、無数の開口部をそなえ、高さ三百メートルのところで鋼鉄製の尖塔をのせた三重冠を空に突き刺しており、見上げるだけでも眩暈（めまい）を感じさせるが、こうした唖然とさせるような偉大さが東京のビルには欠けている。とはいえ、「メイド・イン・アメリカ」の雰囲気はだれの目にも明らかなのだが。

記念建造物については、またすこし話がちがう。東京では〔関東大震災後に〕省庁、役所、銀行、美術館などをすべて建て直さなければならなくなったので、建築家にとって絶好のチャンスが到来したことは想像に難くない。日本人も外国人も、建築家は互いに相談することなく、全体像もおかまいなしに、この国の特徴や精神にも配慮することなく、めいめい自分の空想のおもむくにまかせた。こうして、いささか戸惑わせられる結果となった。ドイツ、アメリカ、イギリスの建築家がわれもわれもと参加したからだ。おなじ大通り沿いに、現代のありとあらゆる建築様式、すなわちギリシア・アッシリア風、ネオ・ゴシック風、ドイツ・ソビエト風、擬東洋風や、それぞれの派生形が目にされることも多いのだが、いちばん目につくのは様式のない建物だ。

しかし例外もある。たとえば警視庁の庁舎。その重苦しい構成とすごみのある塔を見ると、ペルシアかトルキスタンかどこかの暴君が伝説の時代に建てさせたバクー[*29]の古城を連想してしまう。絶対的権力をもつおそろしい日本の警察にふさわしい、不気味な考えを呼びさまさずにはおかない建物だ。これに対して、〔永田町の〕高台に建設中でまだ完成していない新しい国会議事堂は、簡潔なラインの長い翼棟(よくとう)が両側に張りだし、中央のギリシア神殿風の柱廊の上に鐘楼のようなものがのっているという、ちぐはぐな要素でできているにもかかわらず、調和もあれば、気品も備わっている。

＊＊＊

しかし、東京に来て最初に強い印象を受けるのは、道路上のあらゆる乗りものを駆りたてている速度という眩暈(めまい)だ。路面電車は時速五十キロで走る。タクシーはこの都市の需要を上回る台数が存在し、むこうみずな若い運転手が、あたかも国の名誉をかけて競走でもしているかのように、狂ったように危なっかしく運転する。歩道をかすめたり、安全地帯を踏みこえたり、じゃまな歩行者をひき殺したとしても、それはとるにたりぬことであり、新聞に載ることもない。自転車も忘れてはならない。世界中のどの都市でも、自転車がこれほど数多く、これほどたけり狂っていることはない。おそろしい攻撃の波となって、通りがかりのものをすべてなぎ倒しながらつっ走る。東京で大通りを横切るというのは、スポーツの才能のいる快挙なのだ。とはいえ、ときとして、みすぼらしい牛車、このいまわしい無作法な過去の遺物が通ることもあり、これが一台通るだけで、おそるべき高潮のようだった交通が長時間ストップしてしまい、すぐさま口笛、怒号、さまざまな音程のかん高い響きのクラクションの嵐となる。いずれにせよ、日本人にとって、はめを外した猛烈な動きは明らかに文明のしるしなのだ。[*30]

それに対して、歩道を通る群衆は節度があり、規律正しいようにみえる。とくに女性にはがっかりさせられる。[*31] まだ冬の格好をした群衆は、ゆっくりとした足どりで黙々と、すこし陰鬱に歩いている。小さな台のような木製のサンダル〔下駄〕を履いてちょこちょこ歩きながら、だれもが和服の形をした暗いマント〔長羽織や和装用コート〕にくるまっているのだが、「オビ」すなわち日本のベルトの大きな結び目によってマントが腰のほうにたくし上げられているので、すこし背むしになり、カンガルーのような奇妙な格好になっている。もうあれほど自慢そうに高くまでゆった髷(まげ)ではなく、直毛またはヘアアイロンでカールさせた髪の毛を、襟首のところで大きくまとめている。少女のなかには、活発そうな顔や目つきをして、笑ったりおしゃべりをしながら手をとりあってつれだって散歩している者もいるが、ほとんどの女性は、不安そうな深刻な表情をしている。背中に赤ん坊をおぶっている女性が多く、前ではなく後ろについたカンガルーの袋のなかから、黒い絹の帽子をかぶった小さな顔が滑稽にのぞいている。男性はというと、ヨーロッパ風の服装の上に袖なしマントを羽織り、フエルト帽やキャスケット帽をかぶっている。この灰色っぽい冬の季節には、日本の群衆は東洋的でもなければ、画趣に富んだものでもない。

　それはそうと、東京という街には、アジア特有の不便な点がいくつかある。この現代都市の何千もの似たような通りには、名前も番地もないのだ。正確にいえば、名前や番地が少なくともプレートの形ではしるされておらず、象徴的な存在でしかないのだ。

　だれかを訪問する用事ができたり、夕食に招かれた場合は、名探検家にまかせるしかない。日本語でていねいに書かれた住所を運転手に渡すと、わかったというそぶりで頭を縦にふり、猛烈な勢いで車を発進させる。突然車を止め、理解できない言葉を叫び、通行人を呼びとめてなにやら話しこむと、またものすごい勢いで走らせはじめ、路地裏に入り、坂をのぼり、台風のようにくるっとむきを変えたりするのだが、その間、こちらとしては、狂気にとらわれたような車の奥に丸くなって、ひたいに汗を浮かべ、時計をにらみながら時間がとりかえしようもなくすぎてゆくのを眺めているほかはないのだ。あたかもツール・ド・フランスのような速さで二十ほどの地区を通りすぎたのち、突然自分の泊まっているホテルの前に停車し、微笑しながらドアを開けてくれる運転手を見て殺意にかられる……などということにならなかったとしたら、それはまたとない幸運というものだ。いつだったか、二人の運転手による波乱万丈の東奔西走で一時間ついやしたあげく、やっとのことで外務省をみつけたときのことを、ぞっとせずに思いだすことはできない。しかも、お待たせしてしまったのは、外務大臣その人だったのだ。東京で街にでかけたら、到着できるという保証はどこにもないし、ましてや、もどってこられるという保証もない。

要するに、この国の規模にあわせて縮小されたアメリカ風の街、ただしニューヨークのような快適さはなく、アジア的な雑然とした地区や貧困地区もある街。それが日本の首都から受ける第一印象である。

＊＊＊

とはいえ、東京には東京なりの魅力もあり、ようやくそれに気づくと、心に沁みこみ、しだいにとりこになってしまう。しかも、おそらくこの魅力は、まさに東京に残されている一貫性のない未完成な部分に由来するのだ。古きよき日本の魂と生活がすこしばかり根づよく残っている思いがけない街角、ぽつんとした一角、やすらぎの場がたくさんあるからだ。せわしない通りをまがって、思いもかけず鄙(ひな)びた安らぐような小道を発見したときの驚きといったら。竹垣にかこまれ、技巧を凝らした優美な松に守られるようにして、明るい木製のおもちゃのような小さな家がほほ笑み、屋根のついた門の両脇には、つつじをいけた青い陶器の壺が置かれ、きゃしゃな手すりにもたれた女が、黒く染めた高い髷、白くおしろいを塗った頰、中央に真っ赤な紅(べに)をさした唇といった格好で身をのりだしているのは、ここは芸者街だ……。

そうかと思うと、偶然、古い寺にでくわすこともある。木が虫に喰われ、彫刻をほどこした大きな屋根の重みで寺がたわんでいるようにみえる。階段の上に僧侶がすわりこみ、祭壇の唯一の装飾である青銅の鏡にむかって瞑想しながら微動だにせず、頭部が黄ばんだ象牙のように光っているのが見える。杉が植えられた中庭では、雑多な色の着物を着せた小さな人形のような子供たちが遊び、その近くにある大きな石燈籠の上では、鳩がくうくう鳴きながらまわっている……。

また、麹町や赤坂の丘もある。大使館や由緒ある華族の屋敷がならぶ地区だ。通りや小道、抜け道などが、のぼったりくだったり、交差したりもつれたりしているのは、気まぐれな感じがしてこのうえもなく魅力的で、緑の茂った庭には、ときとして反った屋根、ポンペイ様式の邸宅、イギリス風の館、ノルマンディー風の別荘などが目にされるのだ……。

さらに、浅草もある。ここは、こぢんまりとした大衆的な娯楽のオアシスで、一年じゅう縁日がたち、夜になると突然燃えあがるように無数のネオンが輝く。また、芝生、池、植込みなどが墓のまわりに広がっている大きな公園もある。

しかし、なによりも宮城（きゅうじょう）がある。ここは歴代の将軍家の古くからの城で、現在は天皇の城となっている。丸い塔[*32]に挟まれた、どっしりとした門がそびえる石垣は、あわただしい都市の真ん中にありながら、力強く静謐（せいひつ）な荘厳さをたたえ、二キロメートルにわたって物悲しい濠（ほり）のあいだをまわりくねりながら、重たい冠のような影を誇らしげにつくっており、ときどきそのむこうに宮殿や神殿の屋根が見えることもある。大きな灰色の石垣は、セメントもモルタルも使用していないのに、たび重なる地震にも被害を受けることなく、何世紀も前から当初のままの姿を保っている。将軍家が追われた明治維新のときにも破壊されず、東京を根底からくつがえす現代化の荒波もかぶることはなかった。

あかね色の夕焼けに包まれて日が沈む頃、巨大なシルエットを濠に投げかけながら、むかいの大通りに建てられたばかりのひょろ長いビル群や、セメントで覆われるのを待っている巨大な鉄骨を、宮城の石垣はしずかに軽蔑しながら凝視（みつ）めているようにみえる。しかし、経済危機のせいで、あのビル群はまだ借り手がみつからずに空室で、鉄骨は完成させることができないということを、あの石垣は知っているのだろうか。

いずれにせよ、この国をゆるがす矛盾した潮流、内部紛争、うず巻く不安のただなかにありながら、現在にいたるまで宮城は大多数の日本人が誇る過去のしるしであり、また日本人の生きる理由でありつづけているものの象徴なのだということを、あの石垣は知っているのだ。

第五章　国家主義運動はどのようにして生まれ、発展したのか

私は友人の教授の助言にしたがった。数日後、私は理解した。そう、ほかに適当な言葉がないので仮に「ファシズム」と呼ぶことのできる大きな動きが日本には存在するということを。この動きは、おそらくはるか以前からくすぶっていたのだが、一九三一年〔昭和六年〕九月の満洲事変のときに突如爆発した。それ以来、この動きはきわめて急速に発達し、国が気づいて驚いたときには、すでに組織だった大きな力となっていたのだ。

めざめの合図を送り、刺戟を与え、足なみをそろえて事に当たったのは軍部だったが、その周囲にはさまざまなグループが集まった。まず、むかしから存在していながら、構成員の数が相当に増えてきた、いくつかの反動的な団体。次に、民主主義政党や、さらには社会主義政党からの分派で構成されることもある新しい集団。最後に、政治的・知的な地平のあらゆる地点から不満を抱いてやってきた人々。その多くは若者で、とくに学生が多く、自分の境遇や国の将来に不安を感じている。こうした人々は現在四万人ほどいて、無職ないしは職のみつかる希望がほとんどないのだが、失望した者たち、冒険好きな者たち、理想に燃えた者たちが大勢あ

つまってこの運動の突撃部隊となっている。なかには命令を受けたり、個人で行動したりしながら、秘密裡にこうした団体の復讐や死刑執行をおこなう工作員となっている者さえいる。

愛国的で反動的な集団は、つねに日本の主要な潮流の一つでありつづけてきた。しかし、いままでは、こうした集団は決まった計画をまったくもたず、当局からの無関心ないし好意的なまなざしのもとで、物語も栄光もなく、存続していただけだった。

ここ数年、当局は政府が恐れていた極左分子をつぶすのに精一杯で、極左分子はすべて一緒くたにして共産主義者というレッテルを貼って迫害していたが、国家主義的な団体については、奨励こそしないものの、しずかに成長して増殖するにまかせていた。それが「赤禍」に対する牽制や防波堤になると考えていたのではないだろうか。そして、危険に気づいたときには手おくれで、すでに悪は広く深くはびこり、上層部にまで伝染し、輝かしい庇護と結託を勝ちとっていたので、もはや治療法を見いだすことは不可能となっていたのだ。

＊＊＊

この動きの原因はいくつかあり、過去三十ないし四十年間の日本の歴史と結びついている。おもな原因は、軍部の不満の増大である。

明治維新によって将軍家と大名が廃されると、かつての君主としての全能ぶりをとりもどした明治天皇は、助言者や側近として将軍や提督を身近に置いたが、そのうちの何人かは由緒ある武士の華麗な末裔だった。この士族の人々は、特権や財産を手ばなし、知力と精力のかぎりを尽くして、天皇による新しい国の基盤づくりと構築を手伝った。だから、軍隊は支配階層でありつづけた。

しかし、議会制度と立憲政治の発展にともない、士族はしだいに隅に追いやられ、平民ないし商人階級――日本ではいまだに農民と職人につぐ四番目、すなわちいちばん下の階層――の出身の文民にとってかわられるようになった。この凋落により、天皇への情熱的な忠誠心を抱いていた士族の人々は、自尊心を傷つけられることになった。

ただし、軍人としての役割を華々しく演じることで、ある程度、巻きかえすことはできた。まず、日本が主役となる二つの戦争を戦った。すなわち一八九四～五年〔明治二十七～八年〕の日清戦争と、一九〇四～五年〔明治三十七～八年〕の巨大なロシア帝国を相手にした決定的な戦争であり、これによって日本は栄光に包まれ、現代の列強の仲間入りを果たして特別な地位を占めるにいたった。さらに一九一四年〔大正三年〕の〔第一次世界〕大戦では連合国側に立って戦った。

「この三つの戦争に勝利したものの、日本は巨額の戦費という犠牲を払い、軍は大量の血の犠牲を強いられました。」と将校たちは苦々しくいう。「それで何が得られたというのでしょう。これほどの努力と苦しみによって得られた成果を、外交官と政治家は台なしにしたのです……。」

将校たちの不平不満を、私は記録した。

将校たちは、私の前でたび重なる失望を列挙したが、それは軍部だけではなく、日本国民の大部分が耐えがたく実感していることなのだという。日清戦争で、日本は台湾と澎湖諸島しか獲得できなかった。なぜなら、日本の飛躍を不安に感じたフランス、ロシア、ドイツの三国が不思議なことにその場かぎりで手を結び、「友好的な」――その実、脅迫的な――干渉をしてきたことで、すでに日の丸のひるがえっていた遼東半島を支那に還付しなければならなかったからだ。

さらに華々しいロシアに対する勝利ののちは、こんどはアメリカが嫉妬して騒ぐ番だった。イギリスの支持を得て、日本の要求に反対したのだ。日本が獲得したのは、わずかに旅順の租借権、旅順と長春の間の鉄道、およびそれに附属する炭鉱に関する権益、満洲での商業の自由と産業施設を敷設する自由だけだった。「なんたることか。」と将校たちはうめき声をあげる。日本の外交団が力量不足だったのだろうか。あるいは、財政が逼迫していて譲歩せざるをえなかったのだろうか。いずれにせよ、ポーツマス条約の締結を知ったとき、軍は怒りを爆発させ、世論もこれをあと押ししたのだった。

〔第一次世界〕大戦後に待っていたのも、またしても幻滅だった。日本では忘れられているが、日本は支那を脅して二十一か条条約[*33]を押しつけ、過度の欲望をさらけだした。日本が望んでいたのは、一九一五年〔大正四年〕にドイツから手にいれた青島とその勢力範囲を継承し、山東省の実効支配をつづけることだった。しかし、日本が得たのは、戦略的・海運的な観点からしか価値のないわずかな島嶼と、山東省での一時的な権益だけだった。

華府会議[*34]は手痛い失敗だったと、将校たちはいう。支那が抗議し、米国が偽善的にも――と日本人は断言する——支那を支持したことで、二十一か条条約を放棄することになったからだ。さらに、これまた米国の陰謀によって日英同盟を失い、そのうえ英国と米国は主力艦の割合を自分たちには五も割り当てておきながら、日本には三しか割り当てず、日本は第一級の海軍力の威光を失うことになったのだ。

「この日、どの日本人も顔が真っ赤になるほどの恥辱を感じたものです。」と、この現代史の講義をしてくれた将校はいうのだった。「侮辱に耐えて生きながらえることはできないといって、海軍の者が何人も腹を切り、[*35] しばらくすると憤慨した愛国主義者〔中岡艮一〕によって原首相が暗殺されました[*36]……。」

　ほかにも失望させられたことがある。〔第一次世界〕大戦では、日本は連合国側に武器や弾薬を納入したことで数十億の利益をあげ、大戦後も他の国とはちがって財政が破綻するおそれはなかった。一九一九年〔大正八年〕頃、ソビエトに対し、列強がシベリアの土地をたっぷりと切りとってわがものにしようと、遠征軍の派遣を決定したとき、日本は約七万人をシベリアに出兵して八億円を費やしたが、これは無駄になってしまった。一九二〇～二一年〔大正九～十年〕、列強が介入政策を放棄し、まもなく列強の多くがソビエトと国交を結ぶことになったからだ。日本政府もこれにならわざるをえず、アジア大陸での覇権の夢を一時的に放棄しなければならなくなった。おなじ時期、政友会総裁だった田中〔義一〕首相は、積極・拡大路線、対支強硬論をとなえたが、経済的な問題から[*37]民政党に内閣を譲らざるをえなくなった。新しい〔浜口雄幸〕内閣は幣原〔喜重郎〕男爵を〔外相に〕起用し、平和政策、国際協調、対支妥協、緊縮財政にとり組んだ。

「それで何が得られたというのでしょう。」と将校は言葉をついだ。「すべての点において失敗です。支那では日本製品の不買運動が起き、日本からの輸出が減りました。米国は我々を愚弄しつづけております。倫敦軍縮会議[38]では、またしてもわが海軍が縮小され、新たな屈辱を受けました。代表団の一人だった財部〔彪〕海軍大臣はロンドンからもどると短刀を送りつけられ、浜口首相も愛国団体の一員〔佐郷屋留雄〕による正義の刃のもとに斃れました。これほど長い年月ののち、明治大帝の御遺言は一つだけ達せられました。すなわち『日本の胸に突きつけられた短刀』と呼ばれる朝鮮[39]の併合です。しかし、支那での支配は拡大したでしょうか。満洲は獲得できたでしょうか。軍部の忍耐は限界に達しておりました。こうして、軍部が九月に満洲で起こした自主的行動は、人々に熱狂的に迎えられたのです。こうして、突如として国家主義運動が爆発的な展開をみせたのです……。」

＊＊＊

こうした軍部の苦渋や欲望のほかにも、国家主義運動が存在し、発展する理由はいくつもある。日本で構想・実現されてきた議会制度によって抱かされた失望。六十年前から日本が（愛国主義者の断言するところによると）だまされてきた、ヨーロッパの思想や文明に対する不信感。古きよき日本の、純粋にアジア的な理想への回帰。下層階級だけではなく、とりわけ中流階級、プチブルジョワ、知識人を容赦なく襲った経済不況。巨大な財閥が掻きたてる憎悪。工場労働者に対する時代おくれの搾取をとりしまる労働法の不在。そして最後に、地方の困窮。こうした、一見すると矛盾し、相反するようにみえるさまざまな不満の原因がすべてあわさって、巨大な力となり、そこに強烈で攻撃的な愛国感情が入りこんで、活気づいているのだ。

穏健派から過激派まで、さまざまなニュアンスの、それぞれ目的の異なる九十もの団体が存在し、のべ六〜七十万人を擁している。これとは別に、結束の強く大きな在郷軍人会は、全国津々浦々、あらゆる階層をつうじて四百万人の会員からなる緊密なネットワークを築いている。また、犯罪や命を捨てることも辞さない秘密結社もある。こうした団体を日本軍は束ね、しっかりと手のうちに握っているのだ。

これによって、日本軍は何をしようというのだろう。

第六章　文民政府に対する軍人の叛乱

一九三一年〔昭和六年〕九月に満洲で青天の霹靂ともいうべきできごと〔満洲事変〕が起きるはるか以前から、すでに軍の内部では音もなく嵐がうず巻いていた。軍の要求と野望を代弁していた田中〔義一〕首相の強硬拡大路線が頓挫した時点で、すでにほとんど軍は我慢の限界に達していたからだ。田中首相が策定した満洲攻略計画は、議会の賛同も、枢密院の賛同も得られなかった。一九一五年〔大正四年〕のいわゆる二十一か条条約を破棄することに成功していた支那は、内戦状態だったにもかかわらず、すでに外国の支配、とりわけ日本の支配から大部分解放されることに成功していたので、田中首相は支那に条件を飲ませるどころか、逆に支那に輸出する日本製品に新しい税を課して支那人を利するような通商協定[*40]に調印せざるをえなくなった。さらに、首相の座を去る前に、山東省からの撤兵[*41]も余儀なくされた。

だから、つづいてリベラルとして知られる浜口総裁率いる民政党の内閣が組閣されたとき、その平和、妥協、緊縮財政の方針を、軍人たちは警戒の目で見ていた。軽蔑して「民間人、実業家、商売人の政策だ」といっていた。とくに、幣原外相が日本の二大財閥の一つ、三菱財閥の総帥〔岩崎弥太郎〕の婿であるという事実に、軍人たちはいらだっていた。

しかし、ロンドン会議後、軍人たちは烈火のごとくに怒った。それは必ずしも海軍力の削減のためだけではなかった。日本では陸軍と海軍はずっとライバル関係にあったが、しかし今回は国の名誉がかかっていた。さらに、いちばん大きかったのは、首相が海軍軍令部に相談せずにロンドン会議の決定を受けいれてしまったことだった。すぐさま軍令部長が天皇に辞表を提出し、陸海の軍人たちは叫んだ。

「政府のやったことは越権行為だぞ。陸海軍の問題については、天皇陛下だけが、最高司令部に諮問遊ばされたのちに裁可する権限をもっておられるというのが、侵すべからざる日本の伝統ではないか。この伝統は憲法によって不可侵のものとなっている。しかるに、議会は不遜にもこれを破り、陸下直属の海軍の最高責任者に相談することなく決定し、条約に調印した。不敬ではないか。統帥権の干犯だ！」

陸軍と海軍は憤慨して結束した。しばらくして、不幸な浜口首相は狂信的な軍国主義者によって重傷を負い、若槻〔礼次郎〕氏に首相の座を譲らざるをえなくなった。浜口前首相は数か月後に死去した。

まもなく、海軍軍縮につづいて、やはり財政上の理由から、〔第一次世界〕大戦以来すでに二度も縮小されていた軍事力をさらに縮小することが問題となった。一定数の将校が整理され、さらなる人員削減も予告されていた。今回ばかりは我慢の限界だった。

陸軍大臣だった南〔次郎〕将軍その人が叛旗をひるがえした。一九三一年〔昭和六年〕八月四日、師団長らを集めておこなった訓示は、嵐の前ぶれとなる最初の稲妻となった。[*42] みずから管轄する陸軍省による提案を断乎として槍玉にあげ、こう述べたのだ。

「軍の外部の者は、軍が犠牲を払っていることに気づいておらず、国内の現況も国外の情勢も理解しておらぬ。みだりに軍備の縮小を鼓吹したり、軍と国の連帯利益にとって好ましからぬ宣伝(プロパガンダ)に走る者もいる。師団長たる諸官においては、こうした考え方と戦い、求められる正確な真実を、管下の将卒に広められんことを望む。」

ついで満洲の問題にふれ、「満洲と蒙古(モンゴル)では日本の影響力が薄れつつあるが、これは日本民族から勇猛さと豪胆な活力が失われているのと軌を一にしている。満洲の問題の重要性を日本兵の一人一人が胸に刻み、これまで以上に軍人としての務めを忠実に果たさねばならん。」

こうした言葉自体はとくに反体制的なものではなかったが、語調は激しかった。軍は耳を傾けて了解したが、新聞、政党、内閣ではこの訓示は大きな物議をかもした。

しかし、血気にはやる満洲の青年将校のあいだでは、いらだちがつのっていた。青年将校たちによる報告書では、日支間の条約への支那側からのいわゆる違反や攻撃、あるいは長年にわたって日本人が耐えしのんできたという侮辱が列挙され、強調されていた。たとえば、一九一八年〔大正七年〕の取り決め[*43]では、支那は南満洲鉄道と並行または交差する鉄道は敷設できないと定められていたではないか。それなのに、一九二七年〔昭和二年〕以来、瀋陽(しんよう)〔奉天(ほうてん)〕と海(かい)龍(りゅう)を結ぶ一八二マイルの並行線をはじめ、四本の並行・交差する路線が敷かれた。[*44] いずれも南満洲鉄道の利益を損ねるものであると、青年将校たちは断言する。

それだけではない。一九一五年〔大正四年〕の取り決めでは、日本人は満洲の土地を長期にわたって借り、建物を建て、産業施設をつくり、商業を営み、耕作する権利が与えられていた。しかし数か月後、支那側の法律により、日本人に貸すために土地を譲った者は死刑に処せられることになったのだ。[*45]都市部でも農村でも、日本人や朝鮮人の商人や農民が締めだされ、略奪され、迫害されるようになっていた。さらに、ここ半年間で盗賊行為が増加し、これも軍の報告書によれば、その多くが支那の正規兵と警官によるものなのだ。また、中華民国の領土全域において日本製品の不買運動(ボイコット)がはじまり、これを当局が容認し、ときには命ずるようになっていた。

満洲の将校のなかには、休暇を願いでて東京までやってきて、容認できない事態になりつつあると上官や閣僚に説明する者もいた。そして、「これほどの挑発と侮辱を、ただ単に忍べというのですか。」というのだった。

事件が必要だった。軍が巧みに事件をつくりだしたと、事情に通じた人たちはいうのだが、この話は信じるべきなのだろうか。

六月二十七日、[*46]奉天の近くで中村大尉が殺害された。これは、人々の主張するように、支那の屯墾(とんこん)軍第三団の正規兵によるものだったのだろうか。いずれにせよ、大尉の仲間は幣原外相の融和的な態度に激しく反対して立ちあがり、厳格な措置を要求した。今回は、軍全体の支持を得ていただけではなく、共感する世論の大部分も味方につけていた。

あとは軍事介入の口実を待つだけだった。口実をみつける――ないしは仕組む――のは、いつでも簡単なものだ。

日本軍の将校たちが断言したところによると、九月十八日、張学良（ちょうがくりょう）率いる東北軍の正規兵、二個中隊が北大営（ほくだいえい）[*47]の近くで戯れに線路を爆破した。この危険な遊びに日本の鉄道守備隊[*48]が立ちむかった。小ぜりあいが起こる。奉天の兵営に詰めていた百人ほどの支那兵が救援に駈けつける。この支那兵たちを日本兵が追いはらい、兵営のなかまで追いかけてゆき、それにとどまらずに兵工廠（へいこうしょう）を奪取し、奉天城を占領し、居すわってしまう。そして、もうそこから動かないと告げる。

この実力行使は、日本軍による満洲支配のはじまりとなったが、日本政府にとっては不快な不意打ちとなった。

翌日、閣議が開かれた。幣原外相は他の大臣の支持を得て、この事件は局地化せねばならず、戦闘は中断すべきだと宣言した。

この決定を関東軍司令官の本庄（ほんじょう）〔繁（しげる）〕将軍に伝える任務を託されたのは、林〔久次郎（きゅうじろう）〕奉天総領事だった。しかし、東京の陸軍参謀本部から直接、正反対の命令を受けていた本庄将軍は、総領事に会うことを拒否した。

以後、軍と政府は完全に反目するようになった。闘争がはじまったのだ。

内閣では、関東軍にはこれ以上の増援は送らないことを決定した。しかし数日後には増援が派遣され、事態を決定するのは現地の軍当局だけであると陸軍大臣〔南次郎〕は宣言した。

政府は、「これ以上進軍するな、これ以上戦闘はするな。」と命じていた。しかし半月後には嫩江（のんこう）で戦闘があり、日本軍はチチハルにまで進軍し、ここを占領した。

さまざまなできごとが起きていた。政府当局と軍当局との争いは、いまや公然の秘密となっていた。こうした急展開を、一般の人々、少なくとも大都市の人々は熱心に見まもり、政府機関が「ノックアウト」されると喜びを隠さず、勝利する軍人たちにおおっぴらに共感を示していた。こうして国家主義運動がはじまった。

本庄司令官をはじめ、知的で活動的、野心的な青年将校からなる参謀の面々は、もはや東京の政府を気にかけることなく、政府の代弁者たる総領事を遠ざけ、支配体制を固めていった。満洲独立国を出現させ、天才的なひらめきによって清朝最後の皇帝だった若き満洲族の溥儀（ふぎ）をトップに据えて執政とし、この馭（ぎょ）しやすいあやつり人形によって事態を丸く収めたのだ。この国のすべての役職に触手をのばして自分たちの選んだ若い知識人や退役将校を配置し、日本のなかでもとくに貧しい北日本の農民に集団移住を奨励し、さらに技師、教授、教師を招き、日本の役人と技術者を大挙して呼びよせた。そして、古代ローマ流に軍事的に植民地化していった。

ただし、実業家や財界人に対しては敵意と不信感を抱いていたから、こうした人々の干渉には反対した。払い下げを拒み、嫌がらせをし、あらゆる口実をもうけて締めだし、こういうのだった。

「これまでの戦争のように、こんどもまた我々が犠牲を払って戦争成金が得をするのはご免だ。我々が満洲を獲得し、守備しているのは、一般の民衆、苦労してたいへんな思いをしている勇敢な人々のためなのだ。」

**

閣僚は、大なり小なり雄弁をふるって、この満洲国というあやつり人形の虚構が暴かれないように腐心しつづけていたが、新聞はそれほど細心の注意を払おうとはしなかった。そして多くの記事で、国際連盟による調査や結論を無視し、満洲を獲得済みの土地として扱いつづけ、この地を最大限に活用する方法を論じていた。

「このようにして朝鮮も併合したのです。」とよく人々はいっていた。

そして、紙面でも会話でも、たえず「軍は……を望んでいる」、「軍は……を拒否する」、「軍は……を決定する」という宿命的な響きをもった言葉がくりかえされていた。

周知のように、新たに陸軍大臣となった荒木貞夫将軍は、さらに軍部の権威を高めることになった。〔一九三一年〕十二月[*49]の政友会〔犬養〕内閣の発足も、青年将校の考え方と完全に歩調をあわせていたからだ。青年将校を幾度となく擁護し、支持してきた荒木将軍は、青年将校の崇拝を集めていた。また、アジアにおける日本の政策に心を砕いていることでも知られていた。日本の守備の最前線はバイカル湖の南東の地域であるべきだと、荒木将軍は何度もくりかえしていた。

三月二十五日、ある閣議で、国際連盟からの日本の代表団の召還について議論がおこなわれたときのことだった。〔芳沢〕外務大臣は国際連盟を擁護し、他の大臣に節度ある行動を訴えていた。閣議の最後で、それまで黙っていた荒木将軍が立ちあがり、歯切れのよい言葉で、軍の専決事項についてはジュネーヴの介入は絶対に許されず、軍は日本の脱退を望んでいるといい切った。それ以上だれも言葉を発しようとする者もなく、閣議は終わった。陸軍の代弁者たる荒木将軍は、大きな国家主義団体である国本社（こくほんしゃ）の主催するさまざまな会合において、軍は決して満洲を離れることはなく、軍はいかなる妨害も認めないと、くりかえし述べていた。

いまや、軍が日本を支配していた。いまなお支配しつづけている。しかし、それで軍は満足なのだろうか。軍のみが君臨するという意志は、去る十月の大がかりな軍事クーデターの謀略[*50]のときから表面化した。さらに、あいつぐ政治家の暗殺と、その組織化においても顕在化した。

第七章　軍の謀略と政治家の暗殺

上海事変のさなかの二月、数週間をへだてて二通の短い電報が東京からもたらされ、前民政党〔第二次若槻〕内閣の大蔵大臣だった井上〔準之助〕氏の暗殺と、日本の財界の二大巨頭の一人だった三井合名理事長の団[*51]〔琢磨(たくま)〕男爵の暗殺が報じられた。この悲痛な知らせは、まったく補足情報がなかったので、戦闘の喧騒のなかで、ほとんど見すごされてしまった。

しかし東京に来てみると、新聞では混乱した情報や、はしょられた情報しか得られなかったものの、人々の会話は、この明るみにでたばかりの大規模な謀略の噂でもちきりだった。ただし、だれもが遠まわしに、慎重に話すのだった。というのも、日がたつにつれて謀略の網の目が遠く高いところまでのびてゆき、奇妙で強力な共犯の存在が明らかになっていったからだった。

「今回がはじめてではありませんよ。」と人はいうのだった。満洲での武力行使から数週間後の十月には、軍部のみによる陰謀〔十月事件〕が決行前に憲兵隊の知るところとなった。計画は緻密かつ網羅的で、蹶起(けっき)者たちは民政党内閣の若槻首相と幣原外相を暗殺してから、他の大臣を抹殺または投獄し、議会を解散し、軍による独裁を樹立する予定だった。多数の青年将校が検挙されたことが知らされ、その組織についてある程度の詳細が明らかにされたが、突然、この事件は謎めいた沈黙に覆われた。容疑者は釈放されたのだろうか。あるいは安全な場所にかくまわれたのだろうか。いずれにせよ表舞台から消え、新たな検挙者はまったくでなくなった。落胆した司法大臣が「容疑者が多すぎるのだ……。関東軍全体が叛旗をひるがえすような危険をおかすことができるだろうか。」と打ち明けた、などという噂すら飛びかう。社会の擁護者であるはずの司法大臣による、なんとも奇妙な告白。

井上〔準之助〕氏と団〔琢磨〕男爵があいついで斃(たお)れたとき、はじめは極左知識人による陰謀だと考えられた。しばらくして、二人の殺人犯と約二十人の共犯者が逮捕されたが、その大部分が東京帝国大学の学生や、教授、作家だった。ほぼ全員が名家に属し、相当な財産家もいた。こうした人々をまとめるリーダーとして、吸いよせるような影響力をふるっていたとされるのが井上日召(にっしょう)[*52]という僧侶だった。愛国者の狂信と苦行者の狂信をあわせもつ、荒々しくも熱い魂の持ち主で、奇妙ではあるが、きわめて日本的な人物である。年は四十歳くらい、優秀で教養があり、自身は将校ではなかったが、ずっと軍人にかこまれた環境で生活し、名の知れた飛行隊員で上海付近での戦闘で死亡した兄がいた。[*53]また、好戦的で国粋主義的な拡張政策をとなえる田中〔義一〕男爵の熱烈な信奉者でもあった。[*54]剣道家としても有名で、最初は剣道というこの日本人の心の琴線にふれるものを青年将校たちに教え、ついで〔第一次世界〕大戦中は坂(さか)西(にし)将軍[*55]の私設秘書となり、関東軍の諜報部長もつとめた。

その頃、宗教的な啓示に打たれたのだった。日本に帰国し、隠遁と瞑想の期間を経て、仏教の宗派のなかでもとくに厳格な生き方を課する日蓮宗の僧侶となった。

その後、田舎の町に住み、そこで若者たちに教義を説いた。しかし、宗教的な布教から政治的な煽動へと、どのように移行したのだろうか。優しい慈愛にみちた仏教の教えと計画的な暗殺とを、どのように両立しえたのだろうか。日本的な精神の謎だ。かなり頻繁にみられる謎ではあるのだが。

自分のまわりに多くの弟子をひきよせたのち、とくに勇敢で無私無欲な者を選んで「血盟団」を立ちあげ、加盟者は大義への完全な忠誠と自己犠牲の誓いに血判を押した。

そして抹殺者リストが作成された。このリストには二十人ほどの名前がしるされていたが、そのうちの半数は愛国主義的な観点からすると穏健すぎるとみなされた政治家であり、他の半数は祖国に反する罪、というよりもむしろファシズムに反する罪があると認められた資本家、実業家、大物財界人だった。

たとえば、清廉潔白といわれていた有能な財界人の井上〔準之助〕氏が犠牲になったのは、第一に、断乎たる軍縮論者で、精力的に軍部に反対できたからであり、第二に、金本位制を維持しようとし、金の輸出を禁止する大蔵省令を発するのを長いあいだ躊躇(ためら)ったからだった。この間に財界人が投資によって約七億円をもうけ、そのぶん国に損をさせたことの責任を、国家主義者たちは、その当否は別として井上氏に押しつけたのだ。

もう一人の犠牲者となった三井合名理事長の団男爵は、この反愛国的な投資をつうじて、おそらくもっとも大きな利益をあげた。さらに、暗殺前には実業家の大きな団体である「工業俱楽部(クラブ)」[56]のトップをつとめていたが、この団体はこともあろうに荒木将軍を呼びよせ、軍は上海と満洲での行動によって破滅の道を突き進んでいると指摘したのだった。許しがたい罪だった。

捜査の過程で、ほかにも多くの政治家が奇跡的に死をまぬがれていたことが明らかになった。若い共犯者の一人は、東京駅で長いあいだ若槻前首相にピストルで狙いをつけていたが、引き金を引く瞬間、群衆の動きによって指が外れたと自白した。また、明治天皇への賢明な助言者である「元老」の最後の生き残りとして尊敬を集めている西園寺〔公望(きんもち)〕公爵は、田舎の別荘[57]の門のところで、担当の暗殺者に何日ものあいだ狙われた。西園寺公も、穏健主義、とりわけ議会制度へのこだわりを非難されたのだった。

〔前外相〕幣原〔喜重郎〕男爵も、弱腰の対支政策を断罪され、殺人未遂という生命の危険にさらされたが、襲撃の出所を知った男爵の友人たちは、固く口を閉ざした。

というのも、陰謀は左派ではなく極右勢力によるもので、軍も無縁ではないことがだんだんわかってきたからだった。陰謀に加担する者の多くは、血盟団だけではなく、国粋主義やファシズムのグループにも属していた。たとえば、逮捕された首謀者で熱狂的な僧侶の井上日召は、有名な反動主義のリーダーで屈指のファシズム団体である大日本生産党の創設者、頭山満(とうやまみつる)の家にかくまわれていた。また、幣原男爵の暗殺を狙った者も、影響力のある将校の庇護を受けていた。[58]さらに、暗殺者たちが使用した武器は、陸海軍のさまざまな軍人が供与したもので、そのなかには上海で名誉の戦死をとげたばかりの人望の厚い海軍大尉〔藤井斉(ひとし)〕も含まれていた。

この陰謀への軍部の関与については、毎日のように新しい情報がもたらされていた。

こうして、十月のクーデターのときとおなじように、審理の経過については突然沈黙が守られるようになり、裁判の日程についても聞かれなくなった。

＊＊＊

情報を得るために裁判所に行ったところ、この事件を担当する判事は、当惑しながらこう答えてくれた。

「この事件の裁判がいつおこなわれるかですと？　だれにもわかりませんよ。まあ、一年後か二年後でしょうな。審理書類はもう五千ページに達しておりますが、まだこれで終わりではないんですからなあ……。」

そこで、被告についてどう考えているのか尋ねてみた。

「とくに井上前蔵相を暗殺した人物〔小沼正（おぬましょう）〕については、よく知っとります。優れた男で、在籍したどの学校でも大学でも、いつも一番の成績でした。数少ない庶民の出の被告の一人で、非常につつましい漁師の家庭に生まれたんですが、猛勉強した挙句、あのように卒業したのです。とてもまじめで、非常に誠実な男で、敬虔な仏教徒です。犯罪の動機を尋ねると、こう断言するのです。『政治や国そのものが経済によって腐敗しております。これを浄化するには、方法は一つしかありません。世間の耳目を集めるような模範を示すこと、トップを倒すことです。こうした犯罪は、もとより嫌悪すべきものではありますが、しかし、やらねばなりません。

それが国のためなのです。』とね。ええ、ほんとうに感じのよい男ですよ……。あの仲間たちもおなじです。『死刑になってしまうぞ。』というと、『わかっております。そんなことは問題ではありません。』と、ほほ笑みながら、みなこういうのです。どうもしかたありません、ゆるぎない信念の持ち主なんですなあ。」

この判事は、好意で顔を輝かせながら妙に熱っぽく語り、ほとんど一種の満足すら隠さなかった。

私は外にでると、ずっと前から東京に住んでいるあるヨーロッパ人に、唖然とさせられたと打ち明け、こういった。「このような大臣の殺害というケースで、フランスの予審判事がおなじように話すのをご想像になれますか？」

すると、こういう答えがかえってきた。「判事も人間だということを忘れちゃいけませんよ。その判事さんも、自分の乗る舟を進めてくれる風がどこから吹いてくるのか、よく知ってるんですよ。つまりね、軍がおとがめなしになるのは、政府が弱いからなんです。ここは日本だということを忘れちゃいけません。政治的な暗殺というのは、日本人の伝統、風習に根ざしているんです。封建時代の歴史も文芸も、古典演劇も、どれもみな陰謀、策略、野蛮な殺害や巧妙な暗殺[*59]、おそるべき復讐や自殺の連続じゃないですか。劇場でも、観客はこうした恐怖を楽しみにしていて、被害者よりも殺人犯のほうがはるかに喝采をあびることが多いんです[*60]。現代では、もちろんこうしたテロを非難する党派もありますが、しかし世論全体としてみると、政治家や財界人は権力と富をほしいままにしたツケを払ったのだと受けとめられています。まあ、労災事故のようなものです。たとえ犯罪であっても、私利私欲によるものではなく、国を思う動機によるものなら、この国では寛大に見られるだけではなく、共感すら呼ぶんです。だからこそ、ワシントン条約[*61]の責任者として暗殺された原首相の殺人犯〔中岡艮一（こんいち）〕は、懲役二十年の刑に処せられながら、八年後には恩赦となったんですよ。[*62]それに対して、浜口首相の殺人犯〔佐郷屋留雄（さごうやとめお）〕は単独犯でしたが——孤独なる者は不幸なるかな[*63]——、死刑の判決を受けました。でも、さあ、執行されるでしょうかねえ。[*64]

最後に、日本では人命は重要ではないということを頭にいれておくことですよ。いとも簡単に殺したり殺されたりしますからね。例の抹殺者リストに載っている人々は、自分の身に危険がせまっていることをよく知っていて、背広や和服の下に鎖帷子（くさりかたびら）を着こんでいる人もいるという話です。でも、だれも国外に逃げようとは考えません。そんなことをしたら恥となり、面目を失うことになるからです。他方、逮捕された二十人ほどの陰謀家は、名指しされた標的を成敗するために自分たちにかわって命を投げうつ覚悟のある若者が、いま現在、東京に二千人いることを知っています。

いいですか、日本の政治犯罪の時代は、まだこれで終わりではありませんよ。」

この言葉は予言のように響いた。というのも、この数週間後、おそるべきリストに名前が載っていた尊敬すべき犬養首相が、こんどは軍にそそのかされた学生ではなく、青年将校の凶弾のもとに斃れることになったからだ。

第八章　国会議員はどのようにして民衆に愛想を尽かされたのか

日本の議会は、年に何度か開かれることもあるが、年間をつうじて三か月を超えることはめったにない。しかし、ちょうど臨時議会が開かれたばかりだった。

「いや、なに、三月二十日から二十五日までの五日間だけですよ。これまでの戦費と今後の戦費について投票したり、承認したりするだけですからね。」と、ある日本人がいった。

「でも、開院式と閉院式をやるんだから、三日しか議論してる暇がないじゃないか。」と他の日本人がいった。

「それだけありゃあ、議会の仕事には十分だろうよ。」と三人目がつけ加えた。

こうした調子で話されるのを聞くのは、これがはじめてではなかった。議会のことが話題にのぼるたびに、嘲笑、あきらめ、軽蔑の表情がみられることに気づいていた。それとも、私の会う人がみな野党の支持者だったのだろうか。

「とくにそういうわけではありませんよ。」と、数年間フランスに滞在したことのある立派なジャーナリストが答えてくれた。「じつは、ここ日本では議会政治が危機に瀕しておりましてね、なかなか立ちなおれそうもないんですよ……。」

＊＊＊

この危機について理解できるようにと、私の同僚が、明治維新とその後数年間のこみ入った内乱の時期から説きおこし、日本の国内政治について、ざっと説明してくれた。

歴代の徳川将軍は、名目だけとなった天皇の権威のもとで全権をにぎり、数世紀にわたって鎖国しながら専制政治によって日本を統治していたが、この偉大な封建領主が座を追われると、まずは欧米列強と国交を結んでから、一連の改革を断行し、西洋をお手本とした新しい国家をつくることが必要となった。

この国の二つの大きな藩、というよりもむしろ藩閥である薩摩と長州は、最初は新しい構想に抵抗していたが、手を結んで領地と特権を放棄し、そのかわりに長いあいだ元老会議で主導権を握った。元老とは、知識と近代化の努力という点で万人が認める人々で、大臣や行政官の上に立ち、多くの有能な役人に指示を出していたが、この元老からなる諮問会議をつうじて、天皇が国を統治しはじめた。

しかし、この時期から早くも立憲君主制の概念が広まっていった。この概念をもちこんだのは欧米を視察した熱心な若者たちで、十八世紀フランスの哲学者を心の糧（かて）とし、ルソーの『社会契約論』に心酔していた。

しかし、日本でもっとも重要な政治家の一人である伊藤博文は、欧州滞在中にドイツの政治体制に強い感銘を受けた。イギリスやフランスの体制よりも日本人のメンタリティーに近いと思ったからだ。こうして、ドイツをお手本として多くの草案を経て憲法が練りあげられ、一八八九年〔明治二十二年〕に高らかに発布された。そこでは、天皇は陸海軍の最高指揮官として平和と戦争をつかさどる者でありつづけていたが、同時に行政府の長でもあり、大臣を任命・解任し、内閣と枢密院の助けを得て統治していた。議会は、貴族院と、制限選挙で選ばれる代議士による衆議院からなり、法案を審議し、年間予算を承認した。しかし、天皇は立法全体に対して拒否権を有し、議会ではなく天皇だけが閣僚を辞めさせることができた。

この時期以来、さまざまなリベラルな党が、もっと民主主義的な憲法を反動的な人々から勝ちとろうと努力した。

選挙権拡大のための多くの段階を経て、一九二五年〔大正十四年〕[*65]に選挙改革がおこなわれ、この義務への準備がまだ不十分だった大勢の有権者に普通選挙権が与えられた。しかし、議会の不信任案によって閣僚が辞任する仕組みは、けっしてつくられなかった。

奇妙な矛盾であり、これが政治的アンバランスの原因の一つとなっている。

「原因はほかにもありますよ。」と私の同僚がいう。「しかし、議会を傍聴してきたらどうですか。そのあとで、また議会が人気のない理由をあげることにしましょう。」

⁂

立派な国会議事堂は建設されたばかりで、そこでは議会はおこなわれていない。仮設の木造[*66]

の長い建物のなかで議会が開かれている。

私たちが最初に長いこと待たされた控室は、群衆がごったがえしていて、それが男性ばかりなのだが、洋服または暗い和服を着て、みな平凡なフエルト帽をかぶっている。

そこから脇のドアをくぐり、まがりくねって混雑する廊下をどこまでも道をかきわけてゆく。廊下に面するドアはすべて開け放たれ、無数の待合室、委員会室、さまざまな政党の会議室、報道関係者の部屋などがつづいている。どの部屋も電話の音やタイプライターのガチャガチャいう音が鳴り響き、煙草をくゆらせている男、物を読んでいる男、書き物をしている男でいっぱいで、とりわけ騒々しく議論したり笑ったりしている男が多い。耳をつんざくような、どぎつく荒々しい日本人の笑いだ。

ようやく突然、まあたらしいが平凡な半円形の本会議場にでる。白と翡翠(ひすい)のような緑の壁、明るい木の演壇、階段状にならんだ椅子。装飾となるのは、丸い大きな時計と、壁の上部にならんだ等身大の政治家の肖像だが、これは雑に彩色された写真のような、とても醜い肖像画だ。正面では、演壇の両脇に大臣がすわり、その下に大臣の秘書や側近がすわっている。

代議士の席はすべて埋まっている。四百五十人から五百人ほどで、二十人ほどの和服の人々を除けば、一様に暗いヨーロッパ風の背広を着て、おなじ形のネクタイを締めている。

傍聴席も、ほんとうに男性でいっぱいだ。かろうじて四、五人の女性の顔を認めることができるが、おそらく大臣の妻なのだろう。薄暗い背景に、何百ものずんぐりとした顔が単彩画のように鮮明に浮きでてみえるが、どの顔も黄色い象牙か明るい柘植(つげ)から彫りだしたようで、どれもおなじように頬とごつい四角ばったあごが光っている。まるでエッチングの版画のようだ。みな深刻そうな緊張した面持ちで、顔に裂けめをいれたような細くて黒い瞳から鋭い視線を放っている。

すごい騒ぎだ。叫び声、笑い声、にぎりこぶしを突きあげて放たれる興奮した野次（やじ）。ヨーロッパの日本人のあの控えめな沈黙、丁重な礼儀作法は、どこへいったのだろう。私の下では、髪を黒くなでつけた多数の頭が波打つように揺れ、ざわついているが、ざっと見たかぎり、日本の議員はヨーロッパの議員よりもはるかに禿げている人が少ないことに気づく。

演壇に立っているのは野党の代議士だ。軍事費のことで激しく攻撃している。私の右側で熱烈な拍手喝采を送っているのは、野党、民政党の党員だ。左側では、与党、政友会の人々から、それに劣らぬすさまじい抗議が湧きあがる。ついで高橋〔是清（これきよ）〕大蔵大臣[*67]が演壇に立つと、すぐさま拍手と抗議が逆転する。しかし騒ぎはますます激しさを増してゆく。高橋蔵相は戦おうとするが、しだいにサンタクロースのような大きな白ひげのなかに隠れてしまう。かろうじて、ときどき大きな丸めがねから、気の弱そうな二つの光がきらめくのが見えるだけだ。とうとう自分の姿をくらましてしまったかのように思われる。

やや落ち着きをとりもどしたのち、ふたたび荒れだした。猿のような小男が演壇の階段をよじのぼってきたのだ。野党屈指の手ごわい論者[*68]だそうだ。奇妙なしかめっ面を浮かべ、癲癇（てんかん）にかかったような動作をまじえながら、金切り声で、めんくらうほど饒舌に話す。肩をいからせ、あたかも演壇の上で議論をこねまわしてから、それを聴衆にむかって両腕いっぱいに投げつけるような仕草をする。日本の聖なる伝統を破った内閣を手厳しく非難しているのだ。しばらく前、天皇陛下の列に爆弾が投げつけられたというのに、この不敬なテロ行為を受けて、なぜ内閣は慣習にしたがって当然そうすべきであるように総辞職しなかったのか、というのだ。

芳沢外務大臣は背筋をぴんとのばし、腕組みをしてすわり、鷲鼻（わしばな）の貴族的な顔から、ひどく用心深そうな視線を投げながら聞いている。荒木将軍は目に皮肉そうなしわをよせ、きわめて蒙古（モンゴル）的な、にたっとした笑いをこれみよがしに浮かべている。高橋蔵相はひげのなかに埋もれてしまった。

質問者が最後の跳躍を終え、尾長猿（おながざる）のようなしかめっ面を見せて姿を消すと、犬養首相がゆっくりと階段をのぼってくる。悲壮なまでにひ弱な老人で、とても背が低いので、くぼんで黒ずんだ象牙色の細長い顔は、じかに演壇の上にのっているようにみえる。弱々しい声で反論し、大臣たちを擁護する。たしかに、われわれは侵すべからざる陛下の身に対するこのテロ行為、しかも朝鮮人による行為を遺憾に思っているが、しかしこの日本が直面している憂慮すべき時期にこそ、権力の重荷を担ってゆかねばならないと考えている。もちろん個人的には腹を切りたいのは山々だが、そのようなことができようか。そのようなことをしたら、国を危機にさらすことになるではないか、云々。

この最初の言葉が終わるか終わらないかのうちに、みないっせいに騒ぎだし、とどろき、轟々（ごうごう）たる嵐となる。議会が耳をつんざくようなけたたましい集団的狂気にとりつかれたかのようだ。

かぼそい総理大臣は頭を垂れ、目をとじ、声はいちだんと小さくなり、かすれてしまう。しかし勇気をふるって顔を嵐にむけ、両手で演壇にしがみついているさまは、まるで漂流物にしがみついているかのようだ。

老人が猟犬の群れに追いつめられたようなこの光景は、もちろん痛ましいものにはちがいないが、日本だけのものとは思われない。

＊＊＊

翌日、東京に住む同僚が「どうでしたか。」と尋ねた。

「ええ、ずいぶん騒然とした光景でしたわ。でも、ヨーロッパの議会でも、あれとおなじくらい、あるいはそれ以上の光景をごらんになったこともあるのではありませんか。」

「そうかもしれません。しかし、あなたの住んでおられるヨーロッパには、少なくとも計画や原則や理念をもちあわせた、ほんものの政党があります……。」

「お世辞ですわね……。」

「しかし、ここ日本では、計画もなく一定した傾向さえもたない、封建時代さながらの徒党があるだけなのです。影響力のある政治家は、だれしも血縁や利害関係で結ばれた古代ローマの子分(クリエンテス)のような人々にかこまれています。そして、こうしたグループは、いずれもしばしばおなじ党、ときにはおなじ内閣のなかで陰謀をたくらみ、憎みあい、争いあっています。たとえば、前の民政党〔第二次若槻〕内閣の瓦解の原因となったのは、閣内の不一致でした。民政党は議会で十分な多数派を占めていたのに、党員とそのとり巻きの人々とのあいだで激しい争いが起き、総辞職することになったのです。数年前までは、まだ政友会と民政党という二大政党は世論を代表していました。政友会はどちらかというと保守的で、イギリスのトーリー党にたとえられ、民政党はリベラルで、イギリスのホイッグ党に比較することができました。しかし今日では、この二つの政党は権力欲を戦わせるだけとなっています。

「すこし手厳しすぎるのではありませんか。ヨーロッパの多くの国、とくにイギリスは、何百年もかけて議会制度をつくりあげ、国民を政治的に教育してきました。段階を踏んで進歩してきたのです。それに引きかえ、わずか六十年でまったく新しい体制に適応した日本は、奇跡をなしとげたといえるのではありませんか。」

「そうかもしれません。しかし、日本はこの体制の、とくに欠点をとりいれてしまいました。たとえば『無欲』というのは古きよき日本の誇る美徳で、これはほんとうに誇ってよいことでした。たしかに、むかしの日本には、残酷なできごとや、陰謀、殺害、派閥争いによる波乱はありましたが、少なくとも金銭面では潔癖でした。それがいまでは……。

あの二大政党の本部の建物がどれほど立派なものか、ごらんになりましたか。そのほかに、広大な所有地もあるのです。二つの政党がやりくりしている金銭は膨大なもので、選挙期間中などは目もくらむような額になります。あのお金は、どこから来ていると思いますか。まず第一に、党首は――選挙はないので、選ばれるのではありませんよ――、性格や市民意識、または才能によって指名されるのだと思いますか。とんでもない、所有する財産、もしくは自由になる財産によって指名されるのです。それに、どの財閥も、大銀行も企業グループも、支持する政党に気前よく献金しています。これは周知のことです。さらに、自分たちの利益の代弁者をつねに確実に内閣のなかに置いておけるよう、いくつかの企業グループは、この二つの政党に「分担金」を差しだしています。これがどのような結果をもたらすか、想像がつくでしょう。恥ずべき闇取引がおこなわれ、お金で譲歩が引きだされ、もっとも多額の献金をした者のために国が売られるのです。どの大企業でも、賄賂が公然と予算に計上されていて、これが経営の重荷となり、これがもとで倒産することも少なくありません。

スキャンダルが発生し、大臣クラスの政治家が巻きぞえになることも、しょっちゅうです。数年前、売春宿の経営者たちは、新しい地区でいちばんよい立地を押さえたいと考え、大臣の一人、しかもけっして小粒ではない大臣にたっぷりと袖の下を使ったことが立証されました。[*69]また最近、製糖会社が年間一億もの額を国からごまかすにあたって、五人の大臣経験者が共犯した（少なくとも賄賂をもらって黙認した）ことを認めるはめにおちいりました。[*70]さらに、事業免許を取得するには一万円から五万円を払わなければならないというのも有名な話で、このお金は仲介者の手に渡ったのち、しばしば最高の地位にある人々の懐に収まるのです。」

「でも、政治や経済のスキャンダルなら、どの国でもあることではありませんか。それに、前回〔一九三二年二月二十日〕の〔第三回普通〕選挙で政友会は三百四議席も獲得し、日本の人々から信任されたのではありませんか。」

「ああ、それなら選挙についてお話ししましょう。」と私の同僚は叫んだ。「一九二五年〔大正十四年〕、それまで政治思想に関しては中世のままだった大衆に普通選挙権が与えられました。選挙ですか。それは恐怖とカネの力でおこなわれます。代議士は毎年三千円の歳費を受けとりますが、代議士になるには約五万円かかります。代議士の秘書は、献金を受けたり票を買収したりするのが役割ですが、それとは別に、どの党にも大勢の「院外団(いんがいだん)」*71と呼ばれる人々がいて、これは雇われ警護というか、いかさま師みたいなもので、きわめてうさんくさい仕事もこなす何でも屋です。選挙のときは全国にちらばり、役人を動員し、脅迫、お世辞、約束、あるいはさまざまな説得力のある議論によって、自称「政治的宣伝(プロパガンダ)」をおこなうのです。多額の金銭をとり扱い、一部は支払いにあて、残りは自分の懐にいれます。あまり尊敬されてはいませんが、非常にもうかる仕事ですよ、院外団というのは。貧困にあえいでいる田舎では、一票の値段は一円にも届きません。それ以外の地域では、八円から十円も出さなければならない場合もあります。しかし、やり方はおなじです。こうして『国の世論』を代表する過半数が形づくられるのです。

今回は、とくにスキャンダルが大きく、選挙違反や不正が多すぎて、四千件以上にも達したものですから、犬養首相自身が抗議しなければなりませんでした。首相は選挙法の改正法案を提出しようとしています。しかし、もう手おくれでしょう。

この国では、議会は、国民の世論も利益も代表していないとみなされています。かつてはほかにも政党がありましたが、消滅してしまいました。民政党と政友会がかわるがわる活用し、濫用しているような財源を、どの政党ももっていないからです。たとえば、ある時期には社会主義がこの国で大きく進歩しましたが、もう議会には社会民衆党の代議士は三人、労農党[*72]の代議士は二人しかいません。

自分の義務を果たさない、あるいは果たすのを忘れている代議士と、自分の権利を自覚していない有権者。これが日本の議会政治の結果です。民衆の心は議会から離れてしまいました。これが、日本においてファシズム運動が急速に、また驚異的な成功を収めたおもな理由の一つです。ファシズム運動の最初の行動は、議会を一掃することだといわれていますからね。」

第九章　時代の寵児たちのもとで

上海事変のあいだ、私は日本軍が行動するようすを見聞きした。たしかに、みごとな装備をもった、規律のとれた立派な軍だとは思うが、しかし共感よりも恐怖を抱かされたことを告白しなければならない。引きつった表情で、野性的なつくり笑いを浮かべ、図太い叫び声を発する兵隊。疑ぐりぶかく尊大な将校。そして、私が上海共同租界から日本軍の兵営の一つを興味をもってじろじろ見すぎたかどで部署に連行するといい張った、あの感心するほど横柄な若い中尉[*73]。そのむかし、あの国際会議にいた丁重でとらえどころのない外交官、「背の低い完璧なジェントルマン」として語りつがれている人々とは、なんと異なっていたことか。

いわゆる「王座の聖なる宝物」〔三種の神器〕と呼ばれるのは、曇りなき正義の象徴である「鏡」、神の善のイメージである「首飾り」〔勾玉（まがたま）〕、侵すべからざる尊厳である「剣（つるぎ）」だが、この三つは天皇が具現している偉大な原理をあらわすとされ、日本軍の将校はこの原理の擁護者であると自負している。

日本軍の将校は、とりわけ民間人に対する善行を強調する。たとえば、上海で何度も閘北（ざほく）区を爆撃したのは、一月二十八日に突然攻撃をしかけた二千人の日本海軍の兵隊が、増援部隊を待ちながら危険にさらされていたからだと断言する。まあ、そうだとしておきましょう。

しかし、戦火の犠牲になったこの地区の通りで、廃墟となった家から日本軍の将校が血だらけの支那人に発砲し、銃床でなぐり倒し、ソーセージのように縛りあげ、無蓋トラックにほうり投げるのを私はこの目ではっきりと見たのだが、この支那人たちは空き地につれてゆかれ、裁判ぬきで処刑されたのだ。必要あってのことだと、日本軍の将校はいい張る。廃屋で守備についていたあの支那人たちは、おそるべき非正規兵ないし民間兵、つまり上海で耳にたこができるほど聞かされた「便衣兵」[*74]ではないか、と。

それだけではない。三月はじめに支那軍を退却に追いこんだ末期の戦闘の間に、私が完全に信頼をよせている欧米の戦争特派員である友人たちは、村を焼かれて逃げてきた不幸な農民たちを、日本の兵隊が銃剣でつき刺して炎のなかにほうりこむのを見たというのだ。

こうした騎士道的とはいいがたい行為と、神の善を示すあの「首飾り」とは、どのように両立するのだろうか。

東京にきて、私はふたたび日本軍を見た。それは天長節を祝うために、華々しく盛大におこなわれた観兵式においてだった[*75]。この式典に招待された報道陣があてがわれたのは、ロープ一本へだてて、片側にはまぶしいばかりの連隊長の一団、もう片側にはさらに輝かしい正装の将軍の一団に挟まれた場所だった。なんと名誉なことだったろう。

大砲の轟音、飛行機の爆音、荒れ狂ったような軍隊の行進。ヨーロッパの行進のように鋭く陽気で軽やかなのではなく、にぶく不吉に、銅鑼(どら)にも似た響きをたてて進む。

そして、むこうの地平線のほうでは、巨大な群れをなして、薄茶色の地面とおなじ色の部隊が揺れ動き、大きくなり、その上には銃剣が青っぽくきらめき、しだいに兵隊が見わけられるようになってゆく。腕を機械的に振って調子をとり、ずんぐりとした短い足を空中に荒々しく投げだし鵞鳥足(グース・ステップ)を踏んでぎこちなく前進しながら、無表情な細い目をした四角ばった暗い顔は、すべて天皇のほうをむいていた。もっと遠くのほうでは、おなじバネ仕掛けで動いているかのように、兵隊が全員いっせいにプロイセン式に重々しく方向転換していた。

この尽きることのない単調な人の流れから、権力という強い印象を受けるのを、いかんともしがたかった。しまいには、あたかも兵隊が私の胸を踏んで行進しているかのように、息もたえだえに、胸が苦しくなっていった。平和のときでさえ、この日本の軍隊は恐怖を吹きこむのだ。

＊＊＊

「おっしゃるとおり、たいした軍隊ですなあ。」と、観兵式のあとで、ある外国人の駐在武官が私にいった。「しかし、数が多いからではありませんよ。現役軍は一九二二年〔大正十一年〕から一九二五年〔大正十四年〕のあいだに大幅に削減され、いまではせいぜい二十三万六千人ほどです。ですが、質は量にまさります。そのうえ予備役が大勢いて、いつでも動かせる状態にあります。若者は十四歳か十五歳から中学校や高校、大学で、有資格の将校から厳しい軍事教練を受けます。これが兵役までつづき、兵役期間は通常は二年間ですが、特定の大学を卒業した者は一年間のみとなっております。

日本の砲兵隊も一流で、特別な兵科、たとえば戦車部隊や航空部隊などはきわめて完成度が高い。将校はというと、とくに青年将校は、比類ない軍人精神をそなえております。自分たちの優越性と使命の重大さを深く信じておるのです。これは強みになりますよ。」

駐在武官の唇には、すこし皮肉な微笑が浮かんだ。ついで、突然まじめな顔をして、ひとり言のように、「いったい、これほどの軍事力の果てに、あの者たちにはどのような結果が待ちうけておるのかのう。」とつぶやいた。

私は、「ちょうど、荒木将軍の側近の三人の将校に、お茶に招待されたところですのよ。」と告げた。

「ほう、それはすばらしい。時代の寵児に会えるわけですからな。」と駐在武官はいった。

＊＊＊

この大佐と二人の少佐は、荒木陸相にお会いしたときにそばにいたので顔なじみだったが、あのときは機嫌のよい率直な態度に驚かされたものだった。今回も手を差しのべ、古くからの友人であるかのように心から出迎えてくれた。そこは東京市内を見おろす丘の上にそびえるヨーロッパ風の立派な建物の、軍人サークル[*76]の一室だった。

テーブルの上には、心あたたまる英国風の紅茶セット、その脇にはバターのついたパンやお菓子の皿がならべられていた。将校たちは親切に、すこしぎこちなく歓待してくれた。軍での階級が高いことを知っていたので、この三人がとても若く見えることに驚かされた。しかし、一般に日本人は顔に皺ができず、髪が黒くふさふさとして、禿げることが少なく、かなり年をとらないと白くならないので、いつも実際の年齢よりも十歳から十五歳ほど若く見えるものだ。それにしても、この将校たちは早く昇進したにちがいない。ただし、渋い浅緑のごわっとした布地の軍服は、一兵卒の軍服とおなじように簡素で、階級を示す金筋は見あたらなかった。これは荒木将軍の軍服を見たときにも気づいたことだった。

鼈甲(べっこう)のめがねの奥で目を輝かせながら、三人はすぐに荒木将軍について熱心に話しはじめた。話す英語はなかなかきれいだったが、アメリカ風ともドイツ風ともつかぬ強いなまりによってゆがめられていた。

「閣下は、古き日本の伝統にのっとった偉大な愛国者であります。」と三人はいう。「身も心も天皇陛下に捧げ、陛下のことを『軍隊の父』と呼んでおられます。古きサムライの精神を備えておられ、日本の軍人の名誉の掟である『武士道』を閣下ほどよく理解し、実践されている方はおりません。小学生の頃から、陛下のために命を犠牲にしたサムライたちの葬られている墓地を参拝することを無上の喜びとしておられました。そうしたサムライたちの武勲を大人に語って聞かせてもらい、墓碑銘を丹精こめて書き写し、大切に保管し、暗記しておられたのです。いまなおそらんじて、演説でもしばしば引用されます。」

私は考えていた。「この青年将校の指導者が過去への崇拝にひたって生きているというのは奇妙ではないだろうか。ここから、どのような結論を導いたらよいのだろう。」と。

しかし、もてなし役の人たちは、宣伝（プロパガンダ）の旗振り役としての役割も忘れてはいなかった。というのも、目下、この三人は報道部門を担当していたからだ。まもなくテーブルの上のカップとお菓子のあいだに地図が広げられた。

よく知っている議論が弁舌さわやかに巧みに述べられるのを、ふたたび聞くことになった。支那人が抗議している条約、日本人が満洲でなしとげた成果、港や工場。ただし、この青年将校たちは経済や金銭的な利害については足早にふれるにとどめ、生命と財産がおびやかされている日本と朝鮮の農民を守るために、秩序と平和を打ちたてる必要性を強調した。これについては、反国粋主義的な日本の教授が皮肉な微笑を浮かべながら「もう満洲には親日家と匪賊しかいません。」といった言葉を思いだしていた。

ついで、三人の将校は戦略的見地からの議論を長々とはじめた。「我々は支那人を恐れてはおりません。」と大佐が述べる。「軽蔑しているからではありません。それどころか支那人は勇敢であり、つい最近も上海でそれを証明しました。またきわめて知的でもあり、人によっては我々よりもはるかに知的です。しかし、支那は個人主義によって無政府状態に陥っており、そこから抜けだすことができません。支那人というのは、よろしいですか、砂のようなものです。砂粒一つ一つは硬くても、全体としてはばらばらになり、溶けて崩れてしまいます。反対に、日本人は粘土のようなものです。粘土を構成している粒子は目にみえず、個人としての存在感はまったくありません。しかし、強い力であわさってくっつくので、一体となって塊になると、力をかけてもびくともしないわけであります。」

二人の少佐が微笑しながら頷いていた。

「したがって、」と大佐は言葉をつぐ。「支那は恐るるにたりません。しかし、ソビエトの侵略的支配に対する緩衝地帯として、満洲が必要なのです。ソビエトはすでに〔外〕蒙古（モンゴル）を手にしており、またすでに支配下に治めている新疆（トルキスタン）でも、まもなく統治を確立するでありましょう。危険なことに、支那中央部の省にもすこしづつ入りこんでおります。現在、この地域で秘密裡に国家がつくられておりまして、その力は突然爆発し、世界を驚愕させることになるでありましょう……。しかし、我々は日本人でありつづけたいと思っております。国際主義（インターナショナル）的なソ連共産主義（ボルシェビズム）は欲しておりません……。」

「同様に、欧州や米国（ヤンキー）の資本主義も欲しておりません。」と一人の少佐が挑発的な調子でいい放った。

二人の将校はがっちりと見つめあってから、唐突に他の話題に移り、フランスについて熱心に軍事的な話をしだしたが、最初はナポレオンについてだった。

「ナポレオンはわが模範であり、英雄です。」と一人が叫んだ。「子供の頃は、ナポレオンの名誉を守るためなら死んでもよいとさえ思っておりました。夜眠る前には、横になったまま、くりかえし『クレベール、マルソー、オッシュ』[*77]とつぶやいたものです。みな神様のような存在でした。」

瞳が輝き、声は震えていた。ついで、ナポレオン時代の軍隊を讃美してから、少佐は欧州戦争当時の軍隊、マルヌ会戦、ヴェルダンの戦い、フォッシュ、ジョッフル、ペタン[*78]に言及した。最後に、三人してかわるがわるフランスの潜水艦、航空機、あの「欧州戦争随一の飛行隊」、長距離砲、比類ない砲兵隊を讃美した。

「フランスは欧州第一の戦争大国です。」と片方の少佐が興奮して結論づけ、さらに言葉をついだ。「それに、日本人とフランス人は驚くほど似ております。どちらの国民も、戦争の本能と戦争好きという点で共通しております。これは最近、クローデル将軍[*79]が我々に述べられたことです。将軍は日本に心からの共感をよせているとも公言されました……。それに対してリットン卿ときたら。……まったく、偉大な国民です、フランスと日本は。両国が手を握ったなら、世界を征服することも可能でありましょう……。」

　私は控えめながら当惑したそぶりで目を伏せ、この熱狂的な讃辞を聞いていた。なんと答えたらよいのだろう。私はマルスやベローナ[*80]の栄光に目がくらんだことは一度もない女なのだ。すこし気分が滅入りながら、昨今フランスが世界で価値を認められ、幅をきかせるようになったのは、フランス革命とそこから生まれた民主主義的な原理によってなのだということを思いだしていた。

「上にあがって、東京の景色をごらんになりませんか。」と大佐が尋ねた。

　軍人サークルの最上階は純粋な日本風の造りだった。靴を脱いで入った。敷居のところで、高くゆった髷（まげ）に蝶の金細工の簪（かんざし）をさした女中が両手をついてひざまづき、ほほ笑みながら私たちを待ちうけていた。部屋には、ちり一つないブロンド色の畳がしきつめられていた。座布団（クッション）

の上にすわり、砂糖をいれずに緑茶を飲んだが、どことなくミントを思わせる、香辛料のきいたような味だ。私たちは黙っていた。眼下には、やや青みがかったもやに包まれ、見わたすかぎり東京の屋根瓦の波がつづき、そこから高いビルがいくつも飛びでていた。すぐ足元では、宮城（きゅうじょう）の木立とみずみずしく春めいた緑の濠（ほり）のあいだで、シンボリックな灰色の石垣がどっしりと屹立していた。

大佐はそれを身ぶりで指し示してから、すぐ近くの丘の上に建つ反った屋根の神社のほうを振りむき、「あちらは日本のすべての戦争で死んだ人々をまつる聖域です。」といった。

そして、熱意のこもった、おごそかなほほ笑みを浮かべながらいった。「おわかりですか。こちらには天皇陛下、あちらには英霊。この両者への崇拝のあいだで、我々の生活はすべて営まれておるのです。」

第十章　日本の青年将校とは何か、そのめざすものは何か

軍人サークルを訪れてからというもの、たえずこの「時代の寵児たち」のことを考えていた。現代文明のしるしである鼈甲（べっこう）のめがねの奥の、細い瞳の謎を解こうとしていたのだ。

青年将校の好戦精神、征服欲？　そうかもしれない。しかし、将校たるもの、平和の安楽をむさぼってばかりもいられまい。文民政府に対する敵意や不信？　それもやむをえないとしよう。公言するか否かは別として、どの国でも将校たちの心のなかには存在するものなのだから。国際主義（インターナショナリズム）への憎悪？　それも当然ではある。国際主義の立場をとれば国境がなくなり、戦争もなくなってしまうのだから。

しかし、あの日本の青年将校たちの目、声、態度には、いわくいいがたい奇妙な興奮、熱烈な厳粛さが秘められていることに気づいていたが、その源にあるものはまだわからなかった。また、震えるような口調、燃えるようなまなざしでいい放った「欧州や米国（ヤンキー）の資本主義は欲しておりません。」という言葉も頭から離れなかった。ソ連を除けば、現代諸国では、軍隊こそが富と財産の番人であるはずなのに。

たしかに、あいつぐ軍事的テロや、産業界の大物や銀行家を標的とする〔血盟団の〕抹殺者リストには、教えられるところがあった。しかし、その動機と、とくに目標については、まだ解きほぐすにはいたっていなかった。

そこで、前にもいろいろ教えてもらった、フランスの友好国の駐在武官に尋ねてみた。

「結局のところ、この日本の青年将校とは何なのでしょうか。とくに、何をめざしているのでしょうか。」

「何なのかという点については、理解できた気がしております。」と駐在武官は答えた。「しかし、何をめざしているのかという点については、説明するのはそう簡単ではありません。私は、日本軍の将校のなかに、すばらしい仲間も、友人すらもおります。しかし、もっと踏みこんでこうした人たちの内面に入りこもうとすると、いわば翡翠（ひすい）の壁に鼻を打ちつけてしまうのです。外国人が日本人の心のなかに入りこもうと思っても、それは無理なんですよ。

まず、どのようにして将校になるのか、みてみましょう。将校は、この国のあらゆる階層から募集されますが、一定数はむかしの武士の家系である士族の出身です。過去の伝統と趣味を守りながらも、明治維新以降、多くの士族は貧困におちいったわけではないにしても、少なくとも質素な生活を送るようになりました。さて、ある子供が、多くの日本の子供がそうするように、この大和の国でもっとも尊敬されている職業である軍人の道を歩みたいと夢見たと仮定しましょう。あらゆる日本の子供と同様、まず小学校、ついで中学校に進みますが、どの学校でも、早くから愛国精神につらぬかれた教育を受けます。十六歳頃になると、士官学校の入学試験を受けます。とても志願者が多く、エリートの生徒から選ばれるので、全員合格するわけではありません。しかし、合格したとしましょう。そうすると、四年間、きわめて完成度の高い技術訓練を受けます。さらに、とりわけ『武士道』の掟の手ほどきを受け、骨の髄まで叩きこまれます。『武士道』は訳すと『戦士の道』となりますが、どのようなものかご存知ですかな。あなたの国の大作家、アンドレ・ベルソール[*81]は、これについてみごとに分析しましたが。」

「ええ、存じております。日本の民族精神に影響を及ぼすことのなかった仏教にとってかわるために、また衰弱した古来の神道を活性化するために打ちたてられた、新しい宗教ですね。」

「おっしゃるとおり、崇拝ですな。太陽神の子孫で、祖国を象徴・具現化している天皇への崇拝です。これは、この国のきわめて古い伝統にすでに存在し、むかしのあらゆる武士の心に存在していたものであって、たんに新しい名前がつけられ、厳密な道徳律に形を変えたにすぎませんが、この掟にそむけば、いかなる日本人でも必ず傷がつきます。武士道について説明するときは、国史や伝説から抜きだした英雄的犯罪、自殺、超人的な犠牲をたたえる逸話がもちいられます。素直な生きざまや心情への回帰、絶対的な無私無欲、金銭への憎悪、祖国と皇室への完全な犠牲精神などが求められます。もちろん、勇気についてはいうまでもないでしょう。また、若き将校は、敵の手にかかって死ぬ覚悟だけではなく、名誉のためなら自分自身の手によって死ぬ覚悟ができていなければなりません。それにしても、日本の名誉とは、なんと人々に無理難題を強いることか。旅順の英雄、乃木将軍が明治天皇よりも長生きすることを望まず、古典的な切腹という方法によって自殺をとげ、またその妻がこの犠牲にならって、かたわらで喉を突いて自害して以来、人々の心を占めてやまない愛国心によって、どれほど多くの自発的な死が導きだされ、強いられてきたことか。条約や会議によって、日本が自尊心を傷つけられた、または利益を損ねたと考えられるたびに、自殺が伝染します。すこしだけ例をあげるなら、一八九五年〔明治二十八年〕にフランス、ロシア、ドイツが遼東半島を還付するように日本に強要したとき、四十人の軍人がいっせいに切腹しました。一九〇四年〔明治三十七年〕には、ロシア軍に拿捕された運送船に乗り組んでいた約五十人の将卒が降伏を嫌って切腹しました。しかし、それほどむかしにさかのぼる必要はありません。最近、空閑〔昇〕少佐がどのようにして死んだか、ご存じですかな。」

たしかに私は知っていた。空閑少佐は、上海事変に終止符を打った江湾鎮の攻撃のときに、頭に銃弾を受けて深い傷を負い、人事不省となって敵の捕虜となったのだった。支那軍の野戦病院で手当てを受けて恢復し、両国の交渉の結果、解放された。最初の外出の機会に、少佐は上官だった林〔大八〕将軍と自分の大勢の部下が戦死した戦場跡におもむき、この人々の霊を弔ったのち、銃で自分の頭を撃ちぬいたのだ。それでも腹を切るよりは現代的な自殺だった。

この悲劇的な知らせを告げる電報を目にした私は、フランスの教養を身につけた、ある自称社会主義の日本の知識人の前で恐怖の叫びをあげた。それは東京の大きなホテルでのできごとだった。オーケストラがせつないウィーンのワルツを奏で、あらゆる国の人々がテーブルをかこんでゆったりと頭を振りながら、マティーニやサイドカーなどを味わっていた。私の相手は矢のように鋭い視線を私にあびせ、厳しい口調でいった。

「日本の将校は捕虜になってはならんのですよ。むしろ、死なねばなりません。自分自身や国に対する恥辱ですからね。」

おそるべき日本の自尊心(ほこりたかさ)に不意をつかれたような衝撃を受け、私は言葉がでなかった。この日本人はつづけていった。

「日本では、女性までもが軍人としての名誉を重んじます。つい最近、わが家と姻戚関係にある家族で起きた例を一つお話ししましょう。ある将校が突然上海に派遣されることになったのですが、この将校は新婚ほやほやでした。非常に嫉妬深かったので、やっとの思いで妻に別れを告げました。妻を愛する気持ちが強すぎたのです。少なくともこの若い妻には、強すぎると感じられました。愛国心の強かった妻は、自分は危険な存在だと考え、自分を責めました。夫が自分のことばかり考えて、軍務をおろそかにするのではないかと思ったのです。この考えに我慢がならず、夫が嫉妬で悩まないですむようにと、自殺してしまったのです。女性がこれほどの犠牲を払うことができる国は、めったにないのではありませんか。」

こうした崇高な逸話なら、なにも日本にかぎったことではなく、とりわけ伝説のグリブイユ[*82]の先例があるではないかと、この友人に反論することは、あえてしなかった。そして空閑少佐のことに考えをもどした。気を失った、意識のない人が捕虜になるというのは、ほんとうに不名誉なことなのだろうか。

翌日、陸軍大臣の荒木将軍が部下の行為に公式に賛意を表し、こう宣言した。

「空閑少佐は義務を果たしたまでだ。日本軍の名誉と尊厳を守り、その魂を示した。」

駐在武官は話をつづけた。「この道徳律については、お好きなようにご判断なさい。かたくなな自尊心とでも、崇高な英雄的行為とでも、なんとでも。しかし、気高いものだということは、素直にお認めになるのですな。」

「なにも認めたりはしません。」と私は叫んだ。

***

私の話し相手は微笑していった。「どうぞ、お好きなように。さて話をもとにもどしますと、士官学校の生徒は、こうした原理が骨の髄まで沁みこむことで、それが自分の存在理由となり、生きる糧となります。二十一歳頃、少尉となって何年間か地方の小さな衛戍地(えいじゅち)に派遣され、そこで地元の人や農民と親しく接します。さて、どの連隊でも、若い将校には毎年選抜試験が課せられます。成績のよい者は東京に遣わされ、そこでまた選考にかけられます。日本全国で百人ぐらいだけが残り、あなたの国フランスの高等軍事学校とおなじように、各兵科ごとの専門教育を受けるわけです。この人々がエリートとして、将来、軍のトップに立つわけですな。熱心に仕事に励むのですが、多くはきわめて貧しい状態ですよ。」

「俸給はいくらぐらい支給されるのですか。」

「少尉から大尉で、毎月、だいたい百円から二百二十円のあいだです。*原注 しかし、東京は物価が高いですからなあ。この若者たちは、ほとんど全員既婚で、何人もの子供がおり、実家も貧しいので、実家からの援助もありません。こうした実家の内情や地方での滞在をつうじて、小市民(プチ・ブルジョワジー)の貧困、とりわけ農民の窮状を身をもって知ることになります。もともと、先祖から受けついだ気質と教育によって、商人の生き方や考え方は軽蔑しきっているのですが、しかし東京で目にするのはというと、この商人階級に属する富豪なわけです。」

「でも、他の多くの国の首都にくらべると、東京はそれほど贅沢にはみえませんが……。」と反論してみる。

「もちろん、表むきはそれほど贅沢にはみえませんよ。日本の生活は、どの時代もずっと簡素で民主的でしたからね。しかし、何人かの資産家の巨大な資産を知らぬ者は、日本にはだれもおりません。たしかに、宮中の正式な晩餐会で上座にすわるのは、きまって由緒ある華族の人々ですが、金銭的にはしばしば非常に困窮しております。それに対して、億万長者はテーブルの末席にすわりますが、退出してから十分すぎるほどに埋めあわせをします。若い将校たちは、こうした富豪たちが軍人グループに抱いている敵意も許せませんが、政治への干渉も許すことができず、これを不健全な影響と呼んでおります。そして、理想のはるか高みから、また貧窮と献身の生活のなかから、富豪たちのことを大衆を腐敗させているといって非難しております。他方、青年将校は、友人のなかに社会主義者の知識人や学生がいる者も多く、三分の一が軍に必要なロシア語の習得を義務づけられていて、読書量も豊富です。もともと、日本はドイツに

＊原注　一円は一九三二年〔昭和七年〕春には約八・五フランだったが、いまでは約五・五フランに下落している。

ついでマルクス主義文学に大きな影響を受けた国です。モスクワの共産主義は容赦なく叩かれたので、もう少なくとも表むきは日本には信奉者はほとんどいなくなりましたが、しかしソビエトの理念は若い人々によって熱心に注釈が加えられ、この国で求められているものや熱望されているものを踏まえ、形を変えています。ここから、一定数の青年将校が秘密結社に入ったり、陰謀をたくらんだり、社会革命を準備したりするまでは、ほんの一歩を踏みこえるだけの距離しかないのです。」

「なるほど。何を壊すのかは、よくわかります。しかし、壊して何を打ちたてようというのでしょうか。」

「そこは、まだかなり曖昧です。西洋文明の弊害、とりわけ議会制度の破綻を確信しておる彼らは、革命によって過去に回帰することを望んでおるのですが、なんと遠い過去でありましょう。この新しいタイプの人々、いや古いタイプの人々というべきかもしれませんが、この人々は、七世紀と八世紀の奈良時代が黄金時代だと考えておるのです。この時代には、何度も選抜試験でふるいにかけて選びぬかれた軍の司令官やひとにぎりの役人を介して、あらゆる権威の源である天皇が絶対君主として統治しておりました。貴族もおらず、世襲もありませんでした。国土はすべて天皇のもので、一区画づつ国民一人一人に譲渡されていたのです。そのうえ、土地の専有を防ぐために、六年ごとに新たに富の再分配がおこなわれておりました。各人の仕事は義務で、それぞれの能力に応じて全員に公平に職務が割り当てられておりました。この若い革命家たちは、こういいます。『立憲君主制とは、この過去に回帰する前の過渡的な手段にすぎない。もう天皇と人民のあいだに徒党を介在させてはならない。いずれ、両者が直接かかわりあうようになり、奈良の精神と明治の精神がこの国に行きわたることになるのだ。』と。」

「すこし単純化した考え方ですね。」

「ええ。ただし、土地や産業、銀行の国有化や、資本と大型公共サービスの国家による管理、あるいは工場や土地の労働者を、働いている企業の経営や利益に関与させることなども、この陰謀家たちは考えています。さらに、国費による子供の教育、社会保険、老齢年金と身体障害年金、また、かなりソビエト的な一連の改革プログラムもあります。少なくとも萌芽的な形で、国営農場（ソフホーズ）や集団農場（コルホーズ）の原理がみられるからです。」

「要するに、船首像として天皇を戴いた、国家社会主義ですね……。」

「そう、そして舵（かじ）をとるのが軍隊というわけです。一九一九年〔大正八年〕に北一輝という人が作成した日本国家改造計画は、青年将校のバイブルとなったといわれておりますが、そこにはこう書かれております。『国家は、国を守るため、および圧制を受けている民族の解放のために宣戦布告し、戦争をする権利を有す。例えば、印度を英国の桎梏（しっこく）から解放したり、支那を外国の圧制から解放したりするが如きである（！）』

さらに、こうも書かれております。『国家は、広大すぎる領土や、人の道に外れた形で管理されている領土をもつ国家に対しても、戦争をする権利を有す。例えば、オーストラリアを英国からひき離したり、極東のシベリアをロシアからひき離したりするが如きである。』[*83]」

「日本の帝国主義に服従させるために！　おお！　おお！　この奇妙な原理によって、多くのことが説明され、偽善的に正当化されるわけですね。とりわけ、満洲における現在の日本の態度が。ここで、日本の青年将校が馬脚をあらわしましたね。」

「たしかに。しかしながら、彼らの理念には、純粋さも、偉大さも備わっているということは認めるべきでしょうな。」

「なんですって。ヨーロッパのブルジョワ国家から派遣されたあなたが、軍が遂行するからという理由で、社会革命をお認めになるのですか。やっぱりあなたも軍人さんですね、駐在武官さん。」

第十一章　石垣の内側におられる方

「天皇陛下の祖先は、太陽の女神である天照大神（あまてらすおおみかみ）であり、この神の徳は太陽の光とおなじくらい輝かしく慈悲深いものであった。……日本を最初に統治したのは、天照大神の孫にあたる瓊瓊杵尊（ににぎのみこと）であった。……統治者となる前に、祖母にあたる天照大神は、この尊（みこと）にむかって、こう仰せになった。『此（こ）の国は、わが子孫の王（きみ）たるべき地なり。汝皇孫（なんじこうそん）ゆきてをさめよ。皇位（こうい）の盛（さかん）なること、天地と共にきはまりなかるべし。』この言葉により、わが帝国の基礎が築かれた。」

これが小学校の国史の出だしの文章である。[*84] 日本の子供はこれを習い、うやうやしく反唱し、生涯にわたって心の底に刻みこむ。大人になり、たとえ神としての天皇の起源に疑いを抱くようになったとしても——実際そうした疑いを抱くようになるのだが——「ほんとうではないことは知っていますが、それでも信じます。」というのだ。そして、神話時代まではさかのぼらなくても、皇室は世界でもっとも歴史のある家系だと、自慢げに説明する。この王朝の歴史的な創始者である神武天皇が紀元前六六〇年に即位されて以来、第一二四代目にあたる今上天皇が日本を統治なさっているではありませんか、というのだ。

外国人にとって、高度に文明化された日本人が君主に対して抱く感情を分析し、理解するのはきわめて難しい。ただし、この感情は、むかしからずっとこれほど強く存在してきたわけではなかった。将軍や大名がいた長い封建時代には、天皇はこうした盲目的な崇拝にかこまれていたわけではなく、天皇に対する叛乱や陰謀もあいつぎ、退位させられたり、幽閉されたこともあった。そしてとりわけ、おそれ敬うという名目で、しだいに人民からひき離され、きわめて厳格な孤立へと追いやられたのだ。もともと武士は、自分の主君、すなわち軍事的なトップでもある大名に対して、いつでも命や財産を投げだす覚悟ができていたが、しかし明治維新とともに、こうした盲目的な武士の忠誠は天皇に捧げられることになった。天皇は、統一された国民すべての光の収斂(しゅうれん)する焦点となったのだ。日本人は宗教心が強いわけではない。しかし、天皇はある種の荘厳な儀式では神道の祭服としるしを身につけるが、たんに神道で最高の地位にあるだけではなく、新しい宗教の神とみなされているのだ。すでにみたように、伝説によると、天皇の遠い祖先は、純真と公明正大を示す鏡、善と人間性を示す宝石、決断と勇気を示す剣(つるぎ)[*85]を太陽の女神から授かったというが、即位するときはこの三種の神器を受けとる。以後、天皇は聖なる者となるのだ。

ほんの数年前、大浦大臣[*86]が公式にこう宣言した。「わが国に宗教的信仰が必要だと思われるなら、この愛国心と忠誠の宗教、帝国の宗教、いいかえるなら天皇陛下への崇敬が採用されるべきである。」

「崇敬」。現代の政治家が口にする言葉としては、驚くべき言葉だ。神の覚えめでたい天皇は、他の凡百の皇帝や王にまさっているので、日本は他の国よりも上位にあるのだ。天皇はもはや人ではなく象徴、すなわち日本人の心の象徴、日本の力の象徴、おそるべき日本の自尊心の象徴なのだ。

最近、松井将軍[*87]はこう書いた。「我々にとって、皇室を敬うということは、皇室によってつくられ、皇室を中心にまとまった『家族国家』を敬うことである。我々国民の美徳の根幹をなすのは、威厳ある皇室への畏敬の念であり、これは真に聖なる性格を帯びる。我々国民にとって、皇室愛と祖国愛は、おなじ永遠の伝統にもとづくものであり、不可分のものなのだ。」

上海事変のとき、日本にとって皇室とはどのようなものであるべきかを鮮烈に示すために、伊藤彦造という若い大阪の絵師が奇抜な方法を思いついた。日本の初代天皇である神武天皇の等身大の肖像を、自分の血で描いたのだ。「愛国の血で」描いたと、みずから明言している。この大作を生みだすために、左腕と両脚から大量に血を抜いたので、最後の一筆で気を失ったという。新聞各紙は、この英雄的行為を熱狂的にコメントしながら、この絵は陸軍大臣〔荒木貞夫〕に贈られると報道していた。

また、満洲の兵隊たちは、戦死者の遺骨を納める骨壺を包む絹を、皇后陛下みずからお選びになったと聞いただけで、恐懼感激したという。そして、これほどの名誉に値する犠牲ならばと、喜びいさんで戦地にむかったという。

そもそも、国家元首としての性格の前には、天皇の人格そのものが消えてしまう。かつては、天皇の姿は国民にとってずっと不可視なままだった。宗教的な神秘に覆われていたのだ。歴代の将軍はこれを巧みに利用し、世俗的で現実的な権力を握った。明治維新までは天皇の肖像がつくられることはなかった。だから、農民たちは天皇を伝説的な存在、なにか聖なる龍のようなものとして想像していたのだ。のちになって天皇の像が配られ、民衆があがめるようになり、現在、小学校や中学校では、教育をつかさどる天皇皇后両陛下の肖像の前で子供たちがひれ伏している。しかし、たぐいまれなこのお二方の姿を見ることは、ほとんど不可能だ。天皇の御一行が通る道では、人がいなくなる。よろい戸やカーテンを閉めなければならず、頭を下げなければならない。むかしは、通行人は背をむけよという命令を受けたことさえあった。太陽の子を見ると盲目になる、または雷に打たれると、あわれな人々は思いこんでいたのだ。

いまでも、日本人が天皇について外国人に話をすることはほとんどない。そして、天皇個人に関することや天皇の生活に関することは、一切知らないか、または知らないふりをする。ひとにぎりの共産主義者を除いて、社会主義者のあいだでさえ、天皇を頂点に戴かない国を思い描く人には会ったためしがない。

しかし、私が友人に対して、「結局、天皇陛下は、どのような考えをもっているのですか。何をされているのですか。聡明な方ですか。感じのよい方ですか。ご自分で統治なさっているのですか。」と尋ねると、すぐに困惑したような沈黙、逃げるような答え、口笛、弁解を兼ねた爆笑など、慎みのない者や迷惑な者に対する日本人のありとあらゆる防禦にでくわすのだった。

それでも一度、表むきは丁寧ながら不愉快さをにじませ、こういいかえされたことがあった。
「陛下がどう考えておられるのか、何をなさっているのかは存じませんし、ほとんど重要ではないのですよ。私たちにとっては、天皇陛下だというだけのことであり、それがすべてなのです。」

私は野暮だったのだろうか、それとも聖なるものを冒瀆したのだろうか。

⁂

私はふたたびヨーロッパ人の仲間や大使館員のところにもどった。

ある人が答えてくれる。「天皇陛下ですか。ほとんどお見かけしませんよ。特別な機会がないかぎり、大使が謁見を許されることはありませんし、面談は秘密裡におこなわれます。公式レセプションでは、陛下は外交官に握手され、儀礼的な言葉をかけられます。たとえば、本国に帰っていた大使に対しては、『閣下の欧州での滞在が快適だったことを願っている。……国王陛下（または大統領閣下）はお元気か。……それは欣快に堪えない。』とおっしゃいます。逆に、これから本国に帰ろうとしている大使には、『よい旅となることを祈る。』と声をかけられます。こんなぐあいです。

決められた日には、国家的な記念日やできごとを祝して、宮中で公式の晩餐会が開かれます。……七、八百人が招待されます。広い応接室で、天皇陛下は小さなテーブルに一人でおすわりになります。陛下の右側には大使たちがすわり、左側には、皇室の宮様方に加え、東郷元帥と山本〔権兵衛〕海軍大将がすわられますが、この二人だけが大勲位菊花章頸飾を佩用します。招待客は、みな長いテーブルの片側だけに腰をかけ、皿、カップ、おきまりの小さなポットがならびます。食事が終わると、会食者は食べきれなかったものを持ち帰る権利がありますが、陛下のご厚意ですから、ほとんど義務ですね。通常、大使の召使、料理人、運転手、従者などが名誉ある残り物をいただきにやってきます。その後、それを主人の前で拝むようにして押しいただき、食べる許可を得るのです。また、金ぴかに正装した老いた元帥などが、片手に羽根飾りのついた二角帽をたずさえ、もう片方の手で荘厳な料理の乗った皿をもって立ち去る姿も、よく目にされます。陛下はというと、食事が終わると早々に姿を消されます。」

このようにおごそかに引きこもった生活を、どのように陛下はすごしておられるのだろう。どのような活動をされているのだろう。気ばらしは何なのだろう。

他の人が答えてくれる。「いいえ、陛下はスポーツはあまりなさいません。ときどき、庭園で乗馬をされ、聞くところによると植物学に造詣が深く、園芸にご興味があり、たくさん本を読まれ、研究をなさっています。皇太子時代に西洋をご訪問になったことがあり、そのときに多くのことを吸収され、外国のできごとにも興味をおもちです。毎日、何人かの枢密院の顧問に相談をされ、最後の元老である西園寺公をたいへん信頼されているそうです。ただし、西園寺公は九十歳を超えており、田舎に住んでいるので、めったにお会いになりません。目下のお気にいりは荒木将軍のようで、将軍も完全に陛下に忠誠を尽くしています。

陛下はある種の機知もおもちのようですよ。最近、ひそかに語られている逸話があります。

軍のお偉方が、「民族自決」の原則によると満洲は独立する権利があると、陛下に申し上げたところ、『わが善良なる朝鮮の臣民は、その権利についてはどういうであろうか。』と微笑してお答えになったというのです。朝鮮は自治を要求しつづけており、しばらく前に、朝鮮の民族主義者が陛下の御一行に爆弾を投げつけた事件がありましたからね。」

＊＊＊

天皇陛下のお姿は、戦死者記念日[*88]のときにちらっと拝見しただけだった。荒木将軍の麾下(きか)の将校が指し示した神社で、陛下は無表情のまま、広い木蔭の参道にひれ伏した遺族に一礼されていた。もう一度は、大規模な観兵式で遠くからお見かけしたが、純白の馬にまたがり、こめかみのところで指をそろえたまま、尽きることのない重々しい軍隊の流れをごらんになっていた。

だから、金色の菊の御紋のついた、皇室の庭園の園遊会[*89]への美しい招待状を受けとったときは、とてもうれしかった。「それはめったにない計らいですよ。」とある人にいわれた。

私が想像していたのは、むかし印度で見たことがあるような、輝く宝石をちりばめ、高貴な金襴緞子(きんらんどんす)の豪奢な衣裳をまとった人々が列をなす、東洋的な盛大な祝宴だった。ところが、なんと幻滅させられたことか。

とはいえ、当日は、いかにも日本的な魅力のある、ぼんやりと曇ったおだやかな日だった。庭園の芝生が上品な起伏を描き、ところどころに点在する優雅な木立にかこまれて、緑の池もあった。雪のような桜の花の下では、軽快な小道が見え隠れしながらつづいていた。

それにしても、なんという人ごみだろう。女たちは全員、既婚女性の礼服である丈の長い黒い和服を着て、両肩と背中のところにはメダルの形をした白い図柄があしらわれていたが、これは家紋だった。男たちは一様にフロックコートを着てシルクハットをかぶっていた。しかし、フロックコートは裁断が粗雑で、しわが寄って黄ばみ、地面すれすれまで垂れながら、ずんぐりとした厚い胸と、がに股の短い脚を包んでいた。シルクハットはというと、毛足が逆立って赤茶け、肉食動物のようなあごをもつ、どっしりとした顔の上に奇妙にのっていた。いかんともしがたく滑稽で哀しい光景だった。

たしかに、ぴかぴかに輝く制服を着た上級将校や外国の外交官の姿も、遠くの丘の上に認められた。しかし、報道関係者が集められていたのは上級公務員専用の場所だった。多くは白髪まじりの熟年男性で、妻をつれ、田舎の旅館にあるようなカップ、ティーポット、クッキーなどが置かれたテーブルのまわりに集まっていた。どの席にも、紅白の砂糖菓子が入った、金色の菊の御紋のついた菓子箱がうやうやしく置かれていた。皇室からの下賜品だった。この黒い服の人たちは、みな祝辞を述べあったあとで、背中をまげて膝に手を当てる、おきまりのお辞儀を何度もくりかえしてから、もったいぶった堅苦しいようすで黙って飲んでいた。

突然、日本の国歌の憂うつな響きが湧き起こった。同時に、招待客が全員いっせいに起立し、小道のほうに歩いていった。おとなしく道沿いに整列すると、帽子をとり、直立不動となった。ざわめきは一切なく、そのとき御一行の姿が見えた。

御一行という言葉が適当かどうかわからない。まず、まがり角に、忙しそうに立ちまわる背の低い紳士が見えた。フロックコートに多数の勲章や綬を佩用した宮中儀式長[*90]である。ついで、きわめて簡素な服装の天皇裕仁（ひろひと）。渋い浅緑の将校用の軍服で、襟だけが赤く、胸に勲章を佩用されている。

痩（や）せた若い男性だ。細い鼻、ぴんと立った耳、薄い口髭、厚い唇。金縁のめがね越しに、斜めになった目から、故意に感情を表にださないようにして視線を放っているが、そこにはいわくいいがたい侘びしい倦怠が読みとれる。いならぶ人々に顔をむけられているが、首筋や背中しかごらんになっていないかのようで、ときどき機械的な仕草で軍帽に手をもってゆかれる。

十歩ほど後方を歩いてこられる皇后様は、すらりとして背が高い。ヨーロッパ風のドレスは形容に困るほど甘ったるいピンクで、おなじ色調のレースのフリル飾りがついている。ときどき、目の細い、おも長で貴族的な顔を尊大に傾けられるのだが、おちょぼ口なので、笑いを浮かべるのは無理なようにみえる。

その後ろに群れをなしてやってくる十人くらいの女性は、皇后様にならって、結婚式や祝宴のための贅沢品であるドレスをお召しになっているが、不格好で魅力がない。しかし一人だけ、若葉色のしゅす織りの優雅なよそおいの方がいらっしゃるのは、陛下の弟宮である秩父宮殿下の奥様、すなわち陛下の義妹にあたる方だ。秩父宮様は、宮様方のなかではもっとも人気が高く、歩兵隊の中隊長をしておられるので、私も観兵式のときに部隊の先頭に立って行進するのをお見かけしたが、ご自分の階級にふさわしい将校として、厳格で規律正しい生活を送っておられる。純朴で優しそうな方で、鼻は支那犬のように低くて小ぶりだが、整った横顔をされている。

しかし、賢明なはずの明治天皇は、なぜすばらしい和服を公式の式典で着用するのを禁止なさったのだろう。和服を着れば、男性にはとても威厳が備わり、女性には比類ない魅力が備わるというのに。

この奇妙な誤りによって、日本の皇室による祝宴は、田舎の結婚式のようになってしまっている。ヨーロッパの政治制度以上に、ヨーロッパの服は日本人にはしっくりこない。

暗い群衆が黙ってゆっくりと退出しはじめた。全員、金色の菊の御紋のついた菓子箱を「風呂敷」と呼ばれる雑多な色のハンカチに包んでいた。この小さな包みだけが、この日の陽気なアクセントとなっていた。

あの象徴的な石垣の内側に引きこもって生活しておられる、あれほど深い倦怠を眼に湛えた方のことを考えながら、まだ皇太子だった頃にヨーロッパを訪問されたときの逸話を私は思いだしていた。

パリでの出来事だった。皇太子殿下が地下鉄に乗ろうとされていたが、列車は発車しようとしていた。きっぱりとした手で職員に押しもどされ、目の前で柵を閉められた若者は、あっけにとられたのちに、喜ばれた。「みなとおなじ扱いを受けたのは、これがはじめてだった。おそらくこれが最後だろう。人生で最高の思い出の一つだ。」

憂うつそうにため息をつきながら、日本の神は、ときどきこう述懐されるのだという。

第十二章　社会主義からファシズムへ

私は裁判所に行き、あれほどファシストの暗殺者に寛大な共感をよせていた、あの気のよい陽気な判事さんにふたたび会いにいった。判事さんは、鉄筋コンクリートの広々とした廊下を通って案内してくれた。日本人には珍しく、マルセイユの人のようにざっくばらんで、べちゃくちゃとしゃべり、長い袖をひらひらさせ、快活に笑い、すれちがう弁護士たちにちょっとしたお辞儀や目くばせを投げかけていた。弁護士たちは、襟に青い刺しゅうの花綱（はなづな）飾りをつけた法服を着て、消防士のヘルメットのような奇妙な黒いしゅす織りの帽子をかぶり、謹厳そうに書類を抱え、きわめて丁重に判事さんに返事をしていたが、視線には驚きと顰蹙（ひんしゅく）がまじっていた。

銃剣をつけた二人の兵士が警護する扉の前までくると、判事さんが立ちどまっていった。「そうそう、共産主義者の裁判のようすをごらんになりますかな。いわゆる三月一斉検挙事件[*91]と呼ばれるものでしてね。きわめて大がかりな裁判で、被告人は二百人近くにのぼります。そのなかには、労働者、教授、作家、学生など、あらゆる者がおります……。」

新聞では、この事件について言及した記事はまったく見かけなかった。*原注
「どのような罪で起訴されたのですか。」

「設立した団体の規約に、天皇陛下の殺害が盛りこまれておったらしいのです。ああ、非常に重大です。」

扉を開くと、そこはフランスの地方の裁判所に似た法廷だった。なんの絵も宗教的な図柄もない広い壁、黄ばんだ緑のベルベットのカーテンのついた大きな窓、オーク材の板張りと天井。正面の壇の上では、黒い服を着た四人の判事が腰をかけ、弁護士とおなじ消防士のヘルメットのような帽子をかぶっていた。そのうちの二人は、退屈なようすで無表情のまま窓のほうに視線をやり、他の二人はうつむいていた。壇の下では、やはりヘルメットをかぶってあご紐を結んだ多くの係員にかこまれ、被告人たちが席についていたが、ここからは黒くなでつけた髪や、めがねをかけた若い横顔しか見えなかった。ところどころに、女性の髷（まげ）も見えた。

弁護人席では、若い弁護士が一人だけ、ぼんやりしたようすで親指をなめていた。ときどき、ふっと笑って顔が明るくなる瞬間があった。私はその人を指さして、同行する判事さんに小さな声で尋ねた。

「弁護するのは、あの若者だけですか。」

「被告人たちが、弁護士の助けをかりるのを拒否したんですよ。弁護士はブルジョワ階級に属するからっていうのでね。自分のことは自分で弁護する方がいいというのです。いま、ちょうど話をしているのが指導者の一人です。ほんとうに討論会のようで、もう何日も前からつづい

ております。まったく、うまくしゃべるもんですなあ。ロシアに留学したことのあるインテリですよ……。」

判事さんは、まるで足もとで自由に鼠を走らせておく猫のように、皮肉そうな慈しみを垂れながら演説者を凝と見ていた。ファシストの暗殺者の場合のように、「ええ、ほんとうに感じのよい男ですよ。」というのだろうか。

この指導者は二十五歳から三十歳くらいの若者で[*94]、鷲のような鋭い顔つきの表情をはっきりと認めることができた。広い額が曲線を描き、ときどき長く重たそうな髪をいらだたしげに揺すっていた。歌うような声だったが、図太い響きをともなっていた。あるときは黙って鼈甲のめがねでメモをのぞきこみ、あるときは逆に腕を組んだり傍聴人にむけてのばしたりして、熱烈に呼びかけていた。

---

*原注　この裁判は一九三一年〔昭和六年〕六月にはじめて公判が開かれ、一年以上つづいていた。事件の結末を迎えるまでに百十七回の公判が開かれた。公判記録は四〇八巻に及び、供述調書は三一万二三六〇頁に達した。当初の被告人は二百一人だったが、そのうちの六人はいずれも若かったのに刑務所内で死亡した。約十人ほどが共産主義との訣別[*92]を宣言し、百八十五人が勇敢にも自分の責任を認めた。

一九三二年〔昭和七年〕十月二十九日、ついに裁判所の判決がでた。検察は首謀者たちの死刑を求刑していたが、それは採用されず、四人の共産党中央委員、すなわち佐野[*93]〔学〕、三田村〔四郎〕、鍋山〔貞親〕、市川〔正一〕に無期懲役がいい渡された。残りの百八十一人には懲役二年から一五年の刑がいい渡された。十三人のみが、若年であるという理由で執行猶予となった。

傍聴人は多くはなく、百人に満たないほどだったが、黙ってじっと聴き耳を立てていた。感情を表に出すような仕草や表情の動きは一切なかった。みな被告人とおなじように若く、おなじ階層、つまり学生や知識人であるようにみえたが、一人だけ不安そうなやつれた表情の老人がいるのは、おそらく被告人のだれかの父親なのだろう。

被告席の両端には、鋭い目つきの看守がいた。このほかに、立って壁にもたれ、傍聴人を監視している者もいた。

弁論者が話し終わると、信じられないほど重苦しい沈黙が法廷を包んだ。心臓の鼓動すら聞こえてきそうだった。もう息もできなかった。

私たちは外へでた。息を吸いこんでから尋ねた。

「あの被告は、何を話していたのですか。」

判事さんは小さく笑っていった。

「あいかわらずおなじ宣伝(プロパガンダ)の演説がつづいておるんですよ。法廷にいる弟子たちに、どのようにして共産主義のグループを組織することができるのか、また組織すべきなのかを説明しとるんです。まったく、あの若者たちは、弁論にかこつけて、与えられた言論の自由をかわるがわる利用しておるのです。訴訟手続きのあらゆる可能性を使って、訴訟を長びかせとるのです。……もう一年以上もつづいておるんですよ。夏前には終わりそうにありませんな……。」

「それで、結局、あの人たちはどうなる可能性があるのですか。」

「そりゃあ、指導者たちは厳罰を受ける可能性がありますよ。なにしろ、団体の規約によって天皇陛下の命が狙われているという話ですからな。それ以外の者たちは、煽動的な秘密結社に所属したかどで、懲役または禁錮七年から十年の罪に問われるでしょうな……。たしかに厳しい刑です。しかし、日本の若者への共産主義の伝染はむかしもいまも変わっておらず、なんとしてもこの蔓延をくい止めねばなりません。とくに一九二九年〔昭和四年〕には、大がかりな危険な組織と対峙しました。最近もまた、日本を代表する多くの大学や、中等学校にまで秘密のグループが発見されました。何百人もの若者を監禁しなければならず、そのなかには良家に属する人々も多数含まれておりました。なんたって、あるプロレタリア劇場のオーナー兼支配人は、なんと伯爵[95]なんですからな。また、最近上海で栄光に包まれて戦死した林（はやし）将軍の御子息[96]も、共産主義の嫌疑で逮捕せねばなりませんでした。のみならず、道を踏み外したこの若者は、釈放されたらすぐに犯罪的な活動を再開すると宣言するありさまです。まったく、おかしな話じゃありませんか。」

　判事さんは、優しそうに、しかし皮肉っぽく、ずっと微笑を絶やさなかった。

　私は言葉を挟んだ。

「しかし、あの被告たちは、ファシストの被告たちほど明白な政治的暗殺は犯していないのではありませんか。」

　判事さんの顔から微笑が消えた。下をむき、答えに窮したように咳ばらいをし、長いあいだ喉の通りをよくしようとしてからいった。

「たしかに、もっと監視を緩められれば、それに越したことはないでしょう。しかし、おそれ多くも天皇陛下の殺害を説いたのですからなあ。むろん、これまでのところは、警察に刃むかった程度です。さっき話しておった男は、逮捕しようとした警官に襲いかかりました……。しかし、個別のテロ行為よりも危険なのは、あの者たちの教義で説かれているのが秩序の破壊だということです。……そう、国家の転覆です……。」

　そして、時計をとりだした。

「すみません、ちょっと約束の時間がせまっておりますので。……ちょうどよいところに私の友人がやってきました。案内してくれるでしょう。法律家で、作家です……。」

＊＊＊

　その人は法廷からでてきたところだった。この変わった風貌は、どこかで見かけたはずだが、さてどこだったか。とても広い額に心配そうな皺を二本よせ、それとは対照的に、たえまない微笑を大きな口に浮かべ、まっ白い歯をみせている。もじゃもじゃの髪に、へこんだフエルト帽を斜めにかぶり、気どっていながら、だらしのない格好は、さてどこで見かけたのだったか。

　思いだした。三山一輝（みやまいっき）[97]さんだ。しばらく前に、ある労働会議で出会ったのだ。三山さんは日本の代表団の書記として出席していた。その何年も前からパリで勉強していて、労働者インターナショナルフランス支部（ＳＦＩＯ）の近辺に出入りし、会議や会合に足しげく通っていた。当時、だれかに「ほら、あれが新顔の日本の社会主義の学生だよ。」といわれたことがある。

　紹介と挨拶が済み、さきほどの判事さんが姿を消すと、三山さんが話しはじめた。

「いらっしゃることには気づいていたんですが、被告人が退廷するのを待っていたんですよ。被告人のなかに友人がおりますんでね。『塀』のなかの生活は苛酷きわまりなく、普通の法律を犯した犯罪者のように扱われます。作業場で仕事をするという気ばらしすら与えられません。仲間からひき離されて独房に隔離され、仲間を見かけることができるのは、裁判で法廷が開かれるときだけで、やりとりも禁じられています。一日三十分の中庭での一人だけの散歩、面会は月に三回、それも身内だけです。それがシャバとの唯一の接点です。だから、われわれは何人か交替で、出廷と退廷のときに居あわせるようにしているんです。もちろん、合図も、視線さえもかわしはしませんが、通りがかりにちらっとわれわれのほうを見るだけで、自分が忘れられていないと知ることができるのです。これが、うつ病に対する唯一の薬なのかもしれません。もう何人も死んだ奴がおりますし、気が狂った奴もおりますからね……。」

この若者は、すこしばかり重々しいが、正確なフランス語で話した。ときどき隠語をさし挟むのは、パリの学生街（カルチエ・ラタン）で覚えたのだろう。

「あなたが共産主義者だとは知りませんでした。」と私はいった。

「共産主義者じゃありませんよ。」と、おびえて周囲を見まわしながら若者は叫んだ。「たんなる支持者（シンパ）です。それに、日本では共産主義者も社会主義者も、無政府主義者も、さらにはフランスやイギリスで急進主義者と呼ばれている人々も、当局はほとんど区別しません。極左、いやたんに左翼というだけで、みなひとくくりにしてほうりこむんですよ、ブタ箱のなかにね。」

「でも、裁判の傍聴に来たりなさったら、危険に巻きこまれるのじゃありませんか。」

すると、三山さんは長い歯を一斉にむきだしにして嘲笑するように笑い、裂けめのなかから暗い二つの目を皮肉そうに輝かせた。

「私が？　私はもう不可侵な、触れられない存在となっています。こんな格好ですが、ある大きな国家主義団体で書記をつとめており、目下、ある社会主義ファシズム団体の設立に携わっています。これでも有力者の一人、『要人』の一人なんですよ。判事さんの態度をごらんになったでしょう。二年前だったら、率先して私を逮捕させたことでしょう。それがどうです、いまや『私の友人』なんて呼ぶんですからね。」

三山さんは、私の目のなかに不信感と、とりわけ軽蔑の輝きを読みとったのだろうか。ふたたび深刻そうな顔つきになり、不安そうな額の二本の縦皺しか目に入らなくなってしまう。

「こんな廊下じゃなく、もっと安全なところにいってお話ししましょう。」と三山さんはいった。

＊＊＊

外にでると、もう夜のとばりが落ちていた。多くのタクシーの運転手と助手[*98]が哀願するような目つきで、たえず通りがかりの人をうかがい、訴えかけるようにしていたが、そのうちの一台に私の連れが合図した。まもなく私たちが降り立ったのは、きらびやかな扉の前だった。扉の上にはまぶしく赤いネオンでBar Lapin（バー・ラパン）[*99]と書かれていた。

階段を降りたところに、薄暗い地下酒場のようなものがあり、そこからアルコールと香水のなま暖かい匂いがたちのぼっていた。部屋のなかは造花の桜の枝が蔭をつくり、ボックス席に仕切られていた。その各々にテーブル、ビロードの長椅子、藤で飾ったピンクのシェードつきランプが置かれていた。蓄音機がくぐもった音で「海軍の男たち」[*100]を奏でていた。

「ブルーの襟(カラー)の水兵服を着りゃあ
　怖いもの知らずになるもんよ……」

このメロディーに重なって、ときどき小さな女の叫び、見えない客の磊落(らいらく)な笑いが起こっていた。

「心配いりませんよ。」と三山さんがいった。「それほどガラの悪い（三山さんはもっと正確な言葉を使った）場所じゃありませんから。ゲイシャのいる茶屋にとってかわった、流行のカフェーの一つです……。」

私たちがボックス席の一つにむかいあってすわるやいなや、二人の若いムスメが満面の笑みを浮かべて駈けつけた。一人は淡い緑、もう一人はさくらんぼ色の、花柄の和服を着ていた。片方のムスメが遠慮せずに私のそばにすわって背中に腕をまわし、他方のムスメは私の連れの首にしがみついて、おしゃべりをはじめた。三山さんは腕を振りほどき、私からも腕をふりほどかせ、優しいながらもきっぱりとした口調で二人に話をした。二人はドイツ風のジョッキについだビールをもってきてから、私たちの近くにすわり直し、たしなめられた女の子のようにおとなしく膝に手を置き、好奇心の強い瞳をして口をあけ、理解できない会話に耳を傾けていた。

三山さんは、ここ数年「急進主義」の嫌疑を受けた学生たちの辛酸について語った。さきほど判事さんが話してくれたように、若者のあいだで急進的な思想が蔓延し、急に政府は不安を抱いたのだった。そして、モスクワの触手がのびていないか、くまなく調べようとしていたのだった。

「実際には、」と若い三山さんがいった。「たとえばモスクワに亡命しなければならなかった片山潜（せん）さんや、徳田〔球一（きゅういち）〕さんなどのように、ロシアに滞在し、プロレタリア文化団体や図書のための宣伝（プロパガンダ）資金を受けとった指導者もいましたが、それは少数です。労働者のあいだでも、いやとくに労働者のあいだでは、さまざまな理由から、日本では表だった共産主義者はほとんどいません。いちばんの理由は、大衆の進化がまだ不十分なことです。それでも、労働者の利益を守るために、労働者の教育・解放・団結をめざして、さまざまなプロレタリア団体が結成されましたが、何度も解散を命ぜられました。選挙が近づくと、当選の見込みのありそうな無産政党の候補者は逮捕され、容疑者で刑務所がいっぱいになりました。社会主義の嫌疑のかかった人と交わったり、社会学の会議、いやたんに哲学の会議に出席しただけでも、また政治経済の本や雑誌を海外から受けとっただけでも、告発されてすぐに監禁されたんです。私の友人の医者などは、なんの病気だか知りませんが、ある病気の「進行（エボリューション）」についての小冊子をとりよせたところ、警察に連行されてしまいました。職務に忠実すぎる無邪気な警官が「革命（レボリューション）」のことだと思ったのです。しかし、こうした喜劇が悲劇に変わることもよくありました。われわれ日本人は、えてして残酷になりがちです。臨時の取り調べ官が強情っぱりな者に自白を強要したこともありました。棒で殴って殺したり、拷問や強姦については、きわめて卑劣な話も残されています。ほんの一例をあげるなら、数年前、社会主義の作家とその妻子を、ある憲兵大尉が柔術の技を使っていとも簡単に絞殺したことがあります。[*101] 抗議して抵抗したからです。さらに、一九二五年〔大正十四年〕、厳しい特別な法律〔治安維持法〕が可決され、左翼団体の創設者やその共犯者、友人に二年から十年の懲役または禁錮を科すことが可能になりました。この法律は恣意的に解釈することができるもので、個人の自由に対する真の挑戦だといえます。要するに恐怖政治でした。その後数年間、とくに私がヨーロッパからもどった一九二九年〔昭和四年〕には、さらに激しさを増しました……。」

三山さんはビールを飲みほし、しばらくジョッキを凝視めてからいった。

「ご説明しましょう。ご承知のように、われわれ日本人は勇気がないわけではありません。名誉の掟によって求められるなら、死ぬことも苦しむこともいといません。しかし同時に、現実主義者でもあるので、無意味な殉教には惹かれません。私と友人たちは、信念を枉げるのではなく、信念を慎重に表明することに決めました。そして、主として将校たちのあいだに宣伝をつづけました。その前に、将校たちの多くは意見を変えていたのですがね。それに……。」

また沈黙があった。目を伏せた三山さんは困惑したようすで、しなやかな長い黄色の指でもじゃもじゃの髪をかきわけた。そして私の目を見据え、突然きっぱりと話した。

「正直にいいましょう。パリに滞在していたときも、私は自分が完全なインターナショナルの信奉者や平和主義者だと感じたことは一度もありませんでした。われわれ日本人は、そこまで進化していません。たとえば私は、われわれが権利を有する土地、発展に必要な土地を、所有していないと思っています。[*102] もう一つ白状しましょう。私は、天皇を廃止したいと思う友人に賛同したことは一度もありません。私は骨の髄まで、いわば本能的に天皇陛下につながっているからです。愛国主義者だと思いますか。滑稽だと思いますか。」

「いえ、とんでもない、たんに理解できないだけです。」

「おそらく、あなたが正しいのかもしれません。ですから反論はせずに、事実を述べるだけにしましょう。でも、このように考えているのは私だけじゃありませんよ。昨年九月に満洲事変が起きたとき、若い社会主義の闘士のなかには、青年将校に心からの共感をよせる者がほんとうに大勢いました。そして、多くの友人が私とおなじように心から熱烈に国家主義団体に賛同しました。このような危機に際しては、刑務所にいるわれわれの同志、たとえば今日の午前中にあそこにいた同志たちも、そのうちの一定数がまったくおなじ行動をとるだろうと確信しています。もちろん全員ではありませんよ。一歩たりとも妥協しない人もいます。しかし、頑固になったところで、どうなるというのでしょう。他人の身がわり（スケープ・ゴート）になるだけです。ここ数日、また続々と逮捕者がでているのをご存じですか。文学や芸術のグループも、前衛的すぎるというので解散させられています。ファシストによる暗殺があるたびに、民衆の関心をそらせようとして、きまってこうした迫害がおこなわれます。無駄な犠牲ですよ。われわれが追い求めている、国の拡張と社会革命という、一対の目的にとっては。」

　このきまり文句は聞いたことがある。なんだか、まだ軍人サークルにいるような気がしてきた。

三山一輝さんは予言的な口調になって話をつづけた。

「こうした動きは大きくなっています。もう何もこの動きを止めることはできないでしょう。昨日、社会民衆党の会合がありましてね。この党は、これまで最大の社会民主主義政党だったんですが、会合のあとで、党員の約半数が分派を結成しました。[*103] さきほどお話しした、国家主義的であると同時に社会主義的でもあるような、新しい団体を設立するのです。ちょっと見にいらしたらいいですよ。」

蓄音機から、軍隊行進曲が威勢よく流れだし、これに重々しいリズムの合唱が重なった。[*104]

「純粋に日本的な行進曲だな。」と私の連れがつぶやいた。

隣のボックス席にいた二人の男が荒々しい声でリフレーンをくりかえした。三山さんは驚いて図太い声で叫び、びっくりした女給を押しのけて立ちあがった。数分のあいだ会話をかわしてから、晴ればれとした顔で席にもどってきた。

「いやあ、私の友人でね。関東軍の大尉なんですが、休暇を得て満洲からもどってきたんですよ。……近頃、大勢の将校が休暇をとって東京に来ておりますんでね。」と意味深長な口調でつけ加えた。

＊＊＊

ルポルタージュの仕事をするときは、だまされてはならない。今回の取材は、どうも、うさんくさい感じがした。三山さんと会ったのは、ほんとうに偶然だったのだろうか。判事さんが若い友達に私を「託した」ときのことを思いかえしてみた。三山さんの話も、完全に信じる気にはなれなかった。私は日本のことはだいぶわかってきたつもりだったが、この国ではドイツやイタリア以上に、ファシストと共産主義者の仲が悪いことを知っていた。とくに、三山さんのいったなかで眉唾だと思った言葉があった。それは、「この（満洲事変の）ような危機においては、刑務所にいるわれわれの同志、たとえば今日の午前中にあそこにいた被告たちでさえ、そのうちの一定数がまったくおなじ行動をとるだろうと確信しています。」という言葉だった。しかし、これは奇妙だった。東京の共産主義者が檄文、声明、プログラムを出すときは必ず「軍部による満洲侵略への非難」に言及していたからだ。どうなのだろう。三山一輝さんは、善良なる日本人として、この重大な問題については極左から極右まで日本人全員が一つの意見しかもっていないかのように、私に信じこませようとしたのではないだろうか。

こう疑いをさし挟まざるをえなかった……。

第十三章　ファシズムと無産政党

三山一輝さんの助言に従い、ファシズムが日本の無産政党に及ぼした作用について知ろうと思った。

まず、三十年近く早稲田大学と慶応大学で教鞭をとり、社会主義思想界の大御所となっていた安部磯雄(いそお)氏[*105]に話をうかがった。安部氏は、おなじく知識人で日本労働総同盟の主催者だった鈴木文治(ぶんじ)という人の助けを得て、日本初の無産政党である「社会民衆党」を設立し、まとめあげた。それまで、政府は民衆が受け身的にしたがうのが当然であると考え、民衆も自分たちの権利に気づかなかったが、長いあいだ日本最大の無産政党だった社会民衆党は、こうした政府からの敵意と民衆の怠惰の両方に打ち勝つという、大きな功績を残したのだった。

思索がちな額と、後方になでつけた白髪まじりの髪。大きな口ひげにも隠れない、厚く形のよい唇。権利、正義、平和主義といった偉大な言葉にしか輝くことのない、誠実で悲しそうな視線。安部さんはアジア的な特徴を失って、〔第一次世界〕大戦前の社会主義知識人に典型的な国際的な風貌[*106]をしていた。心動かされる高貴な風貌ではあるが、いまや時代おくれの感がある。

まず、無産運動の歴史をざっと語ってくれる。この運動が実質的にはじまったのは一九二六年〔大正十五年〕、普通選挙法の成立後のことだった。最初に、この時期に政治的な組織化が試みられたが、共産主義者のメンバーがもぐりこんだという理由でただちに政府に叩かれ、解散させられた。まもなく、極左分子を排除して再結成され、第二インターナショナルの原理とプログラムにもとづき、今日にいたるまで無産運動の右派を形づくっている。ただし、イギリスの労働党員が国王に対して抱くのとおなじような感情を考慮し、この党は社会主義国家の頂点に天皇をいただくことを認めていた。

「わが国の大衆にとって、天皇陛下の存在は欠かせません。」と安部さんは説明する。「それが社会革命の妨げになるということは、まったくありません。一八六七年〔慶応三年〕頃の王政復古ののち、貴族たちは君主に特権と財産を差しだしました。このとき、資本家もおなじ犠牲に同意しました。この国にとって、天皇陛下はあらゆる対立の外で超越する神でありつづけているのです……。」

こうして、この党は人数も影響力も急速に拡大した。しばらく前までは、党員はまだ七万五千人いた。

「すごい数というわけではありません。」と老いた闘士はいう。「しかし、量より質で、日本の知識人の多くがわたしたちの味方でした……。」

この党は、国会で多くの議員を輩出したわけではなく、前々回の選挙では五人、前回の選挙では三人だけだった。[107] 大衆の政治的な無知と奇妙な選挙方法により、躍進が妨げられたのだ。

また、グループ間での協調に欠け、嫉妬し、対立しあっていたことも一因だった。アジア特有の病だ。しかし、議会の外では大きな影響力をもっていたので、歴代の政府もこの党を無視するわけにはゆかなかった。

しかし、社会民衆党はいつまでも唯一無二の座を守っていたわけではなく、この党から締めだされた極端な分子も多様なグループを組織していった。ただし、すでにみたように、日本政府は国家転覆的とみなされる思想に対しては厳しい態度でのぞんだので、はじめのうちは非合法な存在で満足していた。そのうちの一つ「労働農民党」は、一九二八年〔昭和三年〕、共産主義的な傾向と国家の治安に対する危険行為という理由から、解散を命ぜられた。ついに昨年、すべてのグループが一つに合流して「全国労農大衆党」となったが、この党はモスクワの直接の支配下にある共産主義者を除く多種多様な極左主義者で構成されていた。安部さんの党を離党して合流した者も大勢いた。活発で闘争的なこの党は、いずれ、純粋な無産政党としては、おそらくもっとも強力な党になるはずである。

これまで何度も分裂の危機をのりこえてきた社会民衆党は、いまや致命傷ではないにしても、少なくとも重傷を負ったようだった。この傷の原因となった突然の不意打ちは、左派陣営からのものではなかった。三山一輝さんが説明してくれたように、満洲事変後、一定数の野心的な若者の分子は、党の消極的な態度に不満を抱いてファシズムに接近していたが、最近開かれた会合で、党の書記長だった赤松〔克麿（かつまろ）〕氏[*108]は、大荒れの会議ののちに半数近い党員をひきつれて荒々しく席を蹴り、すぐに新しいグループ「日本国家社会党」を設立したのだった。

安部さんは悲しそうに首を振り、自分の成果をぶち壊したこの離党について語った。

「あの若者たちは、自分が何をしているのか、わかってないのです。社会主義的な改革を実現するのに、軍の支持を得ようと思ったらまちがいです。たしかに誠実な左翼の将校も一定数はいるでしょう。そうかもしれません。しかし、ひとたび権力の座についたら、将校もしくはその上官が権力を濫用するでしょう。明治維新のときもそうでした。藩が廃されて権力を失うと、約三十年のあいだ、軍隊がこの国を支配しました。あのときほど日本の国民が苦しんだことはありません。それに、あの者たちは拡張政策をとろうとしていますが、それは戦争を招くことになるでしょう。かくいうわたしは、何よりもまず断乎として平和主義者であり、国際主義者です。わたしはファシズムも共産主義も望んでおりません。」

そして、寂しそうにほほ笑んで締めくくった。

「時代おくれの考え方かもしれません。それはわかっております。しかし、意見を変えるには年をとりすぎているんですよ。」

安部さんの党の左派グループは、労農大衆党に合流しそうだとも噂されている。とすると、この黎明期の勇気ある闘士は役割を終えたかのようにみえる。しかし、安部さんは人々の役にも立ち、また偉大でもあった。

＊＊＊

分裂して新しくできた団体「日本国家社会党」の本部は、熱っぽくざわめくような活気にみちていた。緑のテーブルクロスをかけた机のまわりに、とても若い人たちが集まり、すわっている人も立っている人もいた。大きなめがねをかけ、髪を逆立てているのは社会主義者の特徴で、上着のポケットには万年筆を二本さしている。部屋の両隅では二人が電話をかけている。一人は「もしもし。」と叫んでいるが、これは日本で電話をかけるときの言葉だ。もう一人はパン屋が生地をこねるときのように「はあ、はあ。」と大きな声で相づちを打っている。開いた扉のむこうには、小さな部屋と大きな机、他のグループが見え、電話口での叫びやタイプライターのガチャガチャいう音が聞こえる。こうした人々とはまったく異なるタイプの大男が、部屋から部屋へと何人かうろついているが、肩ががっしりとしていて、体をゆすりながら歩き、垂れた腕の先には大きな手があり、いくつかの手にはこん棒が握られている。ある者は大きなフエルト帽をかぶってオーヴェルニュ地方〔フランス中部の田舎〕の農夫のようにものしずかで屈強そうなようすをしており、またある者はごろつき風にキャスケット帽を目深にかぶり、ずんぐりとしたつら構えをして、荒々しいあごを動かしているのが見える。この人たちは、示威行動などで、緑の机にいる若いインテリにはできないような、特別な説得手段をもちいるにちがいない。あらためてヒットラーの突撃隊とその「執行人」を連想してしまう。みな顔全体で笑い、叫んだり、どんと体を突きとばしあっている。

「いや、あれは労働者と農民のグループの代表者たちでしてね、党員をとってきてくれるんですよ。」と三山さんが顔を輝かせる。「ほんの数日間で、三万八千人も入党しました……。」

突然、荒々しいどよめきが起こる。新しい党首、赤松氏が勝者のごとくに入ってきたのだ。

赤松氏のかつての先輩の、あの安部さんのか細い姿、きまじめで繊細な顔つきとは、なんというちがいだろう。陽気できっぱりとした物腰で、がっしりと肩幅があり、シャツの真っ青な襟にどっしりと丈夫そうな首が据わり、四角ばった額の上に髪がふさふさと生えている。三十七歳だというが、二十五歳くらいに見える。十三歳のときから大衆の組織化にかかわってきたのだそうだ。

「ほかへ行きましょう。ここは騒がしくて活気がありすぎますからね。」と赤松氏は満足そうに、自慢げに笑っていう。

かつかつと靴音を立て、ドイツ風の装飾を施したカフェーのようなところに私をつれてゆく。緑茶を出してくれる小柄な女給たちは、丈の短く黒いワンピースに白いエプロンをかけ、肉づきのよいふくらはぎを見せている。すぐに赤松氏は、三山さんが大筋を説明してくれた新しい基本方針を、急ぎ足で明快に話してくれた。ざっと次のような内容だった。

……これまで、日本の労働者運動は、穏健な第二インターナショナルの考え方と、革命的な第三インターナショナルに近い考え方のあいだで揺れ動いてきた。前者は安部さんの社会民衆党によって代表されるが、ほとんど知識人しか集まらなかった。後者は麻生さんの全国労農大衆党によって代表されるが、容赦のない法律によって発展が妨げられ、おもに日本では少数派である労働者が集まった。しかし、重要なのは、農業に従事している大衆、つまり六百万世帯に近い農民に訴えかけ、鼓舞し、組織することである。しかし、マルクス主義の原理によってこれを実現することはできない。農民は労働者よりもひどい貧困にあえいでいるが、フランスの多くの農民とおなじように、考え方は小市民的（プチ・ブルジョワ）だからだ。農民は天皇陛下に対してほんとうに盲目的崇拝を抱き、軍隊をあがめており、いまだに愛国的な考えが染みこんでいる。過渡的な段階を経ずに、こうした農民を国際主義（インターナショナリズム）に導くことは不可能だ。まずは国家的にまとめる必要があるのだ……。

「たしかに、わたしは帝国主義的な戦争には反対です。」と赤松氏は断言する。「しかし、今後の経済のことを考えるとき、満洲は日本の労働者にとって不可欠だと確信しています。地方での宣伝（プロパガンダ）の旅をつうじて、この満洲の問題をもちだすと、粗野なだけの百姓も熱狂することがよくわかりました。毎日、地方の代表者がよこす報告や、集めてくる多数の入党者によっても、確信は強まるばかりです。わたし自身はというと、青年将校の反資本主義的な動きに全幅の信頼をよせています。青年将校の協力を得てこそ、日本だけではなく満洲をも包みこむ社会主義国家が実現されるものと確信しております。」

「その頂点に、天皇を戴くおつもりですか。」

「ええ、当面は。まだわれわれには、天皇陛下がこの国に及ぼす求心力が必要です。しかし、陛下が統治されるわけではありません。破綻した議会制度は廃止されます。国民の意志を代表する少数の支配者が指導する一つの党だけがこの国に残り、その実行係となる有能な技術者からなる内閣があるだけとなります。この少数の支配者は、過半数が軍の指導者によって構成されます。未来の組織では、社会主義の軍の将卒が大きな役割を果たすことになるからです……。」

反論が唇まででかかっていたが、ちょうどそのとき、あるグループが私たちのテーブルに近づいてきた。大きな麦わら帽子をかぶった和服姿の農民たちと、青い作業服を着た労働者たちだった。赤松氏の名前を呼び、とりかこみ、つれ去った。

「ごらんのようなありさまでして……。」と赤松氏は申し訳なさそうな、勝ちほこったようなようすでいった。そして人ごみにまぎれ、姿を消した。

＊＊＊

社会主義者の締めくくりとして、「全国労農大衆党」の書記長、麻生久（あそうひさし）氏[*109]にお会いした。同党は、これまでのところ、見かけはそれほど大きなダメージも負わずにファシズムの波状攻撃に耐えてきた唯一の党だ。

麻生氏とお会いしたのは、大きな建物の最上階の、燈籠（とうろう）のような形をした部屋だった。[*110] 張りめぐらせた電線にかこまれた、空中に浮かぶキューービズム風の背景だった。下のほうでは五分おきに列車が金属の橋の上をすさまじい物音をたてて通りすぎていた。舞台はファシズム団体と似たようなものだった。おなじように書類に覆われたテーブル、おなじように騒々しい電話、おなじようにめがねをかけた若いインテリ、おなじように煙草のけむりに包まれた情熱的な議論の雰囲気。

麻生氏自身はというと、がっしりとした体格、重量感のある顔つき、大きな黒檀の縁のめがね、三十五歳という年齢など、ライバルの社会主義ファシスト、赤松氏とそれほどちがわない。

しかし、赤松氏のような勝ちほこった楽天的な物腰からはほど遠く、闘争の難しさを隠さない。自分自身も補佐役の人々も、すでに何年も刑務所にいれられ、機関誌も幾度となく差し止められてきた。しかし、自分たちの団体とモスクワとは一切関係ないと断言し、自分たちの活動や闘いを否定する共産党への敵意を隠さない。

まったく、日本の複数の無産政党の微妙なちがいを理解するのは容易なことではない。さきほど赤松氏は、麻生氏は第三インターナショナルの信奉者だと語ったが、どうなのだろう。慎重に質問してみる。

「そんなことはありませんよ。」と麻生氏は答える。「共産主義者は日本中にせいぜい数万人がちらばっているだけですが、私たちの党には約二十五万人の支持者がいて、そのうち大きな工業都市である大阪には十万人もいます。いまや、他の党を大きくひき離して、最大の無産政党となっています。ここ数日、また多くの社会民衆党員が合流してきましたが、近いうちにこうした多様なグループを一つの強力な団体にまとめたいと思っています。ファシズムに対して一致団結すべき絶好の時です。満洲事変が起きたとき、私たちは帝国主義戦争に反対して断乎として立ちあがりましたが、それ以来、影響力が衰えたと感じております。労働者が理解してくれないのです。まだ階級意識は芽ばえていません。この国では愛国的な狂気の嵐が吹き荒れていて、これに対して私たちは無力なのです。」

この労働者の指導者の声と瞳には、社会民衆党の老いた闘士に認められたのとおなじような落胆の響きと不安な光がこめられていた。やっとのことで麻生氏はこう絞りだした。

「この労働者ファシズム運動は、少なくとも一時的には成功してしまうのではないかと危惧しております。軍事的な力も使えるわけですからね。日本の労働者が戦争に引きずりこまれる可能性さえあります。しかし、いずれ幻滅が訪れ、良識をとりもどすことになるでしょう。労働者は目をさますことになるでしょう。」

＊＊＊

それから数日間、私は日本における共産党の起源と発展について情報を得ようと試みた。しかし、それは非常に困難だった。「共産党」というタブーとなっている言葉を発すると、すぐに人々の顔がこわばり、恐怖や敵意の表情さえ浮かんだからだ。しかし、たとえ日本では共産党が合法的な存在ではなく、非合法だったとしても、また結社や刊行物が禁止されていて、党員数も不明だったとしても、それでもやはり共産党は存在しているということ、そして相当な影響力をもっているということを確信することができた。とくに、学生、弁護士、高校教師、大学教授のあいだでは。奇妙なことに、組織としての共産党というのは、つねに知識人に対して妙な不信感を示すものだが、しかし多くの国において、闘争や危険と隣りあわせの英雄的な時期に、責任も弾圧もかえりみず、ためらいもなくまっ先に共産主義の冒険に飛びこんでゆくのは、知識人なのだ。

このことは、とりわけ日本には当てはまるように思われる。片山潜（せん）、山川〔均（ひとし）〕、荒畑〔寒村〕、猪俣（いのまた）〔津南雄（つなお）〕の諸氏が推進役となって、多少なりとも不毛な試みがくりかえされたのち、ようやく一九二六年〔大正十五年〕十二月の会合で共産党が結成された。[*111] 一九二七年〔昭和二年〕春に金融恐慌が起こると、党員は無産階級を組織する必要を感じ、工場内に活動の場を広げて「細胞」をつくり、言葉と文章による宣伝（プロパガンダ）を試みた。それにつづく議会選挙では、自分たちの計画を説明し、小冊子やビラを配り、労働農民党と協力して大規模な活動を展開した。

しかし、この極左の宣伝（プロパガンダ）の成功を受け、政府の弾圧は激しさを増した。一九二八年〔昭和三年〕、共産党員と労働農民党の指導者が大量に逮捕され、苛酷な判決を受けた。ついに労働農民党をはじめ、似たような多くの組織が解散させられた。こうした組織は再結成されて生きのびたが、それは秘密裡にであり、非合法とみなされている。こうした激しさにもかかわらず、多くの刊行物、とりわけ「反帝新聞」と「赤旗（せっき）」[*112]が刊行されつづけた。いまなお刊行されているが、地下においてであり、購読を申しこむこともできない。どこで印刷されているのかもわからないし、だれが出版しているのかもわからない。それなのに流通しており、読者の数はますます増えている。しかし、読むだけでも危険であり、違反者は天皇陛下の刑務所のなかで長期の生活を余儀なくされるおそれがある。

というのも、日本は西洋の自由な考え方をとりいれ、人権宣言にも同意したとみなされている現代国家でありながら、なんと「思想犯罪」という名の、絞首刑にも値する犯罪が存在するからだ。

私が東京に滞在していたあいだも、この悪名高き犯罪による検挙があいついだ。[*113] 三山さんがいっていたように、不用意に「プロレタリア」という名称を冠した文学グループや演劇グループは解散させられ、事務所は捜索を受けて閉鎖され、主催者は監禁された。

ファシストの犯罪については沈黙が守られていたのに、こうした逮捕劇は新聞をにぎわせていた。

たとえば、去る〔一九三二年〕八月、二十人の知識人が逮捕されたが、そのなかに九州帝国大学教授として公立の高等教育に携わっていたことがあり、知名度もあって尊敬もされていた日本大学の杉之原教授[*114]がいた。女子大学でも講座を担当していたので、おとなしく忍従するはずの純白の若い牝羊(めひつじ)の群れを過激な教義に導いたとして非難された。

九月には、東京のはずれにある飛行学校の生徒による陰謀が突き止められた。まもなく多くの教師に警察の手がのび、そのうちの一人は東京帝国大学出身だったが、さらにトップに立つ飛行学校の上田校長にまで手が及び、煽動的な書類や雑誌類が押収された[*115]。噂によると、結核で弱っていた上田氏は、警察官によるひどい扱いに耐えられず、数日後に死亡したというが、信じてよいのだろうか。

現在、日本の刑務所では、十人前後の知名度のある知識人や教授が裁判を待っているが、この人々は「思想犯罪」を犯したことを認めなければならないのだろう。

数か月前、鳩山〔一郎〕文部大臣は、帝国師範学校の指導者の集まる年次総会[*116]で、憂うつな口調でこう訓示した。

「極端な左傾運動に引きこまれた教員が相当数いたことは、誠に不幸なことであります。昭和四年以来、二百九十二人もの教員が非合法な宣伝(プロパガンダ)によって逮捕されました。なかでも師範学校は思想犯罪の件数が極めて多く、痛心の至りであります……。」

　また、一九三二年〔昭和七年〕五月九日、ほどなく斎藤〔実〕内閣の司法大臣に就任することになる小山〔松吉〕検事総長は、こう語った。

「保守主義者が暴力に訴えている一方で、満洲・上海両事変を受けて反軍国主義の高まりが認められる。この機に乗じて、多くの共産主義者が軍の内部で積極的な宣伝をはじめた。」

　意味深長だ。

　おなじ頃、日本の新聞各紙では、若者の精神を腐敗させる悪に対し、さまざまな対処法を勧める記事が氾濫していたが、そのなかには有効そうなものも、そうでなさそうなものもあった。たとえば「思想取締」省の設立が提案され、すでに多額の歳出が重荷になっているというのに、議会は新たに五万円の予算を追加し、満洲北部ハルビンに「情報機関」を設置しようとしていた。この機関の役割は、ソビエト思想が日本に入りこむのを防ぐことなのだそうだ。

「そんなことをしたって手おくれですよ。」と、私が来日したときにファシズムの脅威について教えてくれた教授は、皮肉な口調で語っていた。「こうした思想は、もう多くの若者のあいだに入りこんでしまっています。どの政党にも属さない知識人のあいだにも。おっしゃるように、軍の内部にまで入っています。もちろん、こうした思想は日本風の味つけで調理されていますがね。『思想の取り締まり』だなんて、なんとも滑稽な幻想です。思想を鎖でつなぐことができるとでも思っているんですかね。」

　こうしたあらゆる政府の努力や、厳しさを増す弾圧にもかかわらず——むしろ、おそらく日本人の反骨心ゆえに、弾圧こそが一因となって――共産主義の影響力はかえって大きくなっているように思われる。一九三三年〔昭和八年〕一月に東京で報じられたある記事によると、「思想犯罪」による逮捕者は、一九三二年〔昭和七年〕には合計六千九百人という記録史上最高の数字に達した。たしかに被告人の多くは支持者(シンパ)でしかなく、すぐに釈放された。しかし、その多くは、未来に不安を抱く学生だった。これに関連してくりかえしいわれているのは、学生で就職できるのはわずか二十パーセントにすぎないということだった。つまり、それ以外は貧困におちいらざるをえず、反逆するしかなくなっているのだ。

こうした知的な共産主義は、どれくらい労働者や農民の大衆に浸透しているのだろうか。それはなかなか正確に把握するのは難しい。国粋主義が猛威をふるっている昨今、その反軍国主義的な教えは、努力のかいなく広まっていない可能性もある。しかし、多かれ少なかれ偽装または変化した形で、共産主義的な考え方は日本人に浸透し、発達をとげているともいわれており、ありうることだと思われる。

第十四章　ファシズム団体を訪ねまわって

社会主義グループと「社会主義ファシズム」グループにつづき、純粋なファシズム団体をいくつか訪れてみた。どこでも、おなじような活気、おなじような天皇と軍隊への盲目的で情熱的な忠誠、おなじような満洲占領に関する妥協のない感情、おなじような国際連盟に対する不信感に出会った。

しかし、話をかわした若い秘書や会員は、社会主義に染まった若者とはすこし異なり、もっとスポーティな態度で軍隊調で、髪に艶があり、服装がきちんとして、めがねをかけていない人も少なくなかった。おそらく軍事教練も熱心に受けたのだろう。

以下では、集めた談話のうち、典型的だと思われるいくつかの談話を選び、そのままの形で忠実に再現することにする。現在の日本人の態度を説明し、例示するのに有益だからである。それが日本の世論をそっくりそのまま表わすわけではないにしても、少なくとも重要で活発な一翼を担っているわけであり、無視することはできない。

まず、日本の伝統主義者による国粋主義団体である「大日本国粋会総本部*[117]」。同会は旧体制下の家族のような党員で構成され、こうした会員の質によって屈指の札つきの団体となっている。この会では、おおよそ次のような話を聞いた。

「我々は心の底から軍を支持しております。軍の支配する時は近いと思っておるからです。平和が世界の理想だというのは疑問だと思っており、平和はまったく望んでおりません。我々は国際連盟の権威は認めておらず、その決定を受けいれたいとは一切思っておりません。また、国際連盟はいかなる力ももたず、日本による南洋諸島の委任統治をやめさせる力も、経済封鎖をする力もないことを知っております。どこかの国家が介入しようものなら、絶対に日本が負けるはずはないという信念のもとに、断乎としてこれを排撃いたします。」

次に、「大日本生産党」。この党には重要人物がいる。創設者の一人で重鎮となっている頭山満である。あのファシズムの陰謀〔血盟団事件〕の元締めとなった僧侶、井上〔日召〕を受けいれてかくまった、たいへん著名な反動主義のリーダーだ。ここでは次のような話を聞いた。

「我々は軍を愛し、尊敬しております。しかし、純粋に軍による独裁は、この国を危険に引きずりこむ可能性がありますから、説き勧めてはおりません。我々が権力の座についたら、一般大衆を天皇陛下に近づけるような政府をつくるでありましょう。行政機構は、古代日本でおこなわれていたような、共産主義的な原理にヒントを得たものとなるでしょう。しかし、日本では、共産主義それ自体にはまったく未来がありません。この国では、陛下に対する忠誠心と純粋な愛国心が人々の心に深く根をおろしておるからです。最近の政治的な暗殺について、どう考えているかとお尋ねですか。不幸なことではありますが、現在のような過渡期には避けられないことです。しかし、次の革命では、犠牲と流血が最小限に抑えられることを願っております。」

つづいて訪れた「行地社(ぎょうちしゃ)」[*118]でも、形を変えておなじようなことが聞かれた。

「我々の団体は、政治団体ではまったくありません。それどころか、既存の政党や財閥の解体をめざしております。そのほかには、明確な再建計画はもっておりません。しかし、軍とは緊密に連絡をとっており、軍には最大限の支持を惜しんできませんでしたし、今後も惜しむつもりはありません。国際連盟に関しては、日本は直ちに脱退すべきだという立場です。脱退しても、なにか困った結果につながりうるとは思っておりません。」

また、「立憲養正会(ようせいかい)」[*119]でもまったくおなじ調子だった。

「我々は、純粋に軍による内閣をよしとしており、それが近いうちに実現することを願っております。資本主義企業には、すみやかに陸海軍に資金援助をすることを勧めております。さもないと、陸海軍の意のままにならざるを得なくなるでしょう。国際連盟が我々の争いに口をさし挟む権利があるとは思っておりません。すみやかに国際連盟から脱退すればするほど、支那との直接交渉を進めやすくなるでしょう。……共産主義には反対です。しかし、はるかむかし、おそれ多くも天皇陛下が国民全員をわが子のように慈しまれていた時代には、日本は共産主義的な原理にしたがって国が治められておりました。こうした統治形態は、まず封建領主によって、次にいわゆる欧州『文明』の侵入によって、妨害されました。我々としては、現代の状況に適応させつつも、この古い体制にもどすことを望んでおります……。」

以上とは別に、現役をしりぞいた将兵が義務的に編入される強力な「在郷軍人会」は、四百万人を超える会員を擁しているが、完全に軍に属している。在郷軍人会では国粋主義的な考え方が猛然と高まったので、民政党〔第二次若槻〕内閣が動揺した。そして、一九三一年〔昭和六年〕十月末、満洲での軍の態度を称讃するために呼びかけられていた臨時総会を禁止した。「このような集会は社会的な不安を増大させるばかりだ。」と内務大臣〔安達謙蔵〕は述べた。在郷軍人会はごく小さな村にまで下部組織やグループが行きわたっているが、この巨大な力は、世論が黙っていられないようなできごとが起こるだけで動員されるのだろう。

＊＊＊

こうしたさまざまな団体では、いずれも会員数は教えてくれなかったが、足なみをそろえて行動するために大同団結したいという話はどの団体でも聞かれ、この難しい統合の企てをなしうる唯一の組織として、いくつかの団体で名指しされたのが「国本社」だった。

最近、法曹界の人々や将校のグループによって設立された国本社は、ファシズム運動の展開を不安視する何人かの大物実業家から補助を受けているので、潤沢な資金をもっているのだという。こうして、この団体は急速に飛躍し、会員数は百万人を超えるともいわれているが、発展が急激すぎて実際の数字はまだ把握できていない。いずれにせよ、執行部のある本部事務所には三百人の従業員がいて、百十か所にある地方支部の仕事を統括しており、各支部には三千人の活動家が配属され、新しい加入者を集める役割を担っているという。国本社では、おもに栄光に包まれた将軍や佐官級の人々に依頼し、町をあげて宣伝(プロパガンダ)の講演をおこなう。講演者は、軍人らしく歯に衣を着せずに話をし、軍という特権階級の野心と意志をまったく隠そうとしない。最近、陸相の荒木将軍がきっぱりと挑発的な主張を述べた[*120]のは、この国本社を後ろ盾にしてのことだった。日本では、軍人も政治的な意思表示が禁じられてはいないのだ[*121]。

中心メンバーには錚々(そうそう)たる人物が名をつらねている。会長の平沼〔騏(き)一郎〕男爵[*122]は枢密院副議長もつとめている。枢密院というのは、日本でもっとも重要な、国会よりもはるかに強力な機関で、国家のあらゆることについて天皇と協議することを役割としている。平沼男爵は上からの覚えがめでたいともいわれており、もう一人の有力者である荒木将軍の親友でもある。

私が平沼男爵から招待状を受けとったとき、ある人がいった。

「おそらく将来首相となる人にお会いできるんですよ。」

また他の人がつけ加えた。

「もしかして将来の独裁者となる人かもしれませんよ。」

＊＊＊

国本社の本部は、東京の真ん中の贅を尽くした建物に置かれている[*123]。もちろん日本風の建物だ。この極度に国粋主義的な人々は、ヨーロッパ風の建物や、軽蔑すべき米国(ヤンキー)のビルに居を構えることなど恥だと考えているのだろう。とはいえ、正面には最新式の輝くリムジンが列をつくっている。それとは対照的に、あらゆる大きさの靴が玄関にずらっとならんでいて、訪問客はむかしながらのしきたりを守る必要があることを示している。頑固だが腰の低い召使が私にものすごく大きな男物のスリッパを履かせてくれるので、あひるが足を引きずるようにして大人物の聖域へとむかう。

すべての窓が庭に面した広い部屋で、氏は氷のように冷たくも完璧な礼儀作法で迎えてくれる。家具はヨーロッパ調で、フランスの田舎でみられるようにカバーが掛けられている。「床の間」と呼ばれる、通常は先祖の祭壇を置くための凹部には、なにかの象徴のように大きな日本地図が掛けられている。平沼氏は背もたれの高い椅子に腰かけ、オーク材の机の上に両腕を広げ、裁判長だったときとおなじくらいおごそかに、微動だにしない。位の高い司法官だった平沼男爵は、職務柄、信頼よりも尊敬の念を起こさせるいかめしい威厳を身につけているのだ。その背後には、黒衣の宰相を思わせる人が控えていて、和服の大きな袖のなかで腕を組み、高位聖職者のように大きく平たい顔から警戒するような眼差しを放っている。ベルリンで大使をつとめたことのある本多氏[*124]だ。いずれ外務大臣になるのではないかとも噂されている。

平沼氏は、生まれと教育からして、おそらく外国語を知らないわけではないだろう。しかし、日本語しか話そうとしない。通訳を介して、国本社の基本方針を教えていただきたいと伝えると、まず黙り、すこし考えるようにして表情が硬くなり、ついで、しなやかできれいな長い手の上に貴族的な長いあごをのせ、ゆっくりと、とめどもなく話す。骨ばった輪郭の顔がすこしづつほほ笑みで明るくなり、金縁のめがねの奥で眼が神秘的な炎に輝いてゆく。

この国本社の会長は、日本古代の伝統への回帰が必要だと説く。この黄金時代には、天皇と民衆は、官僚、代議士、「商人」階級のいずれによってもひき離されておらず、天皇は宗教的にも政治的にも最高の長として、国民生活の源であった。こうした原始的な体制への回帰こそが日本を救うのであり、農民や労働者の共同体にまとまったうえで、だれもが自然の法則と古代からの倫理、つまり祖先の崇拝、家族の尊重、君主への完全な犠牲にもとづいて生活すべきなのだ。つづいて会長は、インスピレーションを受けたような口調で、さまざまな天皇の言葉を神託のように引用してゆく。「民をして自らを治めしめよ。」「農民は国の大本(おおもと)なり。」「ある者が飢えや寒さに苦しんでいるとしたら、それはわが過ちである。」「わが務めは、民の意志を体現し、民を幸福へと導くことである。[*125]」

あれほど冷静だったこの人は、孔子もジャン＝ジャック・ルソーも一緒くたになるアジアの夢を展開するにつれて、興奮し、預言者風になり、神聖な妄想で輝いたようになる。すっかり変容してしまった。

それとは反対に、通訳のほうは疲れきって緊張して額の汗をぬぐい、しどろもどろになり、口ごもり、脈絡がなくなり、面目を失う。うめくようにして私の耳もとでつぶやく。

「これは、ほとんど訳せませんよ。なにしろ言葉が抽象的すぎて、フランス語には対応する言葉がないんですから。明晰なラテン精神をもつ私たちには理解できない、こうした曖昧模糊とした理論に、どうして私たちの精密な語彙を当てはめることができるでしょうか。ああ、東洋はやっぱり東洋です……。」

召使たちがお盆をもって入ってくる。まず会長の前で、床までお辞儀をして緑茶の茶碗を差しだし、本多氏の前でもおなじ儀式をおこない、次に通訳男性に移り、やっと最後に、とるにたりぬ人物である私に応対してくれる。私がお客さんなのに。しかし、これは古くからの日本の、女性には厳しい礼儀作法によるものなのだ。

平沼男爵はちびちびとお茶を飲む。ほほ笑みが消え、厳粛な表情をとりもどし、無関心に遠くを見るような視線にもどった。もう話すべきことは残っていないのだ。

部屋から退出しながら、数日前に、抽象的で難解な言葉を多用した、大げさでありながら曖昧な会長の声明文を読んだときとおなじことを感じていた。これほど支離滅裂な話で、どうやって人々を鼓舞することができるのだろうか、これほど素っ気なく冷淡なのに、どうやって人々を立ちあがらせることができるのだろうか、と。

＊＊＊

下におりてくると、もっと現実に即した秘書の人たちが、国本社の方針について具体的な話をしてくれる。

「我々は軍を支持しておりますが、めざしているのは、あくまでも極東での秩序の維持と平和であり、けっして領土を欲しているわけではありません。我々の提唱している『日本主義』とは、国粋主義、ファシズム、共産主義のすべての利点をあわせたものですが、しかし日本の基盤でもあり力ともなっている原則、すなわち天皇陛下の至高の権力と神としての性格を、かた時も忘れることはありません。

また、我々が資本主義や独裁の味方だといって非難する政敵もありますが、まったく的はずれです。この国の貧困階級のためにこそ、富と権力をもった人々が先頭に立って革命を起こすことを我々は願っておるのです。なぜなら、これまでに日本で成功した革新は、すべて上層階級や支配者階級によるものだからです。明治維新のときに起こったことをごらんなさい、貴族たちは明治天皇のために土地も財産も特権も犠牲にしました。もし労働者と農民だけに頼っていたら、まちがいなく失敗してしまうでしょう。

国際連盟に関しては、脱退が必要だとは考えておりません。どうしても国際連盟が日本の立場を理解できないというのでなければ、脱退は決意しないでしょう。その場合でも、決裂は避け、不正な決定は無視するにとどめることもできるでしょう……。」

以上が、会員数と重要人物が名をつらねていることからして、この国の平均的意見を代表しているように思われる国本社の方針である。穏健で、むしろ消極的な方針といえるかもしれない。しかし、近いうちに極右や極左の団体と合流した場合は、若くて積極的な分子によって、この結社が妥協を排する態度に引きずりこまれることも、ないとはいえないのではないだろうか。実際、それはよくある話であり、すでに何人かの講演者がおこなった宣言では、この結社がどのような坂道を不可避的に転がってゆく可能性があるのかが、はっきりと示されているように思われる。

第十五章　日本の産業の危機

日出づる帝国を訪れる旅人は、横浜で上陸することもできるが、神戸で船を降り、鉄道で半時間しか離れていない大阪から東京にむかうこともできる。しかし、どちらの経路をとるにしろ、絵に描いたような美しさを求めてやってきたのだとしたら、失望の印象しか受けないだろう。見わたすかぎり何キロメートルにもわたって、煙突から煙がたなびく工場、造船所、倉庫、鉄橋、クレーンしか目にすることはないだろうし、耳をつんざくハンマーの音、機械のうなる音、蒸気をいっぱいに吐きながら突進する列車の轟音しか耳にすることはないだろう。横浜から東京までは、ちょうど〔英国〕リヴァプールの郊外を縮小したような感じだ。人口二百万人を超える大阪は、さながらマンチェスターのようだ。

しかし、はじめてこの国を訪れる人が心の切りかえの早い人であるなら、ぶつぶつと文句をいいながらも、こうしたさまざまな産業の飛躍が六十年たらずのうちになしとげられたことを思って、奇跡的な発展を讃嘆することしかできないだろう。

私の場合がそうだった。出発するときに、寺院、青い湖、珊瑚色の橋が描かれた小冊子と一緒に仕込んでおいた驚くべき統計を披露し、アメリカ人の友人たちの前でこの奇跡を称讃した。私はまあたらしい知識をひけらかすようにいった。

「日本の貿易額の目もくらむような伸びをご存じですか。一八六八年〔明治元年〕にはわずか二千六百万円だったのが、一八九〇年〔明治二十三年〕には六億円、一九二五年〔大正十四年〕には四十七億円にも達したのですよ。」

「ええ、でも一九三一年〔昭和六年〕には、また十一億七千九百万円まで落ちこんだんですからね。日本の産業は病んでるんですよ。」と突然、私の隣であざけるようなぼやき声が聞こえた。

＊＊＊

それは一緒に旅をしてきたスイス人、ハンス・ミューラーさんの声だった。ミューラーさんは、スイスの製品と、そしておそらくは自分で練りあげたもうかる計画を、日本人に売りこみにやってきたのだった。

この直前、帝国ホテルの花を飾ったテーブルで、ミューラーさんがホスト役をつとめ、それをかこんで十人ほどの裕福そうな日本人が黙りこんでいるのを、遠くから見かけたばかりだった。日本のディナーは、とくにヨーロッパ風スタイルの場合、けっして陽気な騒ぎにはならない。愁眉を開かせる全能な「酒」が影響力を行使しえないからだ。それにしても、あの席は特別に陰気そうにみえた。おそらく、目的だった商談がまとまらなかったのだろう。それでミューラーさんは明らかに不機嫌なのだろう。

「まあ、それもあります。」とミューラーさんは認めた。「日本人は商取引となると手厳しく、相手を手玉に取ろうとしている印象を受けることがよくあります。しかし、それを抜きにしても、いまはこの国ではまったく手の打ちようがありません。」

この言葉は、来日以来、あらゆる外国人のグループでくりかえし聞かされていた。

「しかたないじゃありませんか、不景気なんですから。」と私は間抜けっぽい答え方をした。「もちろんです。たしかに、日本の主要市場で、とくに生糸の主要市場となっている米国の不景気をはじめとして、印度市場の部分的な封鎖、英ポンドの突然の下落、そしてきわめつけは日支間の紛争にともなう日本製品の激しい不買運動(ボイコット)により、日本の経済活動は大きく混乱しています。しかし、こうした一般的な原因とは別に、この国に特有の、いまにはじまったわけではない原因もあります。それは、第一に日本人の性格に根ざすものであり、第二に日本人の意志とは関係のない、土地の性質そのものによる条件や状況に根ざすものです。

たしかに日本人は精力的で、ねばり強い。産業化が必要だとわかったとき、日本人は驚異的な努力をしました。まず外国人を呼びよせ、生産態勢を整えました。そして、しだいに外国人がいなくなり、とってかわることができると思った日本人が代わりをつとめるようになりました。しかし、企業家になろうとしても、すぐになれるものではありません。日本人というのは、兵隊の素質はあり、ある程度までは行政官、教師、法律家、医者の素質もありますが、商売人の素質はありません。その証拠に、何世紀ものあいだ、商人階級はいちばん下の階級だとみなされてきましたし、ほんのすこし前までは、この国の社会的・知的なエリートは、商売などにたずさわったりしたら、身を落とすことになると思っていたはずです。

　日本人は、芸術家にはなることができ、すばらしい職人にもなりえますが、技師や機械工にはむいていません。企業経営者にもむいていません。経営者に求められる段取り、倹約、予見といった長所はもちあわせていないからです。それに、日本の人々は極端に金づかいが荒い。」

「『金を惜しまない』とおっしゃればいいでしょう……。」

「まあそうですが、要するにおなじことです。ほんのすこし前までは、例の有名なゲイシャの歌と踊りつきの宴会を重ねないと、どんな商取引も成立しませんでした。ところで、この魅力あふれる女性たち、いやむしろ『取引請負人』と呼ぶべきかもしれませんが、この女性たちは、微笑や歌声や美しい仕草を無料で披露しているのではありませんよ。それに、贈答品もあります。日本人が特定の日に儀礼的に贈答品を交換しあうのは、異常なほどです。それとは別に『袖の下』と呼ばれる贈り物もあって、これは政治や行政の歯車を円滑にするためのものですが、義務的なもので、ものすごい額になることもよくあります。」

「ええ、存じております……。」

「この費用がかかるぶん、取引の負担が重くなります。さらに日本人というのは、あることを企てたら、成功と失敗のあらゆる可能性を比較・検討するプロセスを省き、いきあたりばったりに突き進むことがよくあります。一つだけ例をあげるなら、数年前、先駆的な硫酸アンモニウム[*126]の工場が莫大な利益をあげたことがあり、これを受けて工場が乱立し、競争が激しくなった結果、生産過剰となって価格が下落し、この業界全体が不振にあえいだことがありました。

最後に、組織力の欠如です。日本の人件費はヨーロッパやアメリカよりもはるかに安いのに、外国製品よりも値段が高く、自分のお膝元の日本市場において、輸送費用のかかる外国製品に打ち負かされています。たとえば、イギリスやドイツの肥料や化学製品、あるいはアメリカ、ドイツ、スイスの金属機械などです。私もつい二年ほど前、ここ日本で、すばらしい条件であらゆる種類のエンジンを売却することができました……。しかし、日本の経済不況には、さらに根深い原因があります……。」

＊＊＊

ハンス・ミューラーさんは、その原因を教えてくれた。それまでほぼ完全に農業国だった島国日本は、明治時代になって突如として強力な産業をつくりだすことに決めた。しかし、一つだけ重要なことが忘れられていた。産業に不可欠な条件、すなわち原材料がなかったのだ。鉄鉱石、石油、石炭、原綿がほんのわずかしかないか、あるいはまったくなかった。たとえば製鉄の設備を整えても、生産するためには二三〇万トンの鉱石を輸入しなければならず、そのうちの半分以上は印度とマレー半島から、残りは支那から輸入している。また、印度と支那からは約六〇万トンの鋳鉄も輸入しており、さらに約九〇万トンの鋼鉄も必要としていて、これはアメリカ、ドイツ、イギリス、スウェーデンから輸入している。しかし支那や、とくに印度は、成長しつつある国内の産業に欠かせないこの鉱石や鋳鉄を、まもなく手ばなさなくなるだろう。他の国はというと、このせっぱつまった顧客に対しては非常な高値でしか売らなくなっており、高値で買わされる日本としては、予算が大きく圧迫され、十分な利益をあげられなくなっている。また、大阪近辺の紡績工場では、原綿を印度、支那、エジプト、アメリカから、羊毛をオーストラリアから仕入れなければならない。しかし支那や、とくに印度では、ここ数年、完全に現地むけの紡績工場をつくっており、既存の工場も拡張していて、印度でとれる原綿は印度製の布のために使うようになっているので、あまり輸出したがらず、原綿価格が上昇の一途をたどっている。アメリカ、エジプト、そしてとくに（自立した紡績工場をもつようになった）オーストラリアも非常に高値で売るようになっており、いずれ、まったく売らなくなるだろう。

日本はこうした原材料を外国に依存しているだけではなく、とりわけ製品の販路も外国に頼っている。ところが、支那市場では不買運動（ボイコット）が終熄のきざしをみせず、日本はほとんどまったく入りこむことができない。印度市場でも、イギリスがマンチェスター産の綿織物に有利になるように特恵関税を設けていることに加え、印度自身が印度製の織物を売ろうとしているので、日本は部分的に入りこめなくなっている。さらにアメリカでは、ここ一、二年、とくに贅沢品の購入額が大幅に減少している。

「こうして、生糸が壊滅状態になったわけです。」とハンス・ミューラーさんは説明する。「これは一九二三年〔大正十二年〕の地震とおなじくらい深刻な、国家的災難であるとみなされています。日本は軽率にも、きまぐれな流行に左右される贅沢品である生糸を過剰に生産してしまったのです。まだ歴史が浅い人絹（じんけん）も絹を圧倒しつつあり、これもますます考慮にいれる必要にせまられています。すこし数字をあげましょうか。一九一四年〔大正三年〕から一九二九年〔昭和四年〕までの間に生糸の輸出は四百五十パーセントも増加し、輸出全体でみると生糸が約三十五パーセントを占めるようになり、ついで綿織物が二十パーセントでしたが、人絹布はわずか七パーセントでした。もう一つ迂闊だったのは、こうした輸出の九十パーセントがアメリカ一国でまかなわれていたことです。アメリカが不況になれば消費が低迷するのはあたり前のことで、結果はご想像がつくでしょう。日本の生糸の価格は、一九二六年〔昭和元年〕から一九二九年〔昭和四年〕にかけてゆるやかに減少したのち、突然、破滅的に下落しました。一九二五年〔大正十四年〕には一俵（六十キログラム）[*127]が二〇〇〇フランで売られていましたが、一九二九年〔昭和四年〕には一三一五フラン、一九三〇年〔昭和五年〕には九〇〇フラン、一九三一年〔昭和六年〕には七〇〇フラン、一九三二年〔昭和七年〕四月十五日にはわずか四九〇フランになってしまいました。

くりかえしますが、こうした破滅的な下落は、産業界だけを襲ったのではありません。日本の農家は、ほぼすべての家で蚕を飼っており、地方によってはそれが唯一の生活手段となっています。一九三〇年〔昭和五年〕三月、価格の下落を不安に思った養蚕農家の人々は、下落が一時的なものだと思い、一俵あたり一二五〇フランの価格を維持しようとして、時間かせぎをするために、政府から三千万円の貸付けを受けました。しかし、価格が下落しつづけたので、何度も貸付期間が延期され、売れ残った八万七千俵について、貸付総額は三千万円から一億八百万円に膨らみました。しばらくたっても市況が改善されないので、銀行は貸付金の抵当について交渉し、在庫に積まれた八万七千俵を毎月五千俵の割合で一年四か月かけて売却することに決めました。しかし、ますます価格が下落したことで、苦悶の叫びがあがり、新たに六千万円の貸付けが政府に求められています。これは実施されるのでしょうか。結局、支払うのは納税者であり、とりわけ重税にうちひしがれている農民です。必要な肥料やら、農耕機械やらを、どうやって買うというのでしょう。これはまた別の話になりますが、さらに深刻な話です。」

「少なくとも、なんとかもちこたえている産業はありますか。」

「規模で第二位の綿織物は、困難ではあっても、なんとかうまくいっています。しかし、やはり国の犠牲によってです。印度に関しては、日本政府は補助金という形でダンピングをおこない、これはインフレと円安にともなって拡大するのでしょうが、課徴金をかけられているにもかかわらず、商品はさばかれています。南アフリカ、バルカン諸国、トルコなどでも日本政府は精力的に市場を開拓しようとしており、支払いまでの期間の長い掛け売りに同意せざるをえない商人を支援するために債権保証制度をつくり、これはよい結果を生んでいます。鉄鋼業界はというと、鋼鉄の輸入に悩まされており、企業の合理化と製造コストの削減のために一億円の貸付金を国に要求しています。似たような話は、国の管理下でまとまろうとした自動車メーカーや、国に経済支援を求めている電気企業でもあります。

ただし、見返りとして、政府はこうした企業に担保を要求し、管理しようとしています。たとえば、国が所有している大きな官営八幡（やはた）製鉄所は、予算の歳出の項にも年間二千五百万円として姿をみせていますが、すべての鉄鋼関連の企業をこの製鉄所に合併することを、前民政党〔第二次若槻〕内閣が提案したことがあります。まぎれもない鉄鋼産業の国営化ですよ。小規模な製造業者は喜んで受けいれたかもしれませんが、実業界の大物は、鉄鋼業にかぎらず、鉱山でも紡績でも、不安にかられて抵抗しました。そして自分たちの利益を守るために大きな協会を立ちあげ、生産量を減らすことで、国からの補助なしですまそうと試みました。こうして、綿は三十パーセント、鉱山では二十七パーセントも生産量が減りました。これは歎かわしい効果を生み、外国の競争相手に有利に働き、失業者が増えています。国は激しく抗議し、こうした生産抑制をやめるように求めています。しかし、それじゃあ、ふたたび予算を逼迫(ひっぱく)する補助金の道を選び、民衆を飢えさせることになるのでしょうか。[*128]

以上が日本の産業界の現状です。どうも、ぱっとしません。日本の財閥は、他の国の財閥よりも力があって腹黒いので、まだなんとか切り抜けていますが、そのぶん中小企業が苦しんでいます。これがこの国における不満の大きな原因となっています。これについては、私の日本人の友人に、近いうちにあなたに愚痴をお聞かせするようにいっておきましょう。」

「結局、この国の経済状況について、どのように結論されますか。」

「非常に深刻です。とりかえしがつきません。しかし、日本の多くの国粋主義者が主張しているように、耳にたこができるほど聞かされている、例の黄金時代の頃のような純粋な農業国に日本がもどるべきだと結論するのは、まちがっているでしょう。それは滑稽な、不可能なことです。そう簡単にあともどりできるものではありません。そうではなく、日本に必要なのは、産業を日本の内需の限度内に抑えることであり、また輸出に関しては、自然の恵みが得られて、外国での市場獲得のための激しい競争に勝てるような産業だけを残すことです。そしてとりわけ、アジアで産業的な覇権を握るという夢を捨てる必要があります。日本人の自尊心にとっては、つらい犠牲ですが……。」

第十六章　日本の成金

「日本は、まだほんとうに封建時代なんですよ。ただ、支配するのが大名ではなく財閥になっただけで。しかし、こちらのほうがはるかにおそるべき力をふるい、人の命も奪うものなんですよ。国じゅうで圧政をしき、自社の利益のためなら国益をも犠牲にします。労働者に対して最低限の保証すら与えず、文明国では何十年も前から採用されている法律に反することをしています。手前ども中小企業に対してはどうするかというと、簡単な話ですよ、つぶしてしまいます。望みもなく細々とやっているのがいやになってあきらめれば、吸収されてしまい、あえて刃むかおうとすれば、しめ殺されてしまいます。まあどっちにしろ結果はおなじなんですがね。」

こう熱をこめて苦々しく述懐するのは、ハンス・ミューラーさんが話していた商売人だった。衣料品店の経営者で、繁盛していた時期もあったが、東京では、絶大な力をもつ財閥が出資・組織する巨大企業が押しも押されもせぬ存在となっている以上、こうした企業を相手に戦うことはできなくなっていた。

　しかし、この商売人は、あらゆる日本人と同様、気前よく私たち[*129]を和食の店に招待してくれた。こうした贅を尽くしていながら目だたない、極度に洗練された店というのは、フランスにはみられないものだ。特別室が予約されており――日本人にとって他人と一緒に食事をするというのは品のないことなのだ――、そればかりか三つの部屋を順番に移動し、どの部屋でもちり一つない、まあたらしいブロンド色の畳と凝った木の調度品に迎えられたのだ。それぞれの部屋には老いた名匠の手になる一点物の掛軸がかかり、古い壺が一つだけ置かれていた。最初の部屋の壺には、濃淡さまざまな紫の藤の花がいけられ、二つめの壺には咲きほこる二輪の牡丹、三つめの壺にはふんわりとした純白の百合がいけられていた。食事は、強い芳香を放つ鴫のポタージュ、串に刺した鰻の肝に雲丹のソースを塗ったものなどを味わったのち、ビニールハウスで栽培された高価なメロンに移っていた。

　しかし、この商売人は気がかりな顔をして、放心したようなまなざしで、香りを楽しむ余裕などまったくないようだった。

「ご存じのように、フランスのような歴史のある国では、資本主義はゆっくりとした、自然な、調和のとれた進化をたどってきました。自由競争の時期が長かったので、経営者や卸売業者からなる一つの階層が形成され、この階層の人々は良質の仕事と貯蓄をつうじて、しっかりとした持続的な基盤の上に会社を据えることができました。国の経済的なバランスというのは、まさにこうした階層の人々によって支えられるものなのです。ところがここ日本では、この途中の過程がすっ飛ばされてしまいました。明治維新後、産業化が必要となったとき、いくつかの大きな家族だけが事業を独占してしまったんです。こうした巨大な資本をもつ財閥だけが、現代的な産業を生みだして組織化するのに不可欠な機械や外国人技術者をそろえることができたからです。戦争中や戦争後は目もくらむほどの富をたくわえ、経済的な混乱が起きると、そのたびにそれにつけこんで国じゅうに触手を拡げ、弱くなった企業を窒息させたり、吸収したりしてきました。いまこの瞬間も、世界不況のあおりを受けて、ばたばたと中規模の企業がつぶれていますので、近いうちにこの国の産業、経済、政治は、すべて財閥が独占してしまうでしょう。いえ、そんなに数は多くありませんよ、八つか、せいぜい十くらいです。むかしは薩摩、長州、土佐などの封建的な藩がありました。いまでは東京の安田家、古河家、渋沢家、それからあなたの国フランスのル・クルーゾにある大企業[*130]の輸入代理業者でもある軍需品を扱う大倉家、大きな紡績工場の経営者で大阪に君臨している住友家、神戸を支配している岡崎家などがあります。」

そして最後に、憎しみのこもった口調でいった。「しかし、とりわけ二人の王というか、専制君主ともいうべき、三井家と三菱家があります……。」

***

たしかに、この二つの名前を聞くのははじめてではなく、通俗喜劇(ヴォードヴィル)やオペレッタのタイトル[*131]のように、いつも結びつけられている。この日本の成金、いわば金権政治の結合双生児(シャム)がどこにでも姿をあらわすことを私は知っていた。このことは、東京の街を散歩するだけで納得がゆく。あらゆるものが売買されている豪華な店はもちろん、さまざまな銀行、船会社、電力会社、炭鉱会社、冶金工場、製糖工場、セメント工場、保険会社などの名前が正面に掲げられた立派な建物は、だれのものかというと、三井かさもなくば三菱なのだ。

この二つの財閥は、いくつもの都市や船団を手中に収め、強力な参謀本部のような技術者、軍団のような労働者と農民に命令を下し、君主のように何百万人もの生殺与奪（せいさつよだつ）の権利をにぎり、政党のかじ取りをし、内閣をつくってはつぶし、この国の運命に影響を及ぼしている。

日本の輸出入の半分近くが三井家の手を経由しており、こうして羊毛の八十パーセント、穀物の四十パーセントが輸入され、石炭の五十一パーセント、小麦粉の四十五パーセント、機械の四十パーセントが輸出されている。所有・経営する企業は百三十社に達する。三井家の個人的な資産は六億円、すなわちざっと六十億フランに及ぶと推定されている。

もう一つの岩崎〔小弥太（こやた）〕男爵を総帥とする三菱財閥も、三井に僅差までせまっており、約九十社を擁し、その資産は四億円、ざっと四十億フランに及ぶ。また、私が当局筋から聞いた話によると、この絶大な力をもつ二つの家族のさまざまな構成員とその代理人には、二百億フランが分散されているのだという。

両財閥が多大な影響力を行使していることはいうまでもない。三菱は民政党を金銭的に支援しており、前〔第二次若槻〕内閣で外務大臣をつとめた幣原〔喜重郎〕男爵は岩崎〔弥太郎〕男爵の婿だった。

対する政友会は三井の支配下にあり、現〔犬養〕内閣の二人の大臣がこの最強の財閥の構成員である。[*132]

*****

私たちはデザートに移っていた。百合の部屋に移動したところだった。細い竹の図柄の和服を着た女中がひれ伏し、温水で濡らしたタオルを渡してくれたが、これはヨーロッパでしきたりとなっているフィンガーボールの代わりとなるものだ。

もてなし役の商売人は、入念に顔と手を拭いてから言葉をついだ。

「これ以上、財閥が横暴をつづけることはできません。手前ども小規模な商人や経営者は、平穏に不自由なく暮らしていけるだけの稼ぎを得ることしか求めていなかったんですが……財閥が手前どもを叛逆者に変えました。すでに仲間の多くがファシズム政党に加入しました。何世紀ものあいだ、手前ども商人階級は軍人にはよく泣かされてきたものですが、あの専制君主から解放してくれるというのなら、『軍隊万歳』とでも叫びましょう。このつらい危機のあいだ、あの専制君主の銀行は、ほんのちびちびとしか融資してくれませんでした。もしきちんと融資してくれていたら、手前どもも助かったはずなんですがね。去年の十月、あの人たちは政府に圧力をかけ、手形割引率を引き上げたんですよ。この間、井上蔵相が金輸出の解禁をつづけようとしたのにつけこみ、あの人たちは資産の大部分を米国にもちだし、円の価値が下がるのを待ってから円を買いもどしたんです。この操作で、七億円ももうけたんです。しかし、そのすぐあとで、井上さんは先見の明がなく弱気だったことで、また団男爵は非国民ともいうべきほどに貪欲だったことで、ともに命をもってつぐなう結果となりました。残された人たちも死の宣告を受けており、自分でもそのことを知っています。よく考えれば、あの人たちの境遇のほうがうらやましいとはいえないかもしれませんね……。それはそうと、ちょうどあの人たちの一人と『経済倶楽部（クラブ）』[*133]で会う約束をしとるんです。その無害そうな名称とは裏腹に、経済界や産業界の大物が集まる強力な団体です。この大物たちは企業連合（カルテル）を結び、会議を開いて品物の価格を決め、工場閉鎖（ロックアウト）を決定し、政府の対策に反対する一方で、自分たちの利益をおびやかす労働者の要求にも反対しています。また、大臣を呼びよせ、自分たちの決定をいい渡すこともあります。要するに、大物たちの参謀本部みたいなものです。一緒にいらっしゃいますか。」

***

私たちは日本銀行のむかいにある豪華なビルのなかにいた[*134]。一階には、この団体が発行している雑誌の編集室と経済情報センターが置かれ、多くの従業員が忙しそうに働いている。その上には、会社の各部門のための階がある。もっと上には、ヨーロッパ風のレストランがあり、クラブのメンバーが昼食をとりにくる。白いテーブル、銀食器、クリスタル、咲きほこる珍しい花……。

上の階では、すでに会食者が講演を聴いていた。東京の無数の屋根を見おろす、円形の明るい部屋だ。アメリカ風の、質実な豪華さ。講演者は無垢のマホガニーのテーブルを前にして話をしている。聴衆は赤い革の快適なひじ掛け椅子に身を落ちつけている。うとうとしている人も何人かいる。多くの人が高価な葉巻をくゆらせている。ここにいるのは、財閥の総帥たちではなく、その代理人、銀行の支店長、企業の社長などだったが、それでも相当な財産をもっているにちがいない。多くの人が万国共通の典型的な実業家の格好をしていて、こうした格好の前では、国や人種のちがいは消えてしまう。非の打ちどころなく仕立てられた上着、ソフトな襟（カラー）、地味なネクタイ、控えめなシプレ系の香水、鼈甲（べっこう）のめがね、ゆったりとした鷹揚な仕草。年齢層の高い人々は、さらに威厳のある身なりをして、まるで柘植（つげ）か古い象牙から彫りだしたような尊大な顔つきをしている。

　この人々の多くは、自分がつけ狙われ、おびやかされていることを知っているのだということを私は思いだしていた。鎖帷子（くさりかたびら）を着こんでいる人や、妻子と別れねばならなかった人もいると聞く。だが、こうしたたえまない気がかりを、まったくそぶりには見せない。講演者が話し終えると、ざっくばらんに談笑している。

　しかし、話をうかがうと不安が透けてみえる。この人々は完璧な礼儀作法で私を迎えてくれたが、たしかに日本は歴史上まれにみる危機的な局面にさしかかっていると、当惑ぎみに打ち明けてくれる。そして、三井家と三菱家は個人資産のなかから新しい満洲国に二千万円を投資したことを強調してから、

「必要とあらば、さらに多額の資金を出すつもりでおります。」

といい、さらに、

「国際連盟の調査の結果がどうであれ、満洲での利権を手ばなすつもりはありません。」

ともいう。

ある人は、「軍が日本を支配下に置くというのは、きわめてありうることです。この動きが一定の範囲内であれば、受けいれるつもりでおります。」と譲歩する。

またある人は、「たしかに、この国には強いファシズムの傾向がありますな。」と同意する。

あるいは、「日本は国家社会主義の道を歩んでおります。しかし、この革命は、血を流さずにすこしづつおこなうこともできます。」と話す人もいる。

そして、みなが口をそろえて、「ああ、なんと日本には改革すべきことがたくさんあることか。そのお役に立てれば望外の幸せであり、あらゆる犠牲を払う覚悟でおります……。」と頷きながら語る。

「当然の思慮分別ですよ。」と、外にでてきた私の案内役がいった。「しかし、たとえあれが本心だったとしても、思慮分別を働かせるのが遅すぎたんじゃありませんかね。」

第十七章　日本の労働者のみじめな境遇

日本の地を踏んだばかりの頃、私は新聞に掲載された不思議な写真に目を奪われた。どこまでつづくのかわからないほど長くのびた煙突のてっぺんで、尖塔から一種のハンモックのなかに包みが吊りさげられていた。しかし、それは帽子をかぶり、足のはえた包みだった。奇妙なことに、あんな高いところによじのぼって、この男は何をしているのだろう。

「争議(ストライキ)ですよ」とだれかが教えてくれた。「ええ、去年からこの奇妙な抗議方法がはやっているんです。あの頃、東京の大きな紡績工場で大規模な争議がありましてね。労働者は、自分たちの要求を宣伝するために、独創的な方法がないか探したんです。お金を出しあい、仲間の一人で二十歳になる青年を選んで、五円やるから、工場の煙突の上までのぼって、網でかこんだ小さな足場に陣どり、争議が終わるまでそこにいてくれないかと頼んだのです。いてつく二月だというのに、あわれな男は引き受け、あのおそろしい止まり木のようなところで二週間もすごしたのです。ときどき食料をいれた籠を届けたんですが、がんばり抜くには、日本人の禁欲精神が不可欠でした。初期キリスト教では柱にのぼって苦行する『柱頭行者(ちゅうとうぎょうじゃ)』がいたといいますが、その再来をひとめ見ようと、群衆が大挙して『巡礼』にやってきました。最初は、人々はそれを見て笑っていたんですが、しまいには感動してしまいました。日本の世論というのは、なんらかの大義のために根性をすえて苦しみ、命がけになる者に対しては、つねに好意をよせるものなのです。しかし、経営者も譲りませんでした。態度を変えさせるには、予期せぬ状況が必要でした。ちょうどその頃、天皇陛下が北日本のどこかの神社でおこなわれる宗教儀式に親臨されようとしていましたが、列車にお乗りになる駅は、この争議中の紡績工場の隣にあったのです。ところが、聖なる伝統によれば、いかなる人も天皇を上から見おろすことは禁じられています。それなのに、争議中の者がはるか高みにいるんですからね。さあ、困った。当局が工場経営者に話をつけ、経営者がかぶとを脱がざるをえなくなりました。その『柱頭行者』は争議参加者から祝福されて柱から降りてきました。あやうく気管支肺炎で死ぬところでしたが、それは些細なことです。勝利したのですから。それで、ごらんのように、いまなお模倣者がたえないのです……。[*135]」

日本の労働者は、ほかにも民衆の想像力に訴えかける独創的な方法を考えだした。私が東京にやってきた頃、地下鉄の従業員が争議（ストライキ）をはじめたばかりだった。いくつかある要求のなかで、とりわけ勤務場所である地下での必要な衛生対策と、女性の最低賃金を一日七十銭から九十銭に引き上げることが要求されていた。[*原注] これは度を超えた要求とはいえないはずである。約一か

＊原注　百銭で一円に相当する。一九三二年〔昭和七年〕四月当時、一円は約八フラン三十セントだった。

月分の食料をもちこんで二百人が地下鉄の車両に立てこもり、そのうちの半数は女性だったので、慎みから別の車両に乗りこんだ。好奇心も手伝って、まるで動物園にでも行くように、檻（おり）のなかで戦う人々を見物にゆく人もいた。しかし、獰猛なわけではなく、一緒になって歌を歌い、この不本意なバカンスをたっぷりと享受しているかのようだった。この人々も、少なくとも部分的には要求を勝ちとった。[*136]

しかし、こうした上品な労使闘争はまれである。餓死同盟（ハンガーストライキ）、暴力的な示威運動（デモ）、血みどろの衝突など、痛ましいできごともある。しかも、こうした争いはおそろしいほどの速さで増加しており、一九二九年〔昭和四年〕には一二〇〇件だったのが、一九三〇年〔昭和五年〕には一八二五件、一九三一年〔昭和六年〕には二四五六件になったと、労働局長[*137]ご本人が不安そうに私に話してくれた。

その動機は、悲しいほどよくわかる。物価の高騰にもかかわらず、給料は増えていないどころか、平均五・八パーセント減っているのだ。そのうえ、多くの工場では生産縮小にともなって一部の労働者が解雇され、しかも多くの場合、生産量は二十七パーセント減っただけなのに、人員削減は三十八パーセントにも達しているのだ。さらに、従業員全員を締めだす工場閉鎖（ロックアウト）もおこなわれた。

失業者数は、数か月前の時点で、判明しているだけで四十七万五千人だったが、[*138]労働省によると、これに少なくとも十万人は追加する必要がある。たとえば、田畑を手ばなさざるをえなくなった農民、親類の農家に身をよせている労働者、仕事のない学生や卒業者、破産した商人や小規模卸売業者などもいるからだ。

　この数字は、アメリカやイギリスの失業者数とくらべると、明らかに非常に少ない。しかし、財政状態が思わしくないこともあって、日本の失業者はまったく手当を受けとっておらず、社会主義者は失業保険法案を求めているものの、政府はこれに道筋をつけられないでいる。場合によっては、解雇時に経営者がなんらかの手当を支給することもあるが、それは一時的なものであって、十分な額でもなく、そもそも権利として認められているわけではない。

　政府は、仕事のない者を雇用するために、四千万円をついやす公共工事を計画したが、この立派な計画はまだ実現できないままでいる。さしあたって、東京や大都市では、職業紹介所で失業者のために日雇い仕事をみつける努力がおこなわれている。

＊＊＊

　ある冷えこんだ春の日の朝六時前、私はこうした職業紹介所の一つに来ていた。通りは押し黙った落伍者であふれ、みなポケットに手をいれて背中を丸め、青い布の薄いキャスケット帽の下でふるえていた。しかし、物腰に品位があり、貧しい身なりではあるが清潔であることに強い印象を受けた。それに、こうした困窮の時代にあっても、東京の通りではまったく乞食を見かけない。失業者のうち、めがねの奥で注意ぶかい視線を放っている人々がかなりいたが、たぶん知識人ではないかという気がした。

「おっしゃるとおり、学生もたくさんおりますよ。」と、ある職員が教えてくれた。「あの者たちは、とりあえず手でかせぎ、その後、頭でかせぐのです……。」

この人々は、みな羊の群れのように受動的で陰気なようすをして、体を暖めるために足踏みをしていた。だれも煙草を吸っている人はいなかった。六時になって戸が開くと、やはり押し黙ったまま整然と列にならび、順番に窓口で手帳を差しだし、仕事の引換券を受けとるのだった。道路の補修、清掃、ごみの収集などの仕事だ。報酬は一日あたり一円三十五銭から一円六十銭だが、二日に一日の割合でしか仕事にありつけず、仕事のない日は七十銭、すなわち統計によるぎりぎりの生活費しかもらえない。

ただし、だれもが職業紹介所の斡旋を受けられるわけではない。斡旋を受けるには、東京で一万八千人だけが所持している労働手帳が必要で、しかも地元の人が優先される。東京には全部で七つの職業紹介所があり、それぞれ約四千人の労働者に仕事を斡旋している。つまり二万八千人から三万人だけが、一、日、お、き、に、生きるのに必要なものではなく、死なないのに必要なものをかせぐ希望をもつことができるのだ。

いつまでも足踏みしているみじめな群れを、私が悲しそうに見つめていると、「あれは恵まれた人たちですよ。」と職業紹介所の所長がいった。

＊＊＊

仕事のある労働者も、これよりも格段に恵まれた境遇に置かれているわけではない。日本には、まだ労働法というものが存在しない。だから、すべては雇用主の意向にゆだねられている。

一九二八年〔昭和三年〕に日本銀行が実施した調査によると、平均労働時間は、工場労働者の場合で一日九時間五十四分、鉱山労働者の場合は坑道の入口から採掘現場までの移動を含めて十時間だった。しかし、都市部から離れたところでは、まだ十二時間以上の勤務体制をとっている工場もある。女性と十六歳未満の子供を対象とした特別な法律では、一か月につき二日間の休暇が認められている。紡績、鉱山、冶金などでは、週休制度を導入している工場もあるというが、これを義務づける法律は存在しない。夜間労働は一九二九年〔昭和四年〕に禁止されたが、むこう五年間は鉱山については許容されることになった。

　最低賃金について定めた法律も存在しないのだから、あとは推して知るべしである。平均賃金は、労働局の統計から導かれるかぎりでは、男性だと工場労働者で二円二十銭、鉱山労働者で一円八十銭、女性だとわずか一円三銭だけだという。

「ただし、この統計は楽天的なものですよ。」と、特に事情に通じたヨーロッパ人の権威が教えてくれる。「実際には、日本の労働者の賃金は一円三十銭か四十銭をほとんど超えない程度で、しかもその一部は――表むきは禁止されているのですが――商品引換券で支払われており、この券は多くの店で拒否されています。労働者階級の食料のほぼすべてを占めているのは米で、一キログラムあたり十六銭から十九銭ですが、労働者の多くは既婚で大勢の子供がいます。しかも、賃金の四分の一近くが各種の税金や保険料として天引きされます。たとえば健康保険の場合、保険料の一割が国によって支払われますが、残りは雇用主と労働者で負担が折半されます。労災補償は、かなりお粗末ですね。具体的にいうと、事故の犠牲になって完全に体が不自由になった場合は、合計五百四十日分の給与が支払われますが、腕や脚を失っても、まだ働ける場合は四十日分しか支払われません。死亡した場合は、賠償金として三百六十日分の給与が遺族に支払われます。ただし、これは調査の結果、死者に落ち度がなかったことが証明された場合だけです。落ち度があった場合は、遺族は一切賠償金を受けとることができません。ここ日本では、人命は安いものなのです……。」

このように、日本の労働者の境遇は、ヨーロッパやアメリカの労働者よりも明らかに劣っている。たしかに雇用主は、労働者の要求に対し、それなりに重みのある論拠をぶつけてくる。いわく、欧米なら二人で済む力仕事を、日本人だと少なくとも三人がかりでやる。日本人は米や野菜しか食べないから力が弱いし、巧みさという点でも劣っており、技術知識を習得しようとしないから、外国人に頼まざるをえない、云々。また、節約しないことも非難しており――しかし一日十二フランで節約しろとは、なんたる皮肉――日本人の古来の倹約精神を忘れて、贅沢(!)と浪費の癖をつけたといって非難する。さらに、経済危機によって日本の産業界が機能不全におちいっていることを盾にとり、賃上げを拒否する。「賃上げなどしたら、わしらの会社がつぶれてしまう。」というのだ。

一九三一年〔昭和六年〕、労働者による不穏な動きに不安を感じた民政党の浜口内閣は、西洋諸国と似たような労働組合をつくれるよう、労働法に関する法案を議会に提出しようとした。しかし、大きな産業団体の指導者たちが断乎として反対を宣言し、この計画に対して効果的に戦えるよう、協会まで立ちあげた。そして、「労働組合運動などは、雇用主と労働者の関係を悪化させるばかりで、労使紛争を鎮静化させる活動にとって害となるだけだ。」と大まじめに主張した。こうして、この法案は審議すらされなかった。

しかし、争いは激化の一途をたどっている。日本では労働運動がはじまったのが遅く、雇用主のやる気のなさ、行政官庁からの敵意、さらには労働者の受け身な姿勢という壁によって、長いあいだ阻まれてきた。

現在、日本には労働組合員は三十七万五千人ほどしかいない。しかも全国規模の組織ではなく、多くの組織——ある一時期で六百団体——に分かれており、相互の結びつきがまったくないのだ。工場労働者の合計が約五百万人もいることを考えれば、多いとはいえない。女性の組合員は、工場の紛争ではめざましい活躍をしてきたが、人数は一万五千人にも満たない。しかし、一九二八年〔昭和三年〕以来、運動は急速に発展しており、組合への新規加入者は毎年三万人もいて、急に加入者が一万人増えることも珍しくない。さらに、第二インターナショナルに加盟している唯一の組合である海員組合[*139]は、すでに一定数の労働組合を連盟の形でまとめることに成功している。

さらに、無産政党の指導者たちは、具体的な要求プログラムを策定しようとした。たとえば、組合員を解雇した雇用主に罰則を科すこと、内務大臣から組合を解散する権限をなくすこと、あるいは一般の団体のように資金を集め、それをもとに政治活動をおこなう権利などを要求している。また、厳しすぎる法律にも強く抗議している。こうした法律により、争議(ストライキ)での小さな違反も犯罪として処罰され、示威運動(デモ)が妨害され、労働者の保護や活動にさまざまな足かせが加えられているからだ。日本で絶大な力をふるっている警察の横暴や厳しい取り調べに対しても抗議の叫びをあげている。かつては、何世紀ものあいだ、労働者は非常に苛酷な規律におしつぶされ、雇用主は天皇の代理人として、神々しい存在であるとみなされていた。しかし、そうした時代はもう終わった。機械化と同時に、西洋風の考え方が入ってきたからだ。これに関しても、産業の進化と同様、途中の過程がすっ飛ばされたのだ。大衆は急速に目をさましつつある。

財閥の大物たちは、数十年のうちに巨万の富をかき集めたが、それに劣らず巨大な利己主義によって、欧米の産業のうまみだけを手にいれようとし、それにともなう義務と責任は果たしてこなかったのだ。

こうした計算づくの危険な考え方は、財閥の大物たちを破滅へと追いやる可能性があり、すでに不吉な文字が壁にしるされている[*140]……。

第十八章　日本の農民の激しい貧困

日本では貧困の問題がきわめて切迫しており、国家的な大惨事ともいえる規模になっているので、政府が解決しなければならない問題は多数あってどれも深刻ではあるのだが、それよりもこちらを優先しなければならなくなっている。

もちろん、貧困はひとめでわかるわけではない。桜や藤の咲く季節に、外国人観光客が東京その他の大都市の周辺をおきまりのコースでまわっても、見抜くことはできない。印度南部や印度支那のいくつかの地域では、また支那の田舎であればどこでも、裸かせいぜいぼろ切れをまとい、骸骨のように痩せて熱でぞくぞく震えているような人がいたるところで目にされるが、日本を訪れる観光客がこうした人を見ることはない。春の横浜のあたりや、名高い富士山のふもとの海辺の村では、明るい木材でできた小さな家や、花咲く庭がつづき、オペレッタにでてくるような優雅な趣きを呈している。住民は貧しいながらもきちんとした身なりで、都市部でよく見かける気難しそうな顔つきの労働者とは対照的に、裏のない笑顔で愛想よくもてなしてくれる。しかし、この日本の中心部の地域は、そもそも他の地域ほど激しい貧困には見舞われていない。それに、日本の田舎の人々は、ある種の威厳、古来からの勇敢な諦念のようなものを身につけているので、貧しくてもそれを他人に見せることは慎むものなのだ。

田畑はみごとに耕されている。わずかな土地も無駄にされていない。道沿いに広がる田んぼは、ふくよかで生気あふれる緑の水面となってつづき、水につかった畝に足をいれて農作業をしている人々の大きな麦わら帽子と、まがった短い脚が印象的だ。食堂よりもかろうじて広い程度の畑には、収穫した小麦やライ麦がぎっしりと、緑の壺のようにあふれんばかりに束ねられ、入念に手入れされているのは心を打たれるほどで、まるで手で洗ってから刺しゅうばさみを使って毛虫を駆除したのではないかと思われるほどだ。必要以上に手入れをすることで、大地がどれほど貴重なものであるのかを教えてくれ、感動させられる。しかし、外国人観光客はうわべだけを見てウェルギリウス[*141]を連想し、とても幸せそうなあの農民たちは牧歌的な生活を送っているのだと思いこみ、そのまま立ち去ってしまう。

しかし、貧困が猛威をふるっているのは、とりわけ北日本なのだ。新聞では、田舎での一家心中の記事を何度も目にしたことがある。また、北日本の調査からもどってきたキリスト教の伝道団に属するアメリカ人からは、感動的な話を詳しく聞くことができた。

その伝道師は、衣服や穀物の種を配るために、四月に北日本を訪れたのだった。ぼろ切れをまとってうずくまった人々は、くぼんだ目をしながら、絶望的なまでに忍耐づよく収穫の時季を待っていた。あと二か月。それまで食べずにいられるのだろうか。

「あの貧しい人たちが喜んでくれたのを見て、胸がひき裂かれました。まるで生命をもたらしたかのように私たちを迎えてくれたのです。あの人たちの家にも行きました。家というより、巣穴みたいなものなんですが。床のかわりに、土が踏み固められていました。窓は一つもなく、戸口から光が射しこんでいるだけです。家具はまったくなく、布団すらありません。冬はシベリアの寒さになる気候だというのに、ほし草が布団がわりなのです。粗末な陶器がいくつか置いてありましたが、それが家財道具のすべてでした。あの不幸な人たちは、みな働くことさえできれば、それ以上なにも望むことはなかったでしょう。しかし、畑に種をまき終えると、あとはもうすることがないのです。冬になると、木の幹を山から鉄道の駅まで運びます。この仕事を十二時間やって、食事をあてがわれ、男は一日七銭から八銭、女は三銭しかもらえません。[＊原注]人間たるもの、どうやってこんな条件で生活してゆけるでしょうか。」

ほかにも具体的な事実を知った。いくつかの地方では、農民は樹皮を食べ、妻や娘を売春宿に売りとばしにゆくのだが、妻や娘は子供たちのために犠牲を受けいれていた。ほとんど飢餓状態で、虚弱すぎて授業を受けることができない子供が二十万人もいると、視学官が叫んでいた。

しかし、この災禍の規模を、国はまだ把握できていなかった。一九三二年〔昭和七年〕六月、新しい斎藤内閣によって召集された短い臨時議会の会期中に、分厚い請願書が代議士たちの前に積まれた。そこには、自治農民協議会[＊142]によって集められた、日本四十六県[＊143]のうち十七県に住

＊原注　それぞれ約〇・七五フランと〇・二五フラン。一円は八・五フランに相当する。

む数十万人の農民の署名がしるされていた。請願書では、このうちの十二の県が完全な飢饉にあると明記され、早急に効果的な対策をとることが要望されていた。

⁂

この大惨事の原因はいくつかあり、相当むかしにさかのぼる原因もあれば、新たに加わった原因もある。しかし、どの原因に対しても、解決策を見いだすことは容易ではない。

奈良時代のいわゆる黄金時代には、農民に土地が分配され、農民が国の第二の階級となっていた時期もあったが、その後は強大な封建領主が農民と農地を支配することになった。農民の置かれた境遇がみじめなものだったことは、自分の耕した米の一部を要求した農民に対し、ある武士がこう答えたという話によってもうかがわれる。

「米がたりぬのなら、草を食えばよかろう。」

しかも、これは冗談ではなかったのだ。

しかし、明治時代の革命によっても、状況はほとんど変わらなかった。貴族たちの大部分は、自分の所有する土地を自発的に放棄するか、またはわずかな価格で売却したが、これをブルジョワや都会に住む人々が購入した。ちょうどフランスで一七九三年以後〔フランス革命中〕に〔国外に逃れた〕亡命貴族の財産に関して起きたのとおなじことが起きたのだ。土地のことを何も知らず、土地に愛着ももたなかった人々は、なるべく多くの利益を引きだすことしか考えず、法外な小作料を要求した。

おなじ時期、日本の進歩にとって急速な産業化が欠かせないと考えた政府は、日本の人口の三分の二以上を占めるのが農民だという重要な事実をなおざりにし、税金の負担のほぼすべてを農民に押しつけ、農民を犠牲にした。田舎の者は都会の者の約三倍も税金を払っていたのだ。フランスがずっと採用してきたのとは逆の、危険な政策であり、これが必然的に現在のアンバランスを生みだすことになった。

おそらく政府は、民衆は積年にわたる受け身的な態度をとるはずだと、たかをくくっていたのだろう。実際、日本の善良な百姓は長年おとなしく要求されたものを支払い、苦労し、我慢を重ね、借金を背負い、状況が好転する希望も、解放される望みすらもたなかった。生まれたときから借金の重荷におしつぶされ、貧困と苛酷な労働の人生ののちに不毛な大地に倒れこみ、いちだんと重みを増した荷物を子供に背負わせるのだ。年間収入の四倍から十倍もの借金があるので、収穫の時季を迎える前に、あらかじめ収穫物は消費されてしまう。現在、農民の借金は六十億円に達しており、雪だるま式に毎年十億円づつ増えている。もう返済どころか、利息を払うことさえ不可能となっている。

というのも、状況は悪化するばかりなのだ。蚕を飼っている農民は二百万人いるが、一九二五年〔大正十四年〕に一俵二〇〇〇フランだった生糸は、いまや四九〇フラン、すなわち以前の価格のわずか四分の一になってしまった。米などの穀物を耕作して田畑で生活している農民は六百万人いるが、米の価格はいまでは一九二九年〔昭和四年〕時点の四十六パーセントにまで下落している。農作物はみなおなじように暴落し、小麦と燕麦(からすむぎ)はかつての価格の四分の三、野菜や果物は半値近くになってしまった。

「野菜や果物は値段が下がりすぎたので、もう農民は収穫しようとさえしません。」と、社会主義政党から分裂して新たに党首となった赤松氏が語ってくれたことがある。「その場で腐らせてしまうんですよ。この前、京都の近くの村を通ったとき、なんと四百本もの茄子がまとめて十銭で売られているのを見ました。あわれじゃありませんか。しかも、こんな法外に安い価格で得をするのは、世界どこでもそうですが、消費者ではなく、現代社会の恥ずべき病根である仲介業者なのです……。」

日本には漁師も多数いるが、やはり貧困をまぬがれていない。一九三二年〔昭和七年〕には魚の値段が下落し、漁業がたいへんな困難に見舞われた。漁師の多くは一日でせいぜい三十銭から六十銭しか稼げなくなっており、福井の沿岸の二十五の村は絶望的な状況に置かれている。

それなのに、農業に欠かせない産業物資、たとえば肥料の価格は、おなじ割合で下がっているわけではなく、むしろ値上がりしている場合さえある。たとえ飢餓すれすれまで生活を切りつめたとしても、農民は借金をせずには肥料を買うことができず、それも九～十パーセントという高利で借金せざるをえなくなっている。それでも借りられればまだよいのだが、農家むけの銀行は破綻し、もう回収の見込みのない資金は貸さなくなっている。

こうした作物の価格下落と肥料の高騰に加え、もう一つ軽視できない農業危機の原因がある。それは、日本は土地がこま切れになっていることだ。国土の中央には奥深い山脈が走り、耕作可能な土地は十七パーセントしかない。だから、二百五十万四千世帯が〇・四ヘクタール以下の農地、二百万世帯以上が〇・八ヘクタール以下の農地からとれる作物で生活している。しかも作物は地主と小作人のあいだで分けられ、残りの四分の一は税金にあてられる。そのうえ、農家の家族はおそるべきスピードで増殖しつづけており、さらに最近は都市部で仕事を失って頼ってくる家族全員を――言葉が適当かどうかわからないが――収容して住まわせなければならず、みなで貧困をわかちあうようになっているのだ。

農民が腹をすかせ、ついには立ち上がって小作料や税金を払うのを拒否したとしても不思議ではない。小作人と地主の争議は、一九二七年〔昭和二年〕の十一月末までで合計一〇三四件、小作人の数にして四万一五五八人に達した。もっと新しい統計はみつけられなかったが、この時期以降、件数も規模も拡大しており、あちこちで警察に対する血みどろの戦い、地主の野蛮な殺害、文字どおりの一揆が起き、そのたびに容赦のない弾圧が加えられている。

＊＊＊

一九三二年〔昭和七年〕八月、腹をすかせた三千人の者が農林省の周辺に押しかけ、大声で米を要求した。数日後、絶望した数百人の女性が東京の大島の役場につめかけ、身もだえしながら、自分の子供が飢え死にすると叫んだ。どちらの場合も、警官と小ぜりあいが起き、不幸な者たちが負傷し、逮捕された。

加えて、所有する土地からの小作料がとだえ、貧窮にあえぐ小地主もでてきた。数年前、まだ景気のよかった頃は、世界を襲った投機熱にとりつかれ、株取引のために多くの人が土地を担保にして借金をした。たとえば一九二八年〔昭和三年〕には、評価額千円の農地があれば、八～九パーセントの利率で簡単に地方銀行から八百円を借りることができた。しかし、不幸なことに大恐慌が起きた。株の価値は、全額ではないにしても、大半が失われた。借金の利息を払うことができなくなった小地主は、小作人から取りたてようとしているが、うまくゆかない。銀行は銀行で、担保になった土地に買い手がみつからないので、農民に欠かせない肥料の代金を融資していた窓口を閉ざすか、少なくとも半開き程度に狭めている。銀行が貸し付けた五十億円は、利息が得られないどころか、そのうちの二十億円近くが回収不能とも見積もられている。こうした不幸な地方銀行は、大銀行の支援も得られず、絶体絶命となっており、国に助けを求めている。こうした銀行を、国はどうするのだろうか。そもそも、国はどのようにして農民のおそるべき窮状に対策を講じるのだろうか。

農業を産業的に組織すればよいのだろうか。しかし、機械で耕作するには、所有地が細分化されすぎているし、これまでのところ日本の農村では協同組合はあまり発達していない。あるいは、これまで恣意的に設定されてきた小作料を下げればよいのだろうか。それも必要な措置ではあるが、現実的ではない。なぜなら、もう農民は自分の土地を耕すことすらできなくなっており、こうした危機に際しては、もっと即効性のある対策が必要だからだ。

一九三二年〔昭和七年〕六月の農民の請願書では、脅すような調子で三つの対策が要求されていた。第一に、すべての農民の負債に対して三年間の支払猶予（モラトリアム）を実施すること。第二に、各農民に肥料の補助金を出すこと。第三に、農民を満洲と蒙古（モンゴル）に組織的に移住させるために五千万円の補助金をつけること。一九三二年〔昭和七年〕九月の東京発の電報では、近いうちに「農村階級を支援するために」五千万円の国債を発行することが報じられていた。

この国債はほんとうに発行され、引き受けられるのだろうか。

「たぶん日本銀行がほとんどすべての費用を引き受けるのでしょう。」と、ある日、日本からもどってきた友人がいった。「そのためには、預金されている資金の助けをかりる必要があるでしょう。預金額はだいぶ減っていますがね。しかし、日本銀行は担保を要求するはずです。こうして、国が大多数の土地の所有者となり、それをもっと安い小作料で農民に貸すことになるでしょう。そうすれば他の農民もおなじことを要求するはずです。こうして当然の結果として、社会主義者と青年将校、つまりいま日本で使われている言葉でいえば『社会主義ファシスト』がまさに望んでいるとおり、土地が国有化されてゆくでしょう。」

いずれにせよ、行動すべき時がきている。以前、当局が不安視している東京のある前衛劇場で、農民の窮状をテーマとした劇を見たことを思いだす。無産階級の群衆の端役の動きやアドリブは、ロシアの演劇や映画とおなじくらいリアルで、心をとらえるものだった。食糧難におちいった村で、警官隊につき添われた地主があがりを取りたてに来ていた。地主と警官の姿が遠くに現れていた。前景には、取りたてられようとしていた穀物の袋が山積みにされ、その手前では、男、女、子供、老人までもが、大小のつるはしやこん棒を手に持ち、すごみをきかせ、肩をいからせ、歯を喰いしばり、目を光らせてじっとしていた。そして突然、この飢えた赤貧の人々は、野蛮な叫び声をあげながら、食料を、いや命をむしりとりにきた人々に一斉に襲いかかった……。

こうした腹をすかせた農民は、在郷軍人会や青年将校の支援を仰ぐことも考えられる。青年将校のうちの一定数は、まさにこの階層の出身だからだ。もしファシズムの軍の手中に収まった場合、農民一揆は有無をいわせぬおそろしい武力になる可能性があるのではないだろうか。

第十九章　あふれだす日本人

日本には、西洋文明や進歩を嫌って、人里離れた場所に隠遁し、瞑想する苦行者がいるという話を聞く。しかし、ほんとうだろうか。どこに人里離れた場所があるというのだろう。天地開闢（かいびゃく）の頃とおなじくらい人けのない原生林に覆われた山岳地帯が残っているという話だから、そうした場所だろうか。それ以外にはありえない。日本で人けのない場所というのは、もう伝説と化しているようにみえる。

のこぎりの歯のような海岸沿いや、けわしい山あいの盆地にまで耕作地が広がっており、そうした場所を列車や自動車で通りぬけてみても、人家（じんか）のない一角というのは、ときどき目にする程度しかない。街や村があわさり、ほとんど途切れめなくつづいている。村がどこで終わり、次の村がどこから始まるのかよくわからない。しかも、すばしこくて繁殖力の強い無数の黄色い人々が、どこまでもつづく通りでごったがえし、街道に沿って駈けまわり、田畑に身をかがめ、岸辺にすわりこみ、斜面にまで立ちながら、増殖してひしめきあっている。ただし、アジアでよくみる汚さはなく、きちんとした人々なのだが、それでも仕事、食料、衣服をみつける必要はあり、狭すぎる国土のなかで、よせては返す波のようにふくれあがり、あふれんばかりとなっている。

憂慮すべき問題だ。日本の人口は、半世紀のあいだに三倍になった。十年間で八百万人も増え、現在は毎年九十万人のペースで増加している。一九三〇年〔昭和五年〕の調査によると、面積三十八万平方キロメートルの本来の日本（ちなみにフランスは五十五万平方キロメートル）のなかに六千四百万人、朝鮮と台湾と島嶼(とうしょ)を含めると八千三百万人も暮らしている。[*144] これだけでも相当なものだが、生産可能な耕作地の面積だけを分母にとると、人口密度は一平方キロメートルあたり九六九人というものすごい数字になる。たとえばベルギーは（国土全域が分母となるが）三九四人、イギリスは二二六人、フランスは一〇八人だ。つまり、日本は地球上でもっとも人口の密集した土地なのだ。しかも、いまなお増えつづけている。フランスでは人口減少の歎きがくりかえし語られており、まったく逆のわざわい――少なくともわざわいと呼ばれているもの――に対する戦いを強いられているから、こうした日本の災禍など想像もつかないだろう。

日本政府も、たえずこのことを考えている。国を沈没させるおそれのあるこの満ち潮を、どのようにして堰(せ)きとめれば、あるいは方向変換させればよいのだろうか、と。

＊＊＊

いわゆる「出生制限」と呼ばれるものが存在する。これは日本が世界から孤立していた十七世紀から十九世紀まで、三世紀にわたって公然とおこなわれていた。先見の明のある歴代の将軍は、危険を見こし、国の人口が二千五百万人を超えないように決めていた。出生制限が容認されていただけではなく、堕胎は合法であり、場合によっては強制され、違反すれば厳罰が科された。[*145]

開国後は、この問題についても明治天皇はヨーロッパの方針を見習い、出生数を減らすような行為をすべて厳しく罰するフランスの法律までも採用した。

しかし、一九二七年〔昭和二年〕、田中内閣のときに危機が明らかになり、江戸時代の古い考えにもどすことが決められた。専門医が日本人の多産傾向を抑える方法を研究し、米国からきた講演者はマルサス主義[*146]の基本概念をこの国に広める役割を果たした。

しかし、この宣伝（プロパガンダ）は、狙った人々、すなわち労働者や農民の巨大な群衆には届かなかった。こうした人々は、この立派な理論を実行するにはあまりにも無知または無頓着で、そもそも家族全員でおなじ部屋に寝る日本の居住方式では、この理論は現実的ではなかったからだ。逆に、知識人やブルジョワ階級のあいだに急速に浸透した。そこで、むかしながらの道徳が崩壊することと、この国からエリートが消滅することを危惧した当局は、報道をつうじて出生率の抑制に必要な考え方を広めることは禁止しなかったものの、講演キャンペーンは中止した。

それに、日本のファシストのなかには、このキャンペーンに反対する人々がたくさんいるのだ。

「人口というのは、国の力や活力のしるしだ。」とこの人々はいう。「それは行動や拡張に弾みをつける原動力となりうるし、また原動力とならねばならない。マルサス主義は頽廃（デカダンス）の証拠だ。反対に、日本帝国は隆盛しつつあるのだ。」

さらに——これは私自身も耳にしたのだが——こうつけ加える者もいる。

「自国で息苦しくなった民族は、必然的かつ自動的に、戦争や征服へと駆りたてられるものだ。」

＊＊＊

この問題に対して、日本政府は、少なくとも表むきはそれほど好戦的な結論に達したわけではなく、帝国の活力を弱めないような他の解決策を模索した。

まず、既存の耕作地を改良し、未耕作地を開墾することで、国土の価値を高めることを検討した。しかし、耕作地の生産高を増やすには肥料が必要だが、これは農民が自費で購入するには高すぎる。最近議会で可決された五億円の国債の一部は、おそらく耕作方法を進化させ、現代的で合理的なものにするのに使われるのだろう。しかし、多くの地域では、すでに耕作方法は完璧な域に達していて、もう改善の余地はないようにみえる。現在のように所有地が細分化されていては、ロシアや米国のような機械的な方法を採用することは考えられないからだ。

北海道や九州には灌漑できる可能性のある沼地があり、また本州北部や北海道には開拓すべき新しい土地もある。しかし、山岳地帯は近づくのが難しく、耕作するのはさらに困難で、よい土地はまれである。米は斜面や寒すぎるところではほとんど育たない。しかも日本の農民は定住傾向があり、冒険を嫌い、これまでのところ、新しい土地や苛酷すぎる気候にはなかなか適応できていない。水田や麦畑に慣れており、そう簡単には作業内容を変えようとしない。開拓者（パイオニア）ではないのだ。政府や大きな農業団体によって北海道に送りこまれた入植者は、牧畜をすることになったが、半年間も雪に大地が覆われる気候に順応できなかったり、たえず牛や羊や豚の世話を見ていることはできない者が多かった。嫌気がさし、慣れ親しんだ貧困のほうを好み、出身地にもどってしまうのだ。

ただし、残った者は適応しはじめている。木造の小さな家のかわりに堅牢な石造りの家に住み、布の作業着のかわりに毛皮の服を着こみ、米をやめてすこしづつ肉に慣れている。その子供たちも順応し、もっと強くて丈夫な種族となってゆくのだろう。

とはいえ、北海道だけでは、余剰な日本人全員を受けいれることはできない。この対策は部分的には有効だが、十分とはいえない。

***

残るは、海外移住だ。しかし、海外移住はほとんど不可能なまでに制限されてしまった。これに関しては、日本人は胸を締めつけられるような懸念とともに、忘れられない苦い思い出を抱いている。

十年ほど前から、アメリカとアジアのほとんどの国は、日本からの移住者に門戸を閉ざすようになった。まだ日本人の労働力に頼っているのは、ブラジルなど、南米のいくつかの国だけとなっている。しかし、それもいつまでつづくのだろう。

すこし前までは、米国が日本の余剰人口の大部分を吸収してきた。一九〇〇年〔明治三十三年〕には二万四千人しかいなかった日本人移住者は、一九二〇年〔大正九年〕には十一万一千人に増え、そのうちの九万三千人が太平洋側に集中し、カリフォルニア州だけで七万二千人もいた。最初は苦力（クーリー）、ついで商人や小作人、地主となり、急激に増殖して繁栄するようになったので、ついにカリフォルニアの人々は警戒し、支那人の侵入に対してとったのとおなじ対策を、だんだんと日本人の侵入に対してもとるようになった。アンドレ・シーグフリード氏[*147]は、米国に関する主著のなかで、いつもながら鋭い洞察力をもって、日本人の移民の完全な排斥にいたった心理的・経済的な理由を分析している。

日本が帝政ロシアに勝利してアジアの強国となると、その発展と野心的な狙いに米国は不安を抱きはじめた。そして一九〇六年〔明治三十九年〕、アメリカ人による最初の防禦反応として、日本人の子供は黄色人種専用の特別な学校に通うようにという命令が発せられた。他のアジア人とは一緒にされたくないという日本人の自尊心が最初に傷つけられたできごとだった。

一九二〇年〔大正九年〕当時、日本人はカリフォルニア州の約八分の一の土地を取得し、野菜などのいくつかの栽培を独占していた。日本人はどこにでも入りこみ、最初はもっともみじめな条件で最低賃金で働くのだが、しだいにライバルを追いぬき、とってかわり、重きをなすようになる。白人が恐怖を抱き、あわてる。一九二〇年〔大正九年〕、日本人に土地の所有を禁じる法律ができるが、日本人はさまざまな抜け道を使って、いすわりつづける。しばらくすると、こんどは「モンゴル系の」人との結婚が非合法となる。これは日本人を日本人という階層（カースト）

と人種にとじこめるためだった。一九一七年〔大正六年〕、アジア出身の移民を締めだす原則が法律に導入される。一九一九年〔大正八年〕、〔第一次世界大戦後の〕パリ講和会議で、「人種と国籍に基づく法律上または事実上のあらゆる差別」を禁止すべきだと日本人が提案するが、これにアメリカ人が反対する。ついに一九二四年〔大正十三年〕、日本を含むアジアからの移住を全面的に禁止するという、有無をいわせぬ法律ができた。

これは、またしても日本人の自尊心にとって生々しい傷となり、その傷はいまだに癒えていない。この傷口を洗い、ふさぐには、戦争に訴えてアメリカ人に血を流させる必要があるのではないかと考えている日本人がたくさんいる。

アメリカだけではなく、フィリピンも日本人の移民に門戸を閉ざした。フィリピンにはまだ十五万人の日本人がいるが、その数はゆっくりと減少している。いつも強大な隣国アメリカのまねをするカナダも、四年後、黄色人種に対して国土を閉ざした。さらに支那も敵対的になり、一九二八年〔昭和三年〕には五万五千人いた日本人は、しだいに立ち去ることを余儀なくされていった。オーストラリアはといえば、イギリス人の移民すら受けいれていなかった。

こうして、将軍家の時代のように、日本は日々ますます狭まる境界のなかに窮屈にとじこめられることになった。いまや満洲が唯一の希望となっている。一九〇五年〔明治三十八年〕以来、日本は本腰をいれて満洲への植民に努力を傾けてきた。鉄道や鉱山、大連の大きな港で日本人の労働者が働き、満鉄の線路沿いや渤海沿岸に農民や小作人の集団が入りこんだ。支那人・満洲族の大海のなかで、日本人の村落による小島があちこちに形成された。すでに支那大陸での拡張を想定していた日本政府による、将来を見こした政策だった。しかし、日本人入植者は、厳しい風土や苛酷な条件の生活にあまり順応できなかった。体が敏感で、変化に富んだ繊細な食事に慣れ、しょっぱい小魚、海藻、あの「醤油」と呼ばれるソース、あらゆる料理に薬味のように添えられてものすごいにおいを放つラディッシュである「ダイコン」[*148]を好み、なによりも粗野で簡素な北部支那人と張りあうのに苦労した。

実際、満洲にとどまった日本人はごく少数だった。満洲には二千八百万人の支那人[*149]がいるが、そのうちエリゼ・ルクリュ[*150]によると八百万人から一千万人がすでに六十年ほど前に満洲の地に住んでいたのに対し、日本人は一九三一年〔昭和六年〕秋までに二十二万人しか自国民を定住させることができなかった。これに約百万人の朝鮮人を加える必要があるが、ただし朝鮮人については日本政府と支那政府が交互にたびたび自国民であると主張しているので、国籍については議論の余地がある。いずれにせよ、これまでは日本は属国である朝鮮の勇敢な人々に満洲に移住させるという政策をとり、日本人の農民は自分に相性のよい土地にとどまっていた。

しかし、いまや日本人の移民、とりわけ若い人々が荷物と武器をたずさえ、集団で満洲に上陸するようになっている。[*151]武器というのは比喩ではなく、実際に銃と刀が支給され、匪賊——これは便利な言葉だ——と戦う準備ができているのだ。予備役の軍服を着こみ、将校の指揮のもとで部隊として編成され、厳格な規律にしたがっている。開墾、耕作、建設のための農耕器具をもった、一つの軍隊だ。これはもう、移住ではなく占領だ。

国際連盟の最終決定がどうであれ、この黄色の波は押しよせつづけるのだろう。すでに堰を切って熱河省や支那の南満洲の地方にあふれでており、蒙古をおびやかしている。もうけっしてもとの場所にもどることはないだろう。

第二十章　時期尚早だったクーデターと陸軍省

一九三二年〔昭和七年〕五月、東京ではいたるところで社会主義ファシストによる権力奪取のことが遠まわしに人々の話題にのぼっていた。これは軍事独裁の方法によって実現されるのだろうか、あるいは立憲体制と新しいファシズム体制との橋渡しをする単なる国粋主義的な内閣によって実現されるのだろうか。いずれにせよ、政友会〔犬養〕内閣には見切りがつけられているようだった。この内閣は、五月二十三日に召集される臨時議会まではもたないだろうとも噂されていた。

この臨時議会では、高橋蔵相が前内閣とは正反対の経済政策の正しさを訴えるはずだった。前〔第二次若槻〕内閣では緊縮財政が奨励・実践され、「納税者から受けとる税金を超えて予算を使うべきではないし、使うこともできない。この経済危機の時期には、増税することはできないのだから、それに応じて支出を減らし、予算のバランスをとる必要がある。」と主張されていた。さらに、外国への支払いに必要な金の輸出が容認されていた。その結果、〔第一次世界〕大戦後の好景気の時期以来、十億円をすこし上回っていた日本銀行の金保有高は、みるみる四億三千万円にまで減ってしまった。

新〔犬養〕内閣の最初の行動は、この金の流出に注意をうながすことだった。そして、日本の紙幣の兌換停止を決定し、さらに金の輸出も禁止して、こう宣言した。「昨今のさしせまった困難に対処し、国の発展を促進するには、前内閣で計画されていた支出だけでは十分ではない。危機を払いのけるには、国が発展する以外にはないのだから、まずは必要な支出を決めてから、国債の発行をもって予算の赤字を埋めればよい。」

円の価値はまたたくまに五十パーセント近くも下落した。しかし、それでも経済は回復しなかった。産業の停滞がつづいた。大砲や弾薬の工場だけがフル回転していた。

高橋蔵相は、陸海軍による予算要求に敢然と立ちむかった。一九三二年〔昭和七年〕三月から翌年三月までの予算で組まれた軍事費は三億四千四百万円に達し、そのうち五千九百五十一万九千円がすでに三月から五月のあいだに使われていた。一九三三年〔昭和八年〕度の予算はすでに二億四千百万円の赤字になっていたが、これには満洲で見込まれる約一億六千万円の支出は含まれていないし、また、農村や地方の銀行への支援[*152]の予算も含まれていない。国債の発行額は合計十億円を超えるのではないかと試算されていた。

それなのに、蔵相は国の名誉と国益がかかっている支出を出し惜しみしているとして軍から糾弾されており、また世論はインフレだ、倒産だと騒いでいる。あわれな蔵相は、だれも満足させることができないでいた。

犬養総理はというと、反議会主義運動を非難するキャンペーンを張っていることや、現在の政治体制への愛着をくりかえし述べていることについて、国粋主義政党から批判されていた。そして、皮肉をこめて「憲政の神様」とあだ名されていた。

＊＊＊

五月十五日、突如として例の事件が起こったことはよく知られている。それは春の日曜のことだったが、春の日曜というのは、日本では他の国にもまして都市部の人々が田園地帯にくりだし、首都は人けがなくなるものだ。夕方の五時頃、陸軍と海軍の制服を着こんだ複数の若者のグループが東京のいくつかの地点を同時に襲撃した。牧野（まきの）〔伸顕（のぶあき）〕内大臣邸と海軍大将鈴木〔貫太郎〕侍従長邸、ついで政友会本部、警視庁の複数の部署、日本銀行、三菱銀行に爆弾を投げつけ、二名の警察官を殺害し、数名に重傷を負わせたのだ。[*153] また、大きな経済的利益を擁護しているとみなされた大新聞社のホールにも駆けつけたが、ちょうど劇を見物し終えた子供たちがでてきたところだったので、計画は実行されなかった。

このうち最大のグループは約二十人の青年将校からなり、ほとんどがフランスの士官学校（サン・シール）に相当する陸軍士官学校の生徒だったが、これに五人の海軍士官も加わり、通用門から首相官邸になだれこんだ。すべてをひっくりかえし、四人の警官と二人の召使を負傷させ、廊下を横切って進み、犬養首相の書斎におし入った。読み物をしていて立ちあがった首相は、大きな机の後ろでとても小柄だった。巡査と秘書が体をいれてかばおうとしたが、巡査は拳銃の一撃を受けて倒れた。首相は秘書を腕でおしのけ、小さいがきっぱりとした声で青年将校たちにいった。

「撃つな。まずは話しあおう。そうすれば互いにわかりあえると思うのだ……。」

若者たちは戸口の近くにかたまり、まっ青になり、ためらいながら、自分たちをやさしく見まもっているこの悲壮なまでにか弱い老人を見つめていた。老人を敬うことは、日本の道徳の掟の一つである。だから、襲撃者のうちの何人かは目をそむけた。すこしの沈黙があり、だれかが小声でいった。

「話を聞いていたら、できなくなってしまうぞ……。」

二人の将校が首相に駈けより、肩をつかんだ。パン、パンと銃声が響き、まず秘書が倒れ、ついで犬養首相も頭蓋骨に二発の弾丸を受けて倒れこんだ。顔に血を流し、片腕で身をささえながら、まだ殺人犯たちを呼んでおり、助けに駈けつけた人々にこうつぶやいていた。

「わしのことは構うな。あの子たちをつれてこい。話があるのだ。」

そして息を吐き、昏睡状態におちいった。

夜になって、二十五名の殺人犯のうち、十八名が警察に自首した。訊問のようすは明らかにされなかったが、この者たちが属しているのは千人ほどの将校からなる秘密結社で、そのうちの二百八十名が東京周辺の者であることが知らされた。全員、おごそかな誓いによって結ばれ、連帯のしるしとして小指の先を切り落としていた。[*154]

逮捕前、この者たちは街のあちこちに次のような奇妙な檄文（げきぶん）をまいた。これは警察に押収されてすぐに破棄され、日本の新聞にはけっして掲載されなかった。さいわい、私は残された珍しい一枚の紙を入手することができた。[*155]

日本國民に檄す！

日本國民よ！
刻下の祖國日本を直視せよ
政治、外交、經濟、教育、思想、軍事……　何処に皇國日本の姿ありや
政權　党利に盲ひたる政党と　之に結托して民衆の膏血を搾る財閥と　更に之を擁護して圧制日に長ずる官憲と　軟弱外交と　墮落せる教育と　腐敗せる軍部と　悪化せる思想と　塗炭に苦しむ農民、労働者階級と　而して群據する口舌の徒と……
日本は今や　斯くの如き錯綜せる墮落の淵に　既に死なんとしてゐる
革新の時機！　今にして起たずむば日本は亡滅せんのみ
國民諸君よ
武器を執って立て！　今や邦家救濟の道は唯一つ「直接行動」以外の何物もない
國民よ！
天皇の御名に於て君側の奸を屠れ！
國民の敵たる既成政党と財閥を殺せ！
横暴極まる官憲を膺懲せよ！
奸賊、特權階級を抹殺せよ！
農民よ、労働者よ　全國民よ……

祖國日本を守れ
而して……
陛下聖明の下、建國の精神に歸り　國民自治の大精神に徹して
人材を登用し　朗らかな維新日本を建設せよ
民衆よ！
この建設を念願しつゝ　先づ　破壞だ！
凡ての現存する醜悪な制度をぶち壞せ！
威大なる建設の前には徹底的な破壞を要す
吾等は日本の現状を哭して　赤手　世に魁けて諸君と共に昭和維新の炬火を点ぜんとする
もの
素より現存する左傾右傾　何れの團体にも屬せぬ
日本の興亡は　吾等「國民前衛隊」決行の成否に非ずして　吾等の精神を持して續起する
國民諸君の實行力如何に懸る
起て！
起って眞の日本を建設せよ！
昭和七年五月十五日
陸海軍青年將校
農民同志

＊＊

この襲撃事件が起きた当初は、だれもが非難と恐怖の反応を示した。内閣はこぞって天皇に辞意を示し、陸軍大臣の荒木貞夫将軍と海軍大臣の大角〔岑生〕将軍も公然とこの事件を非難し、責任をとって次の内閣では留任するつもりはないと述べた。しかし、この二人が時期尚早だったクーデターの決行日や詳細について把握していなかったとしても、二人の直接のとり巻きの連中が青年将校たちの秘密の行動を知らなかったはずはないと、人々はひそかに噂していた。なかには、共犯ではないにしても、少なくとも見て見ぬふりをしたといって非難する者もいた。まもなく、あらゆる党派の枠を超えた、国家的な行動をとる内閣が話題にのぼるようになり、天皇は年老いた助言者である最後の元老、西園寺公をお召しになった。さまざまな交渉、会談、公開の会議、密談が重ねられた。未来の首相候補としては、大きな国家主義団体である国本社の会長、平沼〔騏一郎〕氏の名前も挙がっていた。しかし、支持者の何人かはこういっていた。

「まだ時期尚早だ。会長は巻きぞえになるのを嫌っておられる。」

それと同時に、世論には奇妙な変化が起きていた。尊敬を集める政治家が不当にもむごたらしい最期をとげたことを歎きながらも、若いテロリストたちの罪を軽くすることや、さらには正当化することさえ試みられていた。陸軍省と海軍省の公式発表では、殺害を非難しつつも、この国の深刻な困難をかんがみれば、大目にみることもできると匂わせているようだった。大新聞では、この将校たちは国益のために命を犠牲にしたのだと論じられ、なかには軍人の名誉の掟である武士道を引きあいにだして殉死という言葉を使ったり、日本の国民的英雄である〔赤穂〕四十七士になぞらえる論調さえあった。この軍人たちも通常の被勾留者とおなじ扱いにしてほしいと司法大臣から依頼された軍刑務所の所長は、憤慨して多くの証人の前でこの軍人たちを擁護した。

私自身、外務省のきわめて高い地位にある役人に、殺人犯の裁判はいつおこなわれるのかと尋ねたところ、

「さあ、一年後か二年後でしょう……。」

という返事をもらい、さらに、目くばせをしながらこういわれたのだった。

「……もっとも、裁判がおこなわれるかどうか、わかりませんがね……。」

気の毒な犬養総理の葬式は、信じられないような大衆からの無関心と、はじめて西洋から来日した者なら唖然とせずにはいられない、感情を表にださない遠慮がちな沈黙した雰囲気のなかでとりおこなわれた。これがフランスだったら、年齢的にも性格的にも尊敬に値する総理大臣が在職中にこれほど悲劇的な死をとげたのであれば、いったいどれほどの部隊が展開され、きらびやかに軍楽が吹奏され、制服を着た人々が華麗に群れつどい、なによりも感きわまった民衆が葬列に沿って押しよせたことだろう。

ここ日本では、そうしたことは一切ない。これは、命びろいした大臣たちが新たな襲撃にさらされるのを恐れてのことなのだろうか。前々日の新聞では総理大臣の葬儀の日どりが告げられていたが、当日の朝刊ではまったく言及されていなかった。

午前十時、日本で「お別れの儀式」と呼ばれる、身内や友人だけのための儀式がおこなわれた。[*156] 首相官邸は、庭にかこまれた大邸宅なのだが、その正門の前の大きな円形広場には人っ子ひとりいなかった。ただし、警察が立ち入りを禁止しているわけではまったくなかった。塀の外側には白と黒の布が掛けられ、塀際にならんだ机には芳名帳が置かれていた。自動車がやってきて喪服を着た人が降りてくると、使用人がフロックコートの襟に白と黒のリボン飾りをピンで留める。こうして迎えられた人々のなかには、殺害された総理の婿にあたる芳沢外務大臣もいた。

庭の小道と広い控えの間には、巨大な白い花輪――白は喪の色なのだ[*157]――をとりつけた架台がならべられ、弔問客は白と黒の廊下を通って礼拝堂のような大きな部屋にむかうのだった。しかし、遺体はどこに安置されているのだろう。

奥のほうに簡素な祭壇がしつらえられ、黒い布で飾った故人の肖像が立てかけられていた。その下には、白いテーブルクロスの上に、供え物をのせた器が置かれていたが、これは以前、戦死者をまつる祭壇で見たことがあるものだった。[*158] 参列者用にならべられた赤い椅子には、だれもすわっていなかった。やってくる人は祭壇の前で深々とお辞儀をし、すこしのあいだ黙禱をささげ、引きさがると喪服を着た何人かの若者の挨拶を受けるのだが、あれはおそらく総理の秘書なのだろう。それだけだった。

つづいて、柩の安置された部屋に親族と親友だけが集まり、神道の作法にのっとって宗教儀式がおこなわれた。午後になると、天皇の勅使や外交官が祭壇の前で焼香したのを皮切りに、友人や有権者の参列がはじまった。過度の苦悩のそぶりは見せない男性が数百人ほどいたが、奇妙なことに、さまざまな色調の和服を着ていながら、同時に古びた赤茶色のシルクハットをかぶり、喪のネクタイを締め、ブーツをはいている人がたくさんいた。小道や廊下沿いには政友会の党員が人垣をつくっていた。礼拝堂ではお香の青い煙が立ちのぼり、緋色の袈裟(けさ)をまとった僧侶が身じろぎもせずに黙ってすわり、香炉の近くでは故人の子息とその夫人[*159]が会葬者に挨拶をしていたが、この夫人のほうは細長く美しい顔をした上品な若い女性で、白く長い和服をゆったりと着こなしていた。

夜のとばりが下りる頃、人目にふれないままだった遺体は霊柩車に乗せられ、あっというまに焼却炉に運ばれて荼毘(だび)に付された。こうして、日出づる帝国の総理大臣だった犬養氏は、まさに国の護(まも)りを託されていたはずの人々の手によって殺害され、驚くほどあっけなく、世界の表舞台から音もなく永遠に消え去ったのだった。

＊＊＊

しかし、まもなく荒木将軍が状況の至高の裁定者でありつづけていることが明らかとなった。人々が最後に意見をうかがうのは荒木将軍であり、将軍の賛同が欠かせないようだった。さらに、いたるところでおきまりの文句がくりかえされていた。「軍はそれを望むだろうか、軍はそれを許すだろうか」と。

退役していたのに意に反して引っぱりだされた、尊敬すべき老いた斎藤〔実(まこと)〕子爵[*160]は、三日間にわたる交渉ののち、やっとのことで二流の政治家――とあるイギリス人は評していた――で構成される閣僚名簿をとりまとめることができたが、まだ外務大臣が決まっていなかった。そこで、予言者気どりの人々はしたり顔になり、そのうちの楽天的な者は「これは暫定内閣だ。」とつぶやき、悲観的な者は「いや、流産内閣だ。」と話していた。

しかし突然、満洲からもどったばかりの林〔銑十郎〕将軍が陸軍大臣の職を固辞し、友人の荒木将軍に頼みこんだすえに、陸軍大臣の職と責任を引き受けることは荒木将軍の責務であると説得したという話が伝えられた。

ぎりぎりの段階でこの青年将校の崇拝の的が登場したことで、形勢ががらっと変わり、この平凡な内閣に力の要素が加わり、安定が約束された。ぱっとしない背景に、いまや活気あふれる個性がくっきりと浮かびあがることになった。「偉大な人物として、あの内閣の唯一の支配者となるだろう。」と世の人々は明言した。

その数日後、南満洲鉄道総裁の内田〔康哉〕氏が外務大臣のポストに就くことになった。同氏には現在の地位にとどまってもらいたいと考えていた満洲の軍司令部から、許可が下りたからだ。

これ以後、斎藤内閣は日本軍の内閣となっていった。これは、その後のできごとによって明らかとなった。まず、武藤〔信義〕将軍が満洲の関東長官に任命され、同時に民政の代表者である大使に帰せられる職責もすべて担うことになった。一九三二年〔昭和七年〕九月十五日には、国際連盟の調査団の反対を押しきり、日本が正式に満洲国を承認した。そして上海の近くに部隊が派遣され、熱河省にも他の部隊が進駐した。さらに、日本の農民の集団移住が組織され、軍がこれを指揮した。この新国家のあらゆる機関に日本の人材が入りこんだ。こうして日本軍の参謀本部は、欧米の世論や国際連盟の混乱した意見表明を気にかけることなく、粛々と、また着々と、かねてからの計画を実現していった。

第二十一章　日本はどこへむかうのか

私は日本を去ろうとしていた。船に乗るために神戸にやってきたのだ。百年たらず前までは、ここは漁師の村落の集まりにすぎなかったが、いまではこの国でもっとも大きな商業港であると同時に、産業の一大中心地となっており、巨大な造船工場をはじめ、無数の小さな町工場がならんでいる。神戸の街は、その隣にある黒っぽくて力強い大阪とともに、現代日本の成果をみごとに示している。

午後、ここで私は——またしても——大規模な軍事式典に立ち会った。上海からじかに満洲には派遣されずにもどってきた最後の部隊が凱旋したのだ。港につうじる道に沿って、数か月前に東京で見たよりも熱烈に、街をあげて人々が待ちうけていた。小さな上着にきつそうに銅のボタンを締めた男子生徒、青い襟のセーラー服の女子生徒、世界中どこでもソンブレロのような帽子と風変わりな格好で見わけのつくボーイスカウト、兵役前の教育を受けている青年、在郷軍人や退役軍人、従軍看護婦、ありとあらゆる団体の代表団。全員、何キロメートルにもわたって整列し、花束をもち、旗を振り、黄色い顔の広い頬を喜びに輝かせ、口をあけて歓声をあげ、「万歳」を叫んでいた。

船上ではカーキ色の無数の兵隊が「捧げ銃（つつ）」の姿勢でびっしりとならんでいたが、そこから植田（うえだ）将軍の担架が降りてくるのが見えた。[*161] 植田将軍は、朝鮮の愛国者によって上海で重傷を負ったのだった。担架は、勝利のしるしのようにして将校たちの肩にかつがれていた。祝砲がとどろき、らっぱと太鼓の音が鳴り響くなかで、がっしりとした体つきの、鋭く細い目をした、機敏でありながら重々しい足どりの兵隊の行進がいつまでもつづくのを、またしても私は眺めていた。

その夜、胸が締めつけられるような気分で窓に倚（よ）りかかりながら、私は濃い霧のなかで弱々しく点滅する港の光を凝視（みつ）めていた。この夏の終わりの数週間ほとんど降りやまない入梅（にゅうばい）の雨は、[*162] なま暖かく、いつやむとも知れなかった。ぬかるんだ通りでは、なにか巨大な群れでも通過するかのように、争議（ストライキ）中の仲仕（なかし）[*163]の一団が発する図太い叫び声と下駄の音が響いていた。この一時間ほど前、私はあの人たちの絶望的な要求に耳を傾けていたが、飢えでひからび、骨ばかりになった顔からは凶暴な視線が放たれていることに気づいていた。あれも、もう一つの軍隊なのだ。すべてが悲しかった。私は来日したときとおなじように、しかしもっと大きな不安を抱きながら、こう自問していた。

「日本はどこへむかおうとしているのだろう。」

＊＊＊

「理解しなければなりませんよ。」と隣でつぶやく声がした。

若い社会主義者でファシズムに鞍替えした三山一輝さんがつき添ってきてくれたのだった。

たしかに、私は判断力と正義心のすべてを傾け、理解しようと努めている。宿命的に現在の日本の危機をもたらした事柄を思いだし、要約してみる。

いまから六十年前、この偉大な民族は、すばらしい熱意をもって西洋文明の獲得にのりだした。そのために、活力、ねばり強さ、厳格な規律といった美点を発揮したが、同時に、何世紀にもわたって孤立して自分の殻にとじこもることで高揚されて堅固となった、愛国的な自尊心も発揮した。またたくまに現代のあらゆる科学的発明を学んで吸収し、機械のしくみを理解して自分でつくり上げ、おどろくべき速さで鉄道、郵便、電報、港、産業をつくって整備し、陸海軍を変革し、最先端の兵器と装備を手にした。さらに、西洋の原理と理念、政治・司法制度も熱心に採用した。

まもなく、アジアの国だけではなく、ヨーロッパの強国を相手に、これ以上望めないほどの勝利を収めて自尊心に酔いしれた……。そして、文明化された民族の最前列にがむしゃらに割りこみ、自分たちは現代世界において重要な役割を果たすことができ、また果たすに値すると考えた。一九〇五年〔明治三十八年〕は幸運の絶頂となった。

「あれからまだ三十年もたっていません。」と三山さんが声を震わせていった。「それで、どこまで来たというのでしょう。対外的には、ほんの切れっ端のような領土を獲得しただけです。しかも戦って力づくで奪いとったのです。朝鮮、台湾を。」

私はさえぎった。

「朝鮮でも、いま満洲でやっているように行動されたのですか。」

それには答えずに、三山さんは話をつづけた。

「〔第一次世界〕大戦後は、軽蔑されたも同然に、太平洋のほんのひとにぎりの島の委任統治をまかされただけでした。山東は奪われ、たび重なる条約で手にした満洲での権益も徐々にとりあげられました。軍縮会議では屈辱的な条件を受けいれざるをえず、海軍は弱体化され、縮小されてしまいました。最後に、対外政策の基盤だった日英同盟を、姑息なたくらみによって失いました。多大な努力と犠牲が報われなかっただけではなく、いまや国の未来、生存そのものがおびやかされているのです。いらだちがつのり、失望しているとしても、驚くにはあたらないでしょう。

国内の状況も、ぱっとしません。満洲には豊富に眠っている原材料がないので、高い値段で購入せざるをえず、販路もかぎられているので、日本の産業は不振にあえいでいます。

地方も不景気で、もう人々は食料にもこと欠いています。それに、この多すぎる人間のはけ口をどこに求めたらよいというのでしょう。隣国はみな、日本からの移民に対して横柄に門戸を閉ざしているのですから。議会はというと、これはあなたの国フランスとイギリスの制度をお手本にしたわけですが、ご存じのように、党派のかけひきによって分裂し、金銭の力に支配され、世論も代表していなければ、国益にも役立っていません。農民と労働者からなる大衆は生きる権利を訴えて蜂起していますが、それも当然です。若者もまた、みじめな未来が待ちうけていることを知っています。役人は数が減らされ、採用も狭められているので、役人になることもできず、自由業もむこう十年間は飽和状態ですし、企業でも商店でも従業員が馘になっています。右派であれ左派であれ、極端な党派に身を投じるのも当然じゃありませんか。以上が日本の現状です。手づまりの状況なんですよ……。」

私は心のなかで考えていた。「だれのせいだというのでしょう。あなたがたの自信過剰による軽率な言動、うぬぼれ、政策の過ち、民衆の苦しみにまったく心を動かされなかった支配階級の人々の貪欲、そしてとりわけ、自己顕示と支配と征服を求めてやまない国民的な自尊心のせいじゃありませんか。」と。

しかし、こういうにとどめた。

「いま列挙なさったどの困難も、克服できないものではありません。ヨーロッパでも多くの国が似たような困難にぶつかっています。しかし、古い国家は、辛酸をなめて苦労することに慣れています。それに対して、素直にお認めなさい、あなたがたは若い民族で、まあたらしい牙をむいて、明確な食欲を抱き、強者の分け前を手にいれようと世界に飛びだしたのです。来日の数日後のことでしたが、あなたの友人の一人が『あなたがたヨーロッパ人は満腹だが、われわれは飢えているんだ。』と粗暴な調子で私にいいました。」

すると、三山一輝さんは話をさえぎり、ふだんはあれほど慎み深い日本人をときどき発作のように襲う荒々しい率直さを示していった。

「粗暴とおっしゃいますか。それはちょっと笑って聞きのがすわけにはいきませんね。満洲が得られなければ、飢餓へと突き進むしかないんですよ。生きるか死ぬかの問題なんです。たしかに私の父親の世代は、繁栄と希望の時代を知っていますので、ほんとうにたいへんな思いをして獲得した西洋文明に執着のある人は、まだたくさんいて、理性的にも心情的にも西洋文明に結びついています。しかし、西洋文明にかこまれて育ったわれわれ若い世代の者は、もうたくさんだと思っており、西洋文明に反対する意見をもつようになっています。そもそも、西洋文明は、失望と怨嗟のほかに何をもたらしたというのでしょう。欧米が日本を理解しようとせず、日本を見捨てて軽蔑している以上、欧米ぬきで事を進めるつもりです。日本の理想の源、国の文化の源に立ちかえるのです。日本の古代の枠組みは、ほとんど瓦解してしまい、もう天皇陛下への情熱的な愛着と愛国心しか残っていません。しかし、この二つの感情はゆるぎなく、渾然一体となってわれわれを導いてくれます。よろしいですか、古くからの大和の国を救うためにに必要だというなら、けっしてひるむことはありません。たとえ革命を前にしても、たとえ……。」

三山さんは私の眼を見たのだろうか。一瞬、いいよどんだようだった。

「どうぞ、どうぞ。」と私はいった。「『たとえ戦争を前にしても』とおっしゃりたいのでしょう。」

「あたり前でしょう。」と挑発するように答えた。

＊＊＊

斎藤内閣には、たしかに第一級の人物ではないにしても、少なくとも慧眼をそなえた穏健派の閣僚は多い。私がフランスに帰ってから東京から受けとった知らせによると、その最新の知らせは一九三三年〔昭和八年〕一月のものなのだが、軍の支持をとりつけた国家主義者による権力の掌握、つまり軍事独裁は、回避されたのではなく先のばしにされたということだった。実際、一九三二年〔昭和七年〕五月十五日に権力を握るのを拒んだ平沼氏は、優柔不断だったとして世論の非難をあびている。そして、尊敬に値する〔斎藤〕首相と閣僚は、リスクと責任を引き受けたとして感謝されている。

つい最近、新しい政党「国民同盟」が結成されたが、[*164]その綱領は国本社のものに似ている。すなわち、天皇のみが任免権を有する少数の大臣で構成される一機関への国政の集中、日本帝国の基礎をなす古代精神への回帰、いかなる個人も搾取されることのない天皇と国民との直接的な関係、帝国主義的な社会主義などである。こうした漠然とした主張は、すでにおなじみのものであり、このできたばかりの政党は、なにも新しい特効薬はもちあわせていないようにみえる。しかし、同党のトップに立つのは、民政党を飛びだした老獪（ろうかい）な政治家、安達謙蔵氏であり、その即位式とでも呼びたくなるような式典は世間の耳目を集めた。党員はファシスト風の黒い制服を着こみ、火炎のようなデザインの旗を掲げていた。議会が解散したら、この党は百議席とるだろうなどという者もいる。この党は、軍から熱烈な支持とはいえないにしても、少なくとも暗黙の支持はとりつけている。国民同盟の闖入によって議会政治が麻痺した場合、これに乗じて軍が権力を握る可能性も考えられる。

この間、経済・社会的な動揺は深まるばかりだった。高橋〔是清〕大蔵大臣のインフレ政策によって円が急落し、一九三二年〔昭和七年〕七月には一円八フランだったのが九月には六・〇六フラン、十二月には五・一六フランにまで下落した。

こうして、金本位制の国に対しては六十パーセント、英ポンドを採用する国に対しては四十パーセントまで円が下がったが、日本人がこれを利用しておこなったダンピングは、非難の的となったソビエトによるダンピングをはるかに上まわっている。

企業経営者も、安い賃金、長い労働時間〔週六十時間〕、皆無に等しい社会保障といった、労働者に対する利己的な貪欲さと、労働法の不在によって得られる特権を享受してきた。日本はヨーロッパやアジアだけではなく、オーストラリア、アフリカにまで商品を氾濫させている。日本の生糸は米国に輸出されており、日本の木綿と人絹は印度とマレーシアに大量に入りこんでいる。一九三二年〔昭和七年〕、支那にかわって印度が日本の第二の輸出市場となったが、これをイギリスが喜ぶはずがない。最近、靴を満載した日本の船がハンブルクに入港し、また他の船がオランダとドイツむけに六千本の鋼管を積んでロッテルダムに到着したという知らせも届いた。オーストラリアにも日本製品が氾濫しており、そのためにイギリス企業の売上高は一九二九年〔昭和四年〕を基準にして十五パーセントにまで落ちこんだ。これほど挑発的な競争に、産業界全体が不安を抱いている。[*165]

しかも、日本国内の状況は改善されたわけではなく、それにはほど遠い。予言者気どりの日本人は、この一時的な活況つまり「特需」はうわべだけのものにすぎないことを、したり顔になって論証する。そして、外国は保護関税を引き上げて日本の攻勢に対抗しようとするだろうし、また円の下落によって日本の輸入の八十パーセントを占める原料と半完成品が値上がりするのだから、これにともなって輸出品も値上がりするはずだと主張する。それだけではない。これまでのところ給料は増えておらず、インフレによる国内の物価の高騰によって、ただでさえ非常に厳しくなっていた生活がさらに不安定なものになっている。ある種の必需品、たとえば農業に欠かせない肥料は百パーセントも値上がりし、米の価格も一九三二年〔昭和七年〕の最後の二か月間だけで二十八パーセントも上昇した。一九三三年〔昭和八年〕の予算に関しては、どれくらいの赤字になるのか、算出するのもはばかられている。

公務員は給与が不十分で苦しんでいる。将校たちは内閣のインフレ政策を激しく非難し、俸給では生活できず、弾薬の増量や兵器改良のための予算も貧弱すぎると不満をもらしている。労働者の組織は驚くべき進歩をとげており、水面下で暴動の動きが活発化している。農民はというと、数か月間、一時的な救済措置によって鎮静化していたが、ふたたび困窮の叫びをあげはじめている。日本の状況は危機的だ[*166]。

***

現在のところ、さらに深刻な混乱が起こるのを防いでいるのはただ一つ、満洲に対して内閣がとっているたゆまぬ強硬政策だけである。この政策をかじ取りしているのは荒木将軍だが、内田〔康哉（こうさい）〕外務大臣の援護も得ており、熱心なこの国の世論に全員一致で支持されている。これほど分裂し、これほど危機に瀕しているこの国を、おそらく暫定的ではあるがまとめているのは、この政策だけなのだ。

一九三二年〔昭和七年〕の夏の終わりに私が離日する前に、ふたたび〔荒木〕陸軍大臣にお会いいただいたが、その席で大臣は、平沼男爵とおなじような神秘的な理論のもやにくるみながら、三か月前に私の前で述べた宣言を慎重にくりかえした。しかし、そもそもインタビューというのは、とくに外国むけの場合、本心を隠すことにしか役立たないことが多いものだ。演説でも――荒木将軍はほんとうによく演説するのだが――、聴衆が聞きたいと思っていることや、記者が書きとめようとすることしかいわないものだ。それに、言葉はその場かぎりで残らない。

しかし、一九三二年〔昭和七年〕四月、荒木将軍は軍人サークルの分厚い月刊誌「偕行社記事」に長い重要な文章を載せた[*167]。これなら、まちがいない。陸軍大臣が将校たちにむけたものである。したがって、この記事は声明文であると同時に、バイブルのような趣きを呈している。いわば神が信者に対して教義、訓戒、行動計画を述べ、非難、称讃、命令しているようなものだ。どのようなことが書かれているのだろう。

まず、「外来の思想と風俗の侵入」による日本の堕落を歎く。さいわい一九三一年〔昭和六年〕九月にこの国は立ちなおり、一夜にして新しい日本、すなわち「世界の四隅に大和文化を広めるという使命と民族的遺産を確信した、富士山そのものとおなじくらい強力で侵すべからざる日本」が生まれたのだ。

「現在、日本は非常に深刻な状況に置かれている」と荒木将軍はつづける。「ここから抜けだすには、どの日本人も、まず自分は日本人であり、国際人でも国際連盟の一員でもなく、また何らかの理想主義的な団体の加盟者でもなく、あくまで日本人であるという自覚をもたねばならぬ。」

満洲の問題に移り、日本人が満洲で受けたあらゆる苦しみ、あらゆる権利の蹂躙(じゅうりん)について述べ、将軍はこう書く。「天神地祇(てんしんちぎ)がご照覧になっている。それなのに、国際連盟は非常に厳格に正義をもって行動すべきであったにもかかわらず、日本の要求を認めるのを拒む挙動にでた。なぜ、こうした態度をとるのか。それは、日本が外国の誤った神々を信じ、みずからの自尊心(ほこり)、信念、民族意識を忘れたことで、日本に対する世界の評価が落ちたからだ。」

ついで荒木将軍は、共産主義者に対しては日本の使命をかえりみずに人間を魂のない機械に変えているといって非難し、また資本家に対しては民衆を犠牲にして生きる寄生虫であるといって非難する。さらに、腐敗した政治家、隷属しているだけの役人、利己的な学生や暴動を企てる学生、そして「日本人に託された名誉ある使命を担う者の義務」を忘却しているすべての人を非難する。

この使命とは、どのようなものなのだろうか。まず、東洋における使命である。「我々はアジア随一の強国であり、我々こそアジアの盟主となって行動し、国の力を最後まで振り絞らねばならない。我々は絶望的な戦いに備える必要がある。」

だれに対する戦いなのだろう。見てみよう。

「白人はアジア諸国を純然たる圧制の対象とした。日本帝国は、もうこれ以上、こうした不品行を罰しないでいるわけにはゆかず、罰しないでいるべきでもない。我らの帝国の原則には、正義と法が体現されている。日本人は全員、精神的にも肉体的にも、たとえ武力に訴えることが必要だったとしても、この帝国を築くうえで役に立つ覚悟でいなければならない。しかし、我々が不退転の決意を示すなら、刀を抜かずとも目的を達することができるのだ。」

最後に、日本にとって満洲と蒙古(モンゴル)は死活問題としての重要性があり、経済的・戦略的な理由から「断乎として永久に」ここを拠点化しなければならないと断言してから、荒木将軍は奇妙な愛国熱に浮かされたように叫ぶ。

「我が国は、たとえ武力に訴えねばならないとしても、我々の国家的理想を四海(しかい)に広げ、五大陸に拡張してゆかねばならない。我々は神々の子孫であり、世界に君臨せねばならぬのだ。」

これとおなじような調子で、一九二九年〔昭和四年〕、首相だった田中〔義一〕男爵は、満洲と蒙古、ついで支那を占領する必要性を論証してから、しずかに自信をもってこう断言した。

「支那を征服するためには、まず満洲と蒙古を征服する必要がある。そして世界を征服するためには、まず支那を征服する必要がある。*168」

なんの飾りもない。

しかし、この田中氏の言葉は、天皇だけにむけた機密文書にしるされたものであり、本物かどうかについては異論をとなえる日本人もいる。それに対して、荒木将軍の理論が掲載されたのは雑誌であり、たしかに軍人むけの雑誌ではあるが、だれでも読むことができるものだ。しかも、荒木将軍が述べているのは、絶大な力をもつ青年将校の意見である。というのも、日本に通じている人なら知っていることだが、荒木将軍は部下を導いているというよりも、むしろ部下に御輿（みこし）をかつがれているのであり、部下たちのリーダーというよりも、むしろ代弁者なのだ。たとえ荒木将軍がいなくなったとしても、もっと激しく決意の固い腹心のだれかがとってかわるだけだろう。だから、数か月前に荒木将軍が叩きつけた言葉は、国際連盟への挑戦状であり、文明国家への挑戦状なのだ。

＊＊＊

この挑戦は受けて立たれるのだろうか。

日本人は、見かけほど自尊心に酔っているわけではない。満洲の策謀のときも、自分たちが何をしているのか、よく知っており、もっとも好都合な時期を選んで行動した。イギリスは経済的な苦境、フランスは安全保障の懸案で手一杯だったから、ヨーロッパは介入どころではなかった。ソビエト連邦は五か年計画の実現に夢中で、攻撃されたら反撃する準備はしながらも、平和を保とうと努め、満洲の国境に部隊を集結するだけにとどめた。いちばんの当事者である支那はというと、部隊は勇敢だがお金がなく、装備も兵器も不十分だったので、すばらしい日本軍が相手では、なすすべがなかった。支那もそのことをよく知っていた。数か月前、ある支那の元大臣も、悲しそうに私にそれを認めた。

残るはアメリカだ。アメリカは、満洲――とくに満洲における支那の鉄道――と支那本土から多くの利益を得ている。たとえば上海では、アメリカは輸出総額が一億一千万ドルと、輸出国のなかでトップの地位を占めており、二位の四千二百万ドルのイギリス、わずか七百万ドルのフランスを大きく突き放している。

一九三二年〔昭和七年〕八月八日、〔米国国務長官〕スティムソン氏[*169]は、重要な演説のなかでケロッグ＝ブリアン条約[*170]を引きあいにだし、アメリカは〔満洲〕侵攻によって得られた結果を認めることを拒否し、平和のためなら介入する可能性も排除しないと宣言した。

どのような介入なのだろう。あれほど経済的に大きな傷を負ったアメリカが、これほど離れた国とこれほど重大な戦争をする可能性を考慮にいれることができたのだろうか。他方、日本に数週間滞在しただけでわかることだが、外交官や指導者は別としても、少なくとも日本の一般世論にとっては、アメリカとの衝突という考えは不快なものではない。すでに一九二九年〔昭和四年〕、田中〔義一〕男爵はこう書いていた。「支那を支配するには、まず米国を打破する必要がある。かつてロシアを打破しなければならなかったように[*171]。」また、〔第一次世界〕大戦の指揮官の一人だった佐藤中将は、一九三一年〔昭和六年〕十一月に雑誌「月[*172]」に掲載された罵倒にみちた記事のなかで、日本人がアメリカ人に対して恨みを抱くべき理由をすべて列挙してから、こう叫んでいる。「日本と米国との戦争は、わが国にとって避けることのできない宿命なのだ。」

もっと最近では、伊藤少将[*173]がこう宣言した。「米国に短刀を突きつけて歩くこと、これが私の方針の最後の条項である。」

私自身、日本人がいらだたしい憎しみに震える声でこう話すのを、何度耳にしたことだろう。

「ああ、せめて一九三六年〔昭和十一年〕以前に米国と戦争ができたらなあ。そうしたら、きっと勝つことができるのに。[174]」

＊＊＊

すこし前から、たしかに日本をとりまく状況は変化した。日本への好意を公然と表明していた国々でさえ、いまやだいぶ控えめな調子となっている。

国際連盟は、利己的な利害に縛られすぎている大国よりも、むしろ理想主義的な基本原理を守ろうとする小国にあと押しされて、ようやく決断した。支那の大地では、一年半以上前から砲声がとどろいていたが[175]、国際連盟はその権威をいささかも高めることのない躊躇と引きのばしのすえに、遅まきながら日本に「勧告」を提示することで体面をとりつくろおうとした。この勧告は、シャムが棄権し、四十三か国中、四十二か国によって採択された[176]。しかし、慎重を期して和らげられた勧告も、日出づる帝国にとってはおもしろくなかった。憤慨した日本の代表団は堂々とジュネーヴから立ち去った。

この間、日本は波のように攻撃をくりかえし、熱河省を席捲し、万里の長城に突きあたり、北平〔北京〕をおびやかしながら蒙古に入りこんでいる。支那軍はできる範囲内で抵抗している。多くの人々が死に、街や村が焼け、老人、女性、子供が空爆によって吹きとばされ、毒ガスで中毒死している。

ソビエト連邦は支那と国交を回復していたが、〔蒋介石の〕南京〔国民政府〕軍が地方の支那共産党員を攻撃していることに憤慨し、事態を注視するにとどめている。イギリスはというと、日本に市場をおびやかされ、多くのイギリス人が心にひそむ正義感を掻きたてられながらも、かつて〔日英同盟当時〕の日本帝国に対する敬意によって引きとめられ、矛盾した感情にとらわれたまま、ためらっている。アメリカは、かつてない経済的・金融的な困難にかかりきりになっているが、それでも太平洋で海軍の示威行動に励んでおり[*177]、絶対に必要と感じられていたわけではない軍艦の建造を進めている。世界が音もなく不安で震えている。太平洋での紛争は世界のバランスを乱し、何百万人もの運命を巻きこむ可能性があるが、それはもう起こりえないことではなくなっているようにみえる。日本はどこへ駈けてゆくのだろう。

＊＊＊

神戸の話にもどろう。船はあえぐように煙を吐きながら、波止場から離れようとしていた。夜のなかで汽笛が長く不気味に鳴り響いていた。あいかわらず雨が降っていた。港を見おろす山の頂に、かすかに松が美しく枝をくねらせて傾いているのが認められた。

三山一輝さんは揺れるタラップに立ちながら、別れを告げようとしていた。私はいった。

「考えてもみてください。もしも軍部寄りの政党や、あなたのような若い人たちが、いつも戦争の最初の犠牲者となる一般庶民、あなたたちが熱狂させた一般庶民もろとも、日本を無謀なおそろしい冒険に引きずりこむのに成功したとしても、もしその冒険が失敗したとしたら、どうなさるのですか。ありうることではありませんか。」

三山さんは黙っていた。

私は言葉をついだ。「……もしそうなったら、〔海軍軍縮〕会議の失敗後のように、何人かの日本人だけが腹切りするのではなく、日本全体が腹切りしなければならなくなるのではありませんか。」

「わかってます。」と暗い表情で三山さんは頷いた。「でも、ご存じでしょう、『辱(はずかし)められてつまらぬ生き方をするよりは死んだほうがましだ』というわれわれ古来の価値観を……。」

三山さんは急いでタラップを下り、雨で光る波止場に飛び降りた。こちらを振り仰いだ長髪のずんぐりとした顔は、急に輝いたようにみえた。

「……しかし、日本は無敵です。万歳。」と、図太い声で、勝ちほこった挑発するような調子で叫んだ。[*178]

解説

アンドレ・ヴィオリス（一八七〇～一九五〇）は両大戦間の著名なジャーナリストで、フランス初の偉大な女性ルポルタージュ作家として世界各地を飛びまわり、十冊ほどの著作を残した。とくに二十世紀前半のおもだった戦争や紛争（第一次世界大戦、アイルランド内戦、アフガニスタンの内乱、第一次上海事変、スペイン内戦、第二次世界大戦など）で危険をかえりみずに現地で取材を敢行して記事を書き、相当の知名度があったが、多くのジャーナリストと同様、没後は忘却されていた。しかし、近年ヴィオリスに関する研究書がフランスで二冊刊行され[*179]、主著の一つ『印度支那SOS』も出版社をかえて三度目となる新しい版が刊行された。同書は第二次世界大戦中に日本語訳がでているので、ここに訳出した原題『日本とその帝国』はヴィオリスの二冊目の邦訳ということになる。本書は一九三二年（昭和七年）に二か月半にわたって日本に滞在したときの記録をもとに書かれたもので、幕末・明治維新以降多数刊行されてきた日本見聞録とは異なり、物珍しい風俗への好奇心から生まれた作品（ピエール・ロチ『お菊さん』など）や文化の紹介（ポール・クローデル『朝日の中の黒い鳥』など）ではなく、満洲事変（一九三一年）と上海事変（一九三二年）後の日本の政治的な動向を探るという明確な問題意識をもって取材されたルポルタージュ作品である。

一般に、ヴィオリスは「フェミニスト」、「社会主義者」、「反植民地主義者」、「共産主義者」、「反ファシズム主義者」といったレッテルが貼られることが多い。しかしながら、以下に述べるように、とくに「反植民地主義者」というのは留保が必要であり、また共産主義に共感するようになったのは主として日本からフランスに帰国して以降のことであって、約八十年におよぶ生涯において思想的な重点は変化している。以下では、事実関係についてはおもにアンヌ・ルヌーの Anne Renoult, *Andrée Viollis : Une femme journaliste*, Presses de l'Université d'Angers, 2004 に拠りながら、当時の雑誌記事も参照し、ヴィオリスの生い立ち、思想的傾向、本書の背景などを探ってみたい。

生い立ち

アンドレ・ヴィオリス Andrée Viollis は、一八七〇年（明治三年）十二月九日、ちょうど普仏戦争たけなわでパリがプロイセン（ドイツ）軍に攻囲されていた頃、イタリアに近いフランス南東部プロヴァンス地方のレ・メ Les Mées 村の裕福なブルジョワ階級の家庭に生まれた。生まれた時の名前はアンドレ・ジャケ Andrée Jacquet である。[*180] ヴィオリスという姓は後述のように再婚相手の作家の筆名を流用した通称であり、本名ではない。アンドレという名（ファーストネーム）は男女兼用で、綴りは女性の場合は末尾にeを一つ余計につけるが、当時は男女ともに非常に人気のある名で、あとでふれるマルローやジッドも名はアンドレだった。

アンドレの父親アントワーヌ＝マリー・ジャケ（通称クロディユス＝ジャケ）は、十六世紀末にさかのぼるリヨンの法律家の家に生まれた弁護士で、政治家に転身して南仏ガール県ユゼス郡副知事などを務め、引退後は家族をつれてパリに居を構えた。アンドレも小学校以降はパリで勉強することになる。

アンドレの母親は貴族の家系で、当時の女性としてはきわめて教養があり、文学サロンを開いて作家やジャーナリストを招き、子供たちにもリベラルな教育を授けたらしい。この父母のもとに生まれた一男三女のうち、アンドレは次女にあたる。アンドレの姉で長女のタデは女流画家となり、おなじく画家のエドモン・アマン＝ジャンと結婚した。このアマン＝ジャンは、点描で有名な画家スーラと一緒に絵を学び、詩人マラルメの火曜会にも出入りし、親友となった詩人ヴェルレーヌの療養中の鬼気せまる絵も残しているが、主として印象派ないし象徴派の画風によって好んで女性を描き、当時二十五歳だった義理の妹にあたるアンドレの肖像（油絵『女一人』）も描いていて、

1896年にアンドレをモデルとして画家アマン＝ジャンが描いた油絵『女一人』（Patrick-Gilles Persin, *Aman-Jean, Peintre de la femme,* Paris, Solange Thierry Editeur, 1993, p.51）

これを見るとアンドレは鼻筋の通った美人だったことがわかる。画家アマン＝ジャンについては、若き日の大佛次郎が野尻清彦の本名で『瞑想画家アマン・ジヤン』（日本美術學院、一九二三年）という短い評論を書いている。アンドレの弟は父のあとをついで政治家となり、オート＝ソーヌ県知事などを務めた。

アンドレはパリで大学入学資格を取得し、イギリスに渡ってバーミンガムの女子高に通ったのち、オックスフォード大学に入学した。在学中は社会主義とフェミニズムに関心をよせたが、社会主義のなか

でも革命は目指さない穏健な「改良主義」に共鳴した。一八九五年（明治二十八年）、ちょうど日清戦争が終わった直後、ジャーナリストとしても活躍していた高等師範学校卒（ノルマリヤン）のギュスターヴ・テリーとパリで結婚し、アンドレ・テリーと名を改めた。夫との間に二人の娘をもうけ、夫が南仏カルカッソンヌの高校教師に赴任するのにともない、オックスフォード大学から南仏モンプリエ大学に移って文学士の学位（現代語専攻）を取得している。

一八九七年（明治三十年）、フェミニストとして有名なマルグリット・デュランが世界初の女性だけで経営する日刊紙「ラ・フロンド」を創刊すると、アンドレもこれに寄稿し、ジャーナリストとしての道を歩むようになる。女性参政権を訴え、ドレフュス事件ではドレフュスを支持し、社会主義者ジャン・ジョレスに共鳴した。夫ギュスターヴ・テリーも高校教師をやめてジャーナリストの道を歩みはじめていたが、一九〇四年（明治三十七年）に二人は離婚することになる。別れたギュスターヴ・テリーは、離婚の年に月刊誌「ルーヴル」（*L'Œuvre*）を創刊するが、これは順調に発展して数年後には週刊誌、さらには日刊紙となり、アンリ・バルビュスの小説『砲火』を連載するなどして部数をのばした。この夫との間に生まれた次女シモーヌ・テリーも、のちに母アンドレと同様に世界各地を飛びまわるジャーナリストとなる。

一九〇五年（明治三十八年）、ちょうど日露戦争が終わった年の暮、アンドレは南仏の貴族の家系につらなる作家アンリ・ダルデンヌ・ド・ティザック（筆名ジャン・ヴィオリス）と再婚し、この二番目の夫の筆名を受けつぐ形で「アンドレ・ヴィオリス」と名のるようになった（この再婚によってアンドレはさらに二人の娘をもうけ、合計四人の娘の母となる）。なお、一部の日本語文献で Violis を「ヴィオリ」と表記しているものも見受けられるが、lis（リス）（ゆりの花）や amaryllis（アマリリス）などのように末尾のｓを発音するフランス語の単語も少なくない。もともとViollisというのは南仏出身で南仏色の強い作品を書いていた夫ジャン・ヴィオリスが考案した筆名であり、アンヌ・ルヌーもこの筆名は「南仏の香りがする」と書いているが、南仏プロヴァンス語やラングドック語では原則として末尾のｓは発音する。念のため、ヴィオリスの孫と直接話をしたことがあるアンヌ・ルヌー氏に問い合わせたところ、最後の「ス」は発音すると断言してくれた。ちなみに、「ヴィオリス」という名前についてどう思うかと友人のフランス人に尋ねたところ、violette（ヴィオレット）（すみれの花）を連想する、という答えが返ってきた。

この再婚を機に、それまでヴィオリスが寄稿していた「ラ・フロンド」紙が廃刊となったこともあって、夫の影響のもとで政治から文学へと比重を移し、夫と連名で南仏の新聞に文学的なコラムを掲載したり、フランスの新聞「ル・プチ・パリジャン」紙に小話（コント）を掲載するようになった。一九一一年（明治四十四年）には連名で小説『ピュイセランピオン』を刊行、さらに一九一二年（大正二年）には単独で小説『クリケ』を刊行し、これはフランスでもっとも権威のある文学賞であるゴンクール賞の女性初の候補となっている。この後、ふたたびジャーナリズムに軸足を移すことになるが、狭義の文学への未練もあったとみえて、活動のあいまに『真のラ・ファイエット夫人』（一九二六年）と『クリスティーナ女王の秘密』（一九四四年）という二冊の歴史小説を書くことになる。

一九一四年（大正三年）、ヴィオリス四十三歳のときに第一次世界大戦が始まり、小説の世界から、いやおうなく現実の世界に引きもどされることになった。ヴィオリスは志願して看護婦となり、最初は川沿いに負傷者を後送する病院船の救護団に加わり、ついで前線から数キロしか離れていないフランス北東部サント＝ムヌウーの野戦病院に配属され、ドイツ軍の砲弾を見舞われるなかで負

1929年当時のヴィオリス（「ル・プチ・パリジヤン」紙）

傷兵の看護にあたった。同時に、看護のあいまを縫って「ル・プチ・パリジヤン」紙に前線のなまなましいようすを寄稿するようになる。こうして、女性レポーターとしての才能が開花し、ルポルタージュにめざめることになった。一般にルポルタージュは第一次世界大戦中に生まれたとされているが、ヴィオリスもその一人だったわけである。

前線近くでの苛酷な環境で体調を崩したヴィオリスはパリにもどり、大戦も後半にさしかかった一九一七年（大正六年）、「ル・プチ・パリジヤン」紙の特派員として同盟国イギリスに渡り、「新聞王」の異名をとるノースクリフ卿の知己を得て、英国首相ロイド・ジョージとの独占インタビューに成功する。この記事は三月四日付の同紙一面トップに掲載されたが、英国首相との独占インタビューという快挙は、当時はまさか女性がなしうることとは思われず、アンドレという名がおなじ発音で男性の名としても使われることから、「ミスター・アンドレ・ヴィオリス」の記事としてイギリスの新聞各紙に転載された。大戦後はパリ講和会議を取材し、一九二二年（大正十一年）にはアイルランド内戦も取材している。ただし、この時期は、殺人事件の裁判からボクシングの試合まで、新聞記者としてあらゆる記事を書いていた。

しかし、一九二〇年代後半から、次第に長期的な視点から問題意識をもって取材にとり組み、それを一冊の本にまとめるという方向にむかうようになる。まず、ソビエト連邦の現状の表と裏を取材した『ロシアにて女一人で――バルト海からカスピ海まで』を一九二七年（昭和二年）に刊行し、これがヴィオリスのルポルタージュ関連の一作目となった。翌年には、第一次世界大戦の結果フランス領に復帰したアルザス・ロレーヌ地方での自治独立運動の高まりを取材した『アルザス・ロレーヌ――情熱を超えて』を刊行し、ながらく大統領を務めたレイモン・ポワンカレに序文を寄せてもらっている。序文のなかで、ポワンカレは「『ル・プチ・パリジヤン』紙〔に掲載された時点〕ですでに私は〔ヴィオリスの文章を〕一部読んでいた」と書いている。

しかし、ヴィオリスが真骨頂を発揮したのは、一九二九年（昭和四年）に部族の叛乱に揺れるアフガニスタンにおもむき、嵐の吹き荒れる山地を小型飛行機で飛び越え、銃撃を浴びながらも命からがらフランス人ジャーナリストとして一番のりで現地に駆けつけて取材したときだろう。この成果をまとめた一九三〇年（昭和五年）刊の『アフガニスタンの動乱』は、取材過程が冒険小説のようにスリルがあり、ルポルタージュ文学と呼ぶにふさわしいものとなっている。同年、さらに印度の独立運動を取材し、いわゆる「塩の行進」を終えたばかりのガンジーに単独インタビューをおこない、『イギリス人に抗する印度』を刊行している。

1929年、アフガニスタンで取材中のヴィオリス（左は外務大臣、右は国王の弟）（『アフガニスタンの動乱』より）

当時のフランスは、アフリカ大陸や印度支那に広大な植民地を有し、「大日本帝国」とはちがった意味で（つまり君主を戴かない共和制ではあったが）「フランス植民地帝国」を築いていた。フランスが印度支那を武力によって植民地化しはじめたのは、十九世紀中頃の阿片戦争の直後、ペリーが黒船を率いて日本に不平等条約を結ばせた数

2008年版『印度支那SOS』の表紙に使われたのとおなじ首枷（くびかせ）をした仏領印度支那の囚人を写した絵葉書（消印は1906年）

年後のことだった。印度支那では当初からフランス人に対する襲撃や武装蜂起があいついでいたが、とくに第一次世界大戦以後は民族解放運動が盛んになり、とりわけ一九三〇年（昭和五年）には印度支那北部の安沛（イエンバイ）の兵営襲撃に端を発して大規模な暴動が起こり、これをフランス軍が容赦なく弾圧したことで、フランス本国内でも印度支那の政治犯の釈放や恩赦を求める声が強まっていた。

一九三一年（昭和六年）、不穏な動きをみせる印度支那を視察するために、拓務大臣ポール・レノー（のちに第二次世界大戦中に首相に就任）を団長とする公式視察団が派遣されることになり、「ル・プチ・パリジャン」紙からは還暦を迎えていたヴィオリスが視察団に加わることになった。ヴィオリスの参加が認められたのは、植民地政策に関しては基本的には政府の方針に沿う「安全」な人物だとみなされたからだろう。[*181] しかし、同時にもともと改良主義的な社会主義者だったヴィオリスが、ある種の正義感やジャーナリスト魂のようなものももちあわせていたことは、当局は見落としていたようだ。

同年九月十一日、ヴィオリスを含む視察団が南仏マルセイユを出港した。出港のちょうど一週間後の九月十八日に満洲事変が勃発しており、一行もスエズ運河を通って紅海を抜けたあたりでこの知らせに接したと思われる。インド洋を横断してシンガポールを経由する約一か月間の航海ののち、ヴィオリスは十月十七日に印度支那南部の西貢（サイゴン）（現ホーチミン市）に到着した。ちなみに、あとでふれるアンドレ・マルローは、初来日のためにこの十日前の十月七日に神戸に上陸している。

　印度支那に到着したヴィオリスは、ときに公式視察団とは別行動をとって取材を重ねるなかで、現地の役人が隠そうとする植民地支配の闇の部分があることに気づき、にわかには信じられないような大きな衝撃を受けることになる。それまでの楽天的な幻想を打ち砕かれたことで、視察団が十一月十九日に帰仏の途についたのちも、印度支那に残って刑務所などをまわって取材をつづけ、日本に亡命して犬養毅らを頼ったことでも知られる潘佩珠（ファン・ボイ・チャウ）をはじめとする革命家にも面会して話を聞き、フランス人の現地人に対する抑圧、残虐な拷問、家畜のような扱い、飢餓などの状況を記録した。このルポルタージュの衝撃的な内容は、多くのフランス人にとって快いものではなく、なかなか出版が実現せず、後述のように四年後に『印度支那ＳＯＳ』として刊行されることになる。

　仏領印度支那での取材を終えたヴィオリスは、フランスに帰国するのではなく、満洲事変以来、世界の注目の的となっていた極東地域で取材をつづけることを決意する。同年十二月中旬に印度支那北部の海防（ハイフォン）を出港し、香港経由で上海にむかい、南京にも足をのばした。年を越して一九三二年（昭和七年）一月二十八日、取材先の南京から上海にもどった直後、偶然にもその日の夜に始まった上海事変の勃発という歴史的瞬間に立ち会うことになったのは、ジャーナリストとしての運の強さを示している気がする。上海近辺で書いた記事は、「ル・プチ・パリジヤン」紙に掲載されつづけ、翌年『上海と支那の運命』としてまとめられることになる。

　戦争で荒廃した上海では疫病が流行し、多くの記者仲間と同様、ヴィオリスも病院に収容されて生死の境をさまよった。恢復後、フランスに帰国することもできたはずだが、そのまま上海事変の震源地たる日本の政治情勢を取材することに決め、一九三二年（昭和七年）三月中旬、上海から横浜にむかった。ヴィオリス六十一歳のときのことである。

日本滞在

ヴィオリスの来日と離日の日付を明示した本や論文は存在しないが、今回、ヴィオリス研究の第一人者アンヌ・ルヌー氏のご厚意により、ヴィオリスが当時実際に使っていた手帳（予定などを簡潔に書きこんだスケジュール帳）の写しを見ることができたので、本書の内容やヴィオリスが「ル・プチ・パリジヤン」紙に打電した記事と照らし合わせながら、ざっと日本でのヴィオリスの足どりを確認しておきたい。

まず、来日の時期については、「上海にて、三月十三日」に書かれた記事が翌十四日付「ル・プチ・パリジヤン」紙に掲載されているが、ヴィオリスの手帳の三月十四日の項にフランスの客船「フェリックス・ルーセル号で出港」と書かれているので、この日に上海を離れたことがわかる。そして三月十七日の項に「神戸」、十八日の項に「横浜到着」としるされているので、上海を出港してから四日後の三月十八日に来日したことがわかる。ちなみに、満洲事変に関して国際連盟から派遣されたリットン調査団が横浜に到着したのは二月二十九日（この年は閏年）だったから、その十八日後にあたる。

横浜から、おそらく鉄道で東京に移動したヴィオリスは、帝国ホテルを定宿とした。「ル・プチ・パリジヤン」紙の特派員には惜しみなく経費が支給されたというから、宿泊費は問題にはならなかった。帝国ホテルには世界中の報道機関の記者や重要人物が多数宿泊していたから、貴重な情報を効率的に得るためにも、ここに泊まることが必要だったのだろう。後述するもう一冊の日本滞在記『内面の日本』には、ちょうど来日していた無声映画のチャップリン（五月十四日から六月二日まで日本に滞在）を帝国ホテルで見かけたことや、部屋にもどったら机を勝手に調べている日本の諜報機関の担当者とかちあった話などが書かれている。

　本書中でヴィオリスが言及している出来事のなかで時期的にもっとも早いのは、第二章の冒頭付近の「明日の午前中、臨時議会の開院式のために天皇が宮城からおでかけになると新聞が告げている。」という記述である（本書32頁）。第六十一臨時議会の開院式は三月二十日におこなわれたが、この日の午前中、ヴィオリスも宮城前の広場で日本人にまじって遠くから鹵簿を拝している（34頁）。会期中に議会に傍聴にいったときの話も本書にでてくるが（87～91頁）、質疑や答弁の内容から、傍聴したのは三月二十二日だったと推定される（訳注68）。また、これと前後して、三月二十日から二十三日夜まで東京地下鉄争議がおこなわれたが、これもヴィオリスは現場に見学に行っている（181頁、訳注136）。

　元フランス大統領レイモン・ポワンカレや、のちに首相となる拓務大臣ポール・レノーなど、フランスの政界にも知己が少なくなかったヴィオリスは、紹介状にもこと欠かなかったとみえ、来日早々、外務大臣芳沢謙吉、陸軍大臣荒木貞夫、のちに総理大臣となる平沼騏一郎などの政治家に立てつづけに面会し、四月十九日の新宿御苑の観桜会（121頁）や四月二十九日の天長節の観兵式（97頁）にも招待されている。また、手帳の四月三日の項には「天気がよければ鎌倉へ」、五月七日の項には「日光」としるされており、息抜きを兼ねてこうした東京近郊の観光地にも足をのばしたよ

奈良公園で鹿に餌をやるヴィオリス（「ル・プチ・パリジャン」紙）

うだ。東京での取材が一段落したためか、手帳の五月十三日の項には「京都へ出発」、十四日の項には「京都、散歩」としるされているが、折しも十五日に五・一五事件が起こり、翌十六日の朝刊でこの報に接したヴィオリスは、急遽「ル・プチ・パリジャン」紙に簡潔な記事を打電してから東京にもどり、十九日の犬養首相の葬儀に立ち会っている（216頁以降）。その後、手帳によると五月三十一日にふたたび関西にむかっており、六月一日の項に「京都」、六月三日の項に「神戸に到着」「大阪で夕食」、六月四日の項には「植田将軍到着」としるされているが、この植田中将の凱旋のようすは本書の末尾付近でも描写されている（220～221頁、訳注161）。手帳の六月五日の項には「奈良」、七日の項には「大阪を出発、神戸」、そしていよいよ六月八日の項に「夜十一時、プレジデント・クーリッジ号に乗船」としるされ、ここで日本を離れている。この船は建造されたばかりのアメリカの最新式の豪華客船で、早くも二日後の六月十日の項には「上海に到着」としるされている。

　上海には三日ほど滞在したらしく、六月十四日付「ル・プチ・パリジャン」紙には、「日本での取材を終えて帰途上海に立ち寄った」ヴィオリスが「上海にて、六月十三日」に書いた記事が掲載されている（来日直前に上海で同紙に記事を打電してからちょうど三か月後にあたる）。この記事では、行方不明になった同僚のジャーナリストの生死について、神戸ではわずかな望みをつないでいたが、ここ上海に来てみてその望みも完全に消えた、といったことが書かれている。手帳の十三日の項に「出発」としるされているので、これが上海からの出港という意味なのだろう。ただし、神戸から上海まで乗ってきたプレジデント・クーリッジ号は、フィリピンのマニラにむかう船だったので、他の船に乗りかえて帰国の途についたはずである。手帳によると六月十五日に香港、十九日にシンガポール、二十四日にスリランカ、二十八日にインド西岸のボンベイ、さらに紅海を北上してスエズ運河を抜け、七月四日に地中海沿いのポートサイードに到着しているから、その数日後にはマルセイユに上陸し、日本からの約一か月の船旅を終えたはずだが、このあたりは手帳が空欄になっているので、正確な日付はわからない。しかし、七月十五日の項に「美容院」「トゥール・ダルジャン〔パリのレストラン〕で昼食」と書かれているので、印度支那視察の旅にでてからほぼ十か月ぶりに故国フランスの土を踏み、無事にパリにもどったことがわかる。

要するに、ヴィオリスが日本に滞在したのは、一九三二年（昭和七年）三月十八日から六月八日まで、期間にして三か月たらずだった。ちょうど春分の日の頃から梅雨入りの頃にあたる。元女性小説家らしく、ヴィオリスは訪れた先で花が咲いていると目ざとくみつけて描写しているが、本書に登場するのは梅（38頁）、桜（121頁）、つつじ（60頁）、藤、牡丹、かろうじて早咲きの品種かと思われる百合（173頁）など、おもに春から初夏にかけて咲く花ばかりで、梅雨から夏にかけて咲くあじさい、朝顔、ひまわり、睡蓮、さるすべりなどはでてこない。

ただし、ヴィオリス自身は、本書221頁と229頁で、一九三二年（昭和七年）の「夏の終わり」に日本を離れたと書いており（訳注162参照）、さらに一九三四年（昭和九年）二月に「クラプイヨ」誌に掲載した記事（後述）では「一九三二年三月から八月まで数か月間、私は日本に滞在した」と書いている（傍点引用者）。しかし、上記のことから、この点に関してはヴィオリスは事実を歪めた

1933年の本書の広告に添えられたヴィオリスの写真（「ル・プチ・パリジヤン」紙）

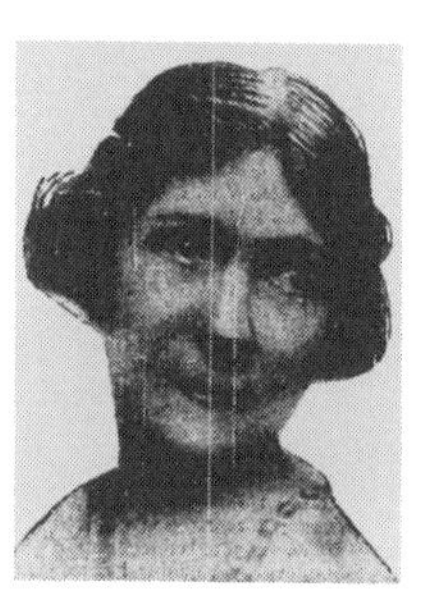

1933年当時のヴィオリス（「文学・芸術・科学ニュース」誌）

と判断せざるをえない。[*182]

いずれにしても、三か月たらずでこれだけ充実した取材ができたのはさすがというべきで、さらに滞在中にたまたま五・一五事件にでくわしたのは、こうした運も含めて才能というべきなのだろう。

ヴィオリスは日本滞在中に合計十一本の記事（芳沢外相との会見、天皇の靖国神社行幸、五・一五事件の記事など）を打電し、「ル・プチ・パリジヤン」紙の一面を中心に署名入りで掲載されたが、日本滞在中はむしろ本書のもととなる取材とノートの整理に時間を費やしたと思われる。七月にフランスに帰国し、おそらく夏休みをとってから本書の執筆にとりかかり、一章を一回分として、二十回にわけて十月十一日～十一月二十五日付「ル・プチ・パリジヤン」紙の一面に「日本人の仮面(マスク)の下」と題して記事が連載された。この題は、表むきは完璧に礼儀正しく、微笑をたやさない日本人の「仮面」の下に隠された本性を探る、というような意味かと思われる。ここで連載された文章に若干の追加や差しかえなどをおこない、夫の病気と死去や自身の病気による作業の遅れを経て、帰国から半年以上経過した一九三三年（昭和八年）三月にグラセ社から刊行されたのが本書である。訳者の手元には、初版と思われる版の記載のないもの、第二版、第十版の三冊があるが、いずれも「三月十七日印刷終了」

としるされている。「ル・プチ・パリジャン」紙には数回にわたって本書の小さな広告が打たれた。

なお、ヴィオリスは本書のほかにもう一冊、日本滞在記ないし日本印象記として『内面の日本』*Le Japon intime* を翌一九三四年（昭和九年）に刊行している。これは、もともと一九三三年（昭和八年）八月十日から十一月三十日まで「ル・プチ・パリジャン」紙に「私生活の日本で」という題で連載されたもので、政治に焦点を絞った本書ではとりあげられなかった風俗習慣を重視し、とりとめもなく日本の日常生活を紹介したエッセーのような形となっている。

この二冊の日本関連の本の反響としては、まず一九三三年（昭和八年）十月、本書をはじめとするヴィオリスの活動全体に対し、名高いフェミニストのルイーズ・ワイスが創刊した「新欧州」*L'Europe nouvelle* 誌から「政治賞」が授与された。さらに『内面の日本』の刊行後、「ミネルヴァ」誌の読者投票によって「ジャーナリズムの女王」の称号がヴィオリスに贈られている。

日本と日本人へのまなざし

ここで、おもに文化的な観点からヴィオリスが日本と日本人をどのように見ていたのか、ざっと確認しておこう。

来日する前は、一般的なフランス人と同様、ヴィオリスは異国情緒あふれる浮世絵を見たり、ピエール・ロチやクロード・ファレールの小説（本書21頁）を読んで、漠然と遠いおとぎ話のような国として日本をイメージし、日本女性はきらびやかな衣裳に身を包み、蝶のように舞って幸せそうに暮らしていると思いこんでいたらしい（訳注31参照）。第一次世界大戦後の国際会議で見かけた日本人については、公式の場では完璧な礼儀作法を示しながらも、挨拶以上の会話は避けることから、とらえどころのない印象を受け、さらに日本人だけの内輪の集まりでは羽目をはずして騒いでいるのを偶然目撃してからは、この二面性が理解できない謎として残っていた（本書23頁）。満洲事変後、日本が世界の注目を浴びるようになると、あらためてこの謎にみちた国を取材することを決意し、「日本人の仮面（マスク）の下」を探るために来日したのだった。

そこでヴィオリスを待っていたのは、近代化された日本と昔ながらの古きよき日本とのちぐはぐな共存だった。たとえば、ほのぼのとした瀬戸内海の風景（21頁）や、東京の路地裏の和風の家（60頁）、料亭（48頁、173頁）、和服（124頁）、床の間にいけてある花（173頁）などには洗練された美しさを感じているが、殺風景な近代的な工場や（162頁）、日本女性の地味な格好には幻滅させられ（58頁）、体格に似あわない洋服姿の男性（122頁）や様式の統一されていない近代建築（56頁）にも違和感を抱かされている。

日本の風習に関しては、もう一冊の日本滞在記『内面の日本』のほうが詳しく描かれているので、紹介を兼ねて、かいつまんでしるしておくと、同書では、たとえば日本人は清潔で、よく歯を磨き、一日に何度も風呂に入るから、日本の列車内はフランスの地下鉄内のように臭くはないが、よく風呂に入るのは体を暖めるためであって、一般家庭で暖をとるには囲炉裏や火鉢しかなく、そのために結核患者が多いことが指摘されており、また「清潔好き」ではあっても「衛生的」であるとはかぎらず、下水網が整備されていないので、建物は立小便の臭いがし、汲みとった糞尿は集めて肥料にするために田舎に運ばれており、それを見て、日本で生野菜は食べられないと聞いたのはこのためだったかと気づかされている。日本人の微笑については、小さい頃から微笑するようにしつけられているので、苦しいときや家族が死んだときでも微笑していると指摘し、これは「永遠の仮面（マスク）」のようで「すこしいらいらさせられる」と書いている。その他、欠点としては唾を吐くこと、電車内のマナーが悪いこと、約束をすっぽかすこと、ぶしつけなまでに外人への好奇心が強いこと、人ごみで突き飛ばされることなどが挙げられている。

フェミニストとしての観点からは、日本にはヨーロッパの騎士道のようなレディーファーストの概念がなく、関東大震災のときにイギリスの巡洋艦が救命ボートを出したところ、男が女子供よりも先に乗ろうとしてイギリスの水兵に櫂（かい）で振り落とされた話が紹介されている。女性は夫に従うのみで意思表示をせず、そもそも自分の意見をいう習慣がないことが指摘されており、ヴィオリスが大阪の女子師範学校を訪れたときは、女学生から英語で「日本では結婚した女性は奴隷とおなじなんです。」といった本音も告白されている。学校教育に関しては、つめこみ教育によって子供の個性が殺されていることが指摘されており、変わったところでは「日本の諺」として「帝大〔東大〕は大臣をつくり、慶応はお金をつくり、早稲田は友人をつくる」という言葉が紹介されている。おそらく早稲田あたりの学生か卒業生から聞いたのだろうが、いかにも「取材」した諺という感じがする。

いわゆる伝統文化に関してもふれられているが、茶道については「優雅な儀式ではあるが、かぎりなく複雑な、ほんとうのパントマイム」と書くのみで、能については「私たちが知っているものや鑑賞しているものからは隔たりすぎているので、能は私たちを眩惑し、魅了するとしても、私たちにとっては異質なままでしかありえない。」として理解を停止し、それ以上の興味は示そうとせず、むしろプロレタリア演劇などに関心をむけてしまう。以上、ざっと『内面の日本』から拾ってみた。

結局、来日前に現実とはかけ離れた、美化されたイメージを抱いていたぶん、幻滅や失望も大きく、時おり見かける、ほのぼのとした昔ながらの日本の美しさには心惹かれるものの、伝統文化の背後にある精神性を追求しようとすることはなく、むしろ明治以後の性急な近代化による歪みや矛盾のほうに目がいってしまい、なによりも満洲事変以来の軍事行動に対する危機感と不安ばかりがつのって、ほとんど日本に親しみや共感を抱いている余裕はなかったようにみえる。

反ファシズムからレジスタンスへ

日本からフランスにもどったヴィオリスを待っていたのは、ファシズム勢力の拡大だった。本書刊行の直前の時期にあたる一九三三年（昭和八年）一月三十日には隣国ドイツでヒットラー内閣が成立し、二月二十四日には国際連盟総会で日本の松岡洋右代表が退場している。世界恐慌などの経済不況による行きづまりを打破するために議会政治を否定しようとするファシズム的な動きは、しかしイタリアやドイツだけではなく、フランス国内でも盛り上がりをみせていた。

第一次世界大戦で国土が荒廃したフランスでは、経済活動が鈍化してドイツの賠償金だのみとなっていたが、世界恐慌によって経済が打撃を受け、さらにヒットラーが一方的に賠償放棄を宣言するなどの強引な政策をとるようになると、これにどう対応するのかをめぐって、フランス政府は有効な手を打ちだせず、汚職スキャンダルもあって議会政治は機能不全におちいり、右派のアクシヨン・フランセーズなどの国粋主義やファシズムに近い勢力と、左派の共産主義に近い勢力が急速に力をのばし、両者の対立が尖鋭化していた。ヴィオリスは左派に属してヒットラーを非難する側に立ち、一九三三年（昭和八年）四月八日には反ユダヤ主義に抗議する公開討論会に出席するなど、急速に共産主義に接近し、政治への関与を深めていった。ドイツの国会議事堂放火事件でブルガリア人の共産党員ディミトロフがナチスによって犯人に仕立てられると、フランスの左派の知識人の多くがディミトロフを擁護したが、ヴィオリスも擁護の記事を書き、アンリ・バルビュスが呼びかけた声明にも名を連ねている。

一九三四年（昭和九年）二月六日、右派に煽動された群衆がフランスの国会に集まってクーデター未遂を起こした事件は、フランス社会に大きな衝撃を与え、こうした動きに対抗するために左派の知識人が三月五日に「反ファシズム知識人監視委員会」（ＣＶＩＡ）を結成すると、ヴィオリスも初期の段階からこれに参加している。同年二月には月刊誌「クラプイヨ」誌に「日本の帝国主義は世界への脅威である」と題する巻頭記事を寄せ、本書よりもさらに一歩踏みこんで日本への強い警戒感を表明している。この記事は掲載のわずか四か月後に日本語訳がでた。[*183]

一九三五年（昭和十年）、ようやく四年前の仏領印度支那での取材の成果が『印度支那ＳＯＳ』として刊行された。スキャンダラスな内容によって引き受け手がいなかった出版が実現したのは、一九三三年に『人間の条件』でゴンクール賞を受賞して時代の寵児となっていたアンドレ・マルローの口添えによるものだったのではないかといわれている。マルローもまだ若かった一九二〇年代に印度支那に滞在し、現地で「鎖につながれた印度支那」紙を刊行するなどして、現地人（安南人）に対する横暴や腐敗などの植民地政策を非難していたことがある。マルローは一九三三年に「マリアンヌ」紙に「ＳＯＳ」と題する印度支那に関する論説を連載しているが、ヴィオリスの『印度支那ＳＯＳ』という題もおそらくこれを踏まえたもので、マルローには序文も書いてもらっている。

マルローはヴィオリスよりも約三十歳下だったが、一九三〇年代中頃からスペイン内戦頃まで、反ファシズムと共産主義への傾倒という点で、ヴィオリスはマルローとほぼおなじ道を歩んだ。ヴィオリスは文豪アンドレ・ジッドとも思想的に近かったが、この『印度支那ＳＯＳ』はフランス植民地支配の闇を暴いたという点で、ジッドの『コンゴ紀行』や『チャドからもどって』につらなるものと評価されている。ちなみに、『印度支那ＳＯＳ』は一九四二年（昭和十七年）に『牢獄の人々』という題で日本語訳がでており*184（安部靖訳、慶應書房）、これがこれまでヴィオリスの本の唯一の邦訳となっていた。太平洋戦争中、仏印進駐の直後の時期にこの本が訳されたのは、日本がアジア諸国を白人による暴虐な植民地支配から解放するという大東亜戦争の大義をよく支持する内容だったからだろう。フランス語原文は、インドシナ戦争中の一九四九年にも脚光を浴びて再版され、また二〇〇八年にも新しい版がでている。

一九三五年（昭和十年）、フランスの左派連合「人民戦線」が結成されると、ヴィオリスもこれを支持し、のちにレジスタンス文学で名を馳せるジャン・ゲーノらとともに週刊紙「ヴァンドゥルディ」（毎週金曜発行）を創刊した。これにともない、それまで読者数の多い「ル・プチ・パリジヤン」紙で中立的な記事を書いていたヴィオリスは、左派としての自分の意見を前面に出すようになり、右派寄りとなっていた「ル・プチ・パリジヤン」紙とは疎遠になってゆく。同年十月、ムッソリーニがエチオピアに侵攻し（第二次エチオピア戦争）、国際連盟がイタリアに制裁を科すと、右派のアクシヨン・フランセーズはイタリアへの制裁に猛反対し、「ル・プチ・パリジヤン」紙も制裁に反対したが、ヴィオリスは十二月二十日付「ヴァンドゥルディ」紙でイタリアへの制裁に賛成の論陣を張っている。

一九三六年（昭和十一年）一月、ヴィオリスはスイスに住んでいたロマン・ロランのもとを訪ねて原稿を依頼した。これに応えて、ロマン・ロランは一月二十四日付「ヴァンドゥルディ」紙に「目にみえぬ平和のために」を寄稿し、このなかでヒットラーと宥和の道を探ることは平和に反すると主張して、ヒットラーとも仲良くしようとする平和主義者に釘をさした。これが物議を醸したことから、ロマン・ロランはさらに三月六日付の同紙に「平和の擁護のために」を寄稿し、ヒットラーと戦うことこそ平和の道だと説き、同時に、ほとんど盲目的にソ連を礼讃している。ヴィオリスもロマン・ロランに宛てた同年三月十日付の手紙のなかで「私は心情的にも理性的にもあなたの意見にまったく賛成です。ヒットラーには反対、ソ連には賛成です。」と書いている。ちなみに、この頃、「もう小説を書くつもりはないのか」と聞かれたヴィオリスは、「いま私が書いているような時事的な文章は、やがてなんの意味もないものになってしまうだろうけれど、現実の悲劇によって世界が混乱し、人類に危機がせまっている現在、つくり話を書いて人を笑わせたり泣かせたりすることなど考えられない」といった意味のことを答えている。[*185]

1936年当時のヴィオリス（南仏プロヴァンスの自宅にて）（「ラ・ファム・ド・フランス」誌）

一九三六年（昭和十一年）七月、スペインの左翼連合である「人民戦線」政府に対して、フランコ将軍がクーデターを起こすと、六十歳台後半にさしかかっていたヴィオリスもすぐにスペインに飛び、前線で塹壕をよじ登ったりしながら、翌年にかけて三回にわたってスペイン内戦を取材した。このうち一九三七年三月二十六日付の「ヴァンドゥルディ」紙に掲載した文章は「マドリィドは生きてゐる」という題で同年六月号の「中央公論」誌に日本語訳が掲載されている。ヴィオリスはもちろん「人民戦線」の側を支持し、ヒットラーとムッソリーニは物資を融通しているのに、おなじ「人民戦線」のはずのレオン・ブルム率いるフランス政府が不干渉という立場をとりつづけていることを「コメディー」だとして激しく非難している。当時のフランスでは、右派が「平和主義」を唱えてドイツやイタリアとの融和や協調を説き、左派はファシズムとの戦争も辞さずという態度をとっていたわけである。ちなみに極東では、同年七月、支那側からの日本軍への発砲(盧溝橋事件)に端を発し、大がかりな支那事変へと発展してゆく。この年の終わり、ヴィオリスは「ル・プチ・パリジヤン」紙との協力関係に終止符を打った。

一九三八年(昭和十三年)のはじめ、元シュールレアリストの共産党員ルイ・アラゴンが編集長を務める日刊紙「ス・ソワール」の特派員となったヴィオリスは、共産主義者としての立場を鮮明にするようになる(ただし、ヴィオリスが正式に共産党員になった形跡はない)。オーストリアやチェコスロバキアでの取材につづき、同年夏にはフランス領チュニジアにおもむいている。これは、三年前にエチオピアに侵攻していたムッソリーニが、地中海を挟んでイタリアのすぐ南にあるチュニジアにも触手をのばそうとしていたからである。この取材の結果は『我らがチュニジア』としてまとめられるが、この題名はいうまでもなく「チュニジアはフランスのものである」という意味であり、このなかでヴィオリスはフランス人とチュニジア人は協力してイタリアに対抗すべきだと説いている。一九三七年十二月末に南仏アルルで開かれたフランス共産党の会議で、書記長モーリス・トレーズは、この非常時には植民地支配の是非はひとまず不問に付し、仏領チュニジア、アルジェリア、モロッコがムッソリーニやヒットラーの手に渡ったり、仏領印度支那が日本の基地となるのを防ぐことを優先すべきだと説いているが、この会議に出席したヴィオリスも同意見だったはずだと、アンヌ・ルヌーは指摘している。[*186]

一九三八年(昭和十三年)九月末、ヒットラーがこれ以上の領土拡張をおこなわないことを条件に、イギリスとフランスがヒットラーの要求を呑むという、妥協の典型のような「ミュンヘン協定」が結ばれると、「ヴァンドゥルディ」紙も「ス・ソワール」紙も厳しくこれを批判した。

一九三九年(昭和十四年)八月二十三日、両立しえないと思われていたドイツとソ連が手を結ぶという「独ソ不可侵条約」が電撃的に締結された。この知らせは、右派と左派を問わず、ソ連は味方だと思いこんでいた多くのフランス人を愕然とさせた。[*187] とりわけフランスの共産主義者は、ソ連に本拠を置く共産党がフランスからみて敵国の組織となったことで、なかば非国民のような目で見られることになり、立場を失うことになる。[*188]「ス・ソワール」紙は差し押さえられ、フランス共産党も解散を命じられ、それまでドイツのファシズムに対抗したい一心で、スターリンの粛清などには目をつぶって共産党を支持してきたヴィオリスも、途方に暮れたと推測される。その直後の九月一日にはドイツ軍がポーランドに侵攻して第二次世界大戦が始まり、九月三日にフランスはイギリスとともにドイツに宣戦布告した。当時六十八歳となっていたヴィオリスは心身ともに消耗し、南仏で療養することになった。

一九四〇年(昭和十五年)五月、ドイツ軍がフランスに侵攻を開始し、あっけなく英仏軍を破って六月十四日にパリを占領すると、ちょうど夏至の頃にあたる六月二十二日に独仏休戦協定が結ばれ、ヴィシー政権が誕生することになった。

ヴィオリス著『ヒットラーの人種主義、フランスに対する戦争機械』の表紙

そのちょうど一年後の一九四一年（昭和十六年）六月二十二日、ドイツがソ連に侵攻し、独ソ不可侵条約が破棄されて、独ソ戦が始まった。これにともない、ソ連共産党にとって、ドイツは味方から一転して敵となり、フランスの共産主義者もようやくドイツを公然と敵とみなすことができるようになって苦しい立場から解放され、息を吹きかえしてレジスタンス（対独抵抗）運動に参加するようになる。ヴィオリスはリヨン近郊などに身をよせたのち、同年十一月、リヨンとマルセイユの中間からすこし東に入った山沿いにある南仏ドローム県ディユールフィ Dieulefit 村に孫をつれて移り住んだが、この村は、村長が非合法な活動を黙認したことから、レジスタンス運動の活発な拠点の一つとなっていた。同年十二月八日、真珠湾攻撃によって日本がドイツの側に立って参戦する。ヴィオリスの七十一歳の誕生日の前日のことだった。

ヴィオリスは、リヨンで共産党の地下組織をつくっていたルイ・アラゴンに招かれ、月に一、二回、リヨンで開かれる地下会合に足を運びながらレジスタンス新聞に記事を書いていたらしいが、匿名または他の筆名を用いていたので、どの記事がヴィオリスによるものなのかを特定するのは困難となっている。ただし、一九四三年（昭和十八年）十二月に匿名で刊行された『ヒットラーの人種主義、フランスに対する戦争機械』という小冊子は、ドイツ軍退却後の一九四四年十月にアンドレ・ヴィオリスの署名入りで再版されることになる。

一九四四年（昭和十九年）六月六日、連合軍がノルマンディーに上陸したとき、ヴィオリスはこう書きしるしている。「一日じゅう、あらゆる国語で連合軍上陸の至福の知らせを聞いていたが、このときの恍惚たる喜びを思いだすと、私はいまでも胸が高鳴るのを抑えきれない。翌朝、正当にもペタンとラヴァルの肖像が掃き溜めのなかに捨てられ、かわりにド・ゴール将軍の肖像画が掲げられた。*189」

同年八月には南仏にも連合軍が上陸し、次第にフランス国内からドイツ軍が掃蕩され、フランスの街や村が「解放」されてゆく。この戦闘の過程ででる負傷者を介抱するために、ヴィオリスはディユールフィ村の女性たちに呼びかけて救護所を開き、三十年前の第一次世界大戦のときとおなじように看護婦として活動しながら、レジスタンス新聞に記事を寄せた。

一九四五年（昭和二十年）一月十一日、まだ大戦が終わっていない中、レジスタンス派のフランスのジャーナリスト八人がアメリカ合衆国に公式に招待され、パリのオルリー空港を離陸したが、この八人のなかには、「ル・フィガロ」紙と「コンバ」紙を代表する哲学者ジャン＝ポール・サルトルの姿とともに、「リュマニテ」紙と「ス・ソワール」紙のヴィオリスの姿もあった。一行は三月九日にルーズベルト大統領と会見したが、この約一か月後にルーズベルトは突然死去する。

八月十五日、日本が降伏すると、ベトナムでは共産党のホー・チ・ミン率いるベトミンがフランスに対して独立運動を起こし、翌年から本格的に第一次インドシナ戦争が始まった。この過程でヴィオリスの『印度支那ＳＯＳ』が改めて脚光を浴び、共産党系の出版社が集まってできた「連合フランス出版」から一九四九年（昭和二十四年）に再版されたが、この「はしがき」のなかで、いまや完全に共産主義者となっていたヴィオリスは、ソ連の肩をもってこんどは明確に独立運動を支持している。ちなみに、この本に序文を寄せた共産党員の画家フランシス・ジュルダンは、フランス人は第二次世界大戦でドイツに占領されて他国民に支配される恐ろしさを肌で感じた以上、もう植民地支配を主張することはできなくなったという意味のことを述べている。パリ左岸サン＝ジェルマン＝デ＝プレのすぐ近くにあったヴィオリスのアパルトマンは、ベトナム人のたまり場になっていたという。

ヴィオリスは一九五〇年（昭和二十五年）八月九日、七十九歳で亡くなり、パリのモンパルナス墓地に埋葬された。

本書の思想的背景

一九三〇年代のヴィオリスの政治的立場は「反ファシズム」だったといわれることが多く、ヴィオリス自身もそのように公言している。しかし、フランスではあたり前のこととして明言されることは少ないが、これはドイツに対する恐怖心や防衛本能、あるいはドイツを敵視する愛国心が根底にあると訳者は考えている。この観点から、ざっとヴィオリスの軌跡を振りかえってみたい。

ヴィオリスが一八七〇年、すなわち普仏戦争でフランスがビスマルク率いるプロイセン軍に敗北した年に生まれたのは象徴的である。もちろん本人にはこの戦いの記憶はないにしても、政治家だった父親は職を変わるなど大きな転機に立たされた。普仏戦争後に結ばれたフランクフルト講和条約で、フランスはアルザス・ロレーヌ地方をドイツに奪われることになり、以後四十年以上にわたり、同地方をドイツからとりもどすことが多くのフランス人にとっての悲願となった。一九一四年、フランスとドイツの対立が主軸となって第一次世界大戦が始まるが、この大戦はフランス人にとっては「対独戦争」以外の何ものでもなかった。ドイツがフランス国内に深く攻め入ってくると、それまで戦争に反対していた社会主義者も一致団結して熱心に戦争を支持するようになったことが知られているが、ヴィオリスも例外ではなく、看護婦に志願して前線に近い病院で命を賭して働き、四十三歳となっていたヴィオリスが疑いようのない愛国心を発揮してドイツと戦ったことは注目に値する。大戦の結果、アメリカ軍の加勢もあって、かろうじてフランスが勝利し、アルザス・ロレーヌ地方がフランス領に復帰するが、同地方がドイツ領だった四十数年の年月は、そのままヴィオリスの前半生と重なる。大戦終結の十年後、ヴィオリスは同地方での自治独立運動（フランスからの独立をめざす動き）の高まりを取材し、『アルザス・ロレーヌ――情熱を超えて』を書くが、この本のなかでヴィオリスは、この自治独立運動はドイツ領からフランス領に復帰した直後の一時的な混乱の表われにすぎないととらえ、同地方が本来的にフランス領であることは自明のこととして疑っていない。同書にはレイモン・ポワンカレ元大統領が序文を寄せているが、ポワンカレはヴィオリスよりも十年早くロレーヌ地方で生まれ、少年時代に普仏戦争でドイツに故郷を奪われるという屈辱的な体験を経て政治家となり、ゆるぎない愛国心をもって第一次世界大戦をつうじて大統領を務め、大戦後も対独強硬政策をとりつづけたが、こうしたポワンカレに序文という形でお墨付きをもらった意味はけっして小さくない。

一九三〇年代のナチスの擡頭（たいとう）とともに、ヴィオリスの記事にはファシズムに対する警戒感が色濃くうかがわれるようになるが、これも、このままではまたドイツに攻められることになるという危機感や不安、恐怖が強かったのではないだろうか。ヴィオリスがソ連の共産主義に傾倒していったのも、ファシズムの対極にあるのが共産主義だと考えられていたからだけではなく、ドイツの脅威に対抗するにはその背後に位置するロシアと手を結ぶのが得策だという、伝統的なフランスの外交戦略が頭にあったからでもあるだろう。「世界平和のことが心配なのです」(本書47頁)とはいいつつも、最終的にはドイツの脅威からフランスを守ることが最大の関心事だったのではないだろうか。

来日する前に仏領印度支那を取材したヴィオリスは、フランスの植民地政策の暴虐ぶりを告発したが、当時のほとんどすべてのフランス人と同様、植民地支配自体を否定(つまり独立を支持)したわけではなく、その意味において、植民地支配を枠組みとしては認め、結果的に植民地の存続に加担したともいえる。事実、本書の数年後には印度支那を日本に奪われることを警戒しており(訳注165参照)、またフランスの植民地チュニジアをイタリアに奪われまいとして『我らがチュニジア』を書いているのは、老大国フランスの既得権を守ろうとしていたことを示している。第二次世界大戦でドイツが攻めてくると南仏に逃れたが、戦争の不拡大を求める「平和主義者」たちのように戦わずしてヴィシー政権に協力するのではなく、地下にもぐってドイツとの徹底抗戦の道を選んだ。

このように、ヴィオリスはけっして「平和主義者」ではなく、戦争をも辞さない愛国主義者だったわけであり、二度の世界大戦(すなわち対独戦争)ではジャーナリストとして記事を書いただけではなく、志願して看護婦となり、一フランス人としてドイツ軍を相手に戦った。こうしたヴィオリスの歩みを見ると、「ファシズム」という言葉ができるはるか前から、いわば生まれたときから、一貫してドイツに対して潜在的な敵対意識をもっていたといえるのではないだろうか。

さて、こうしたドイツに対する感情をものさしとして、ヴィオリスは日本を見ようとしていたようだ。ドイツと日本は、本書刊行時点では同盟関係にはなかったが、どちらも既得権の少ない新興国として、国際連盟という枠組みに縛られるのを嫌ってあいついで脱退した。第一次世界大戦で疲弊し尽くしていたフランスから見れば、ドイツと日本は大戦後のヴェルサイユ体制（すなわちフランスの既得権）をゆるがす危険な国という点で共通していたわけである。日本滞在中に赤松克麿（かつまろ）の国家社会主義新党準備会（訳注108参照）の事務所を訪れたヴィオリスは、そこで働く人々を見てヒットラーの突撃隊を連想しており（本書143頁）、第二次世界大戦直後に再版された『印度支那ＳＯＳ』の「はしがき」では、日本人のことを「極東のナチス」とさえ呼んでいる。

　ヴィオリスが来日時点で日本に警戒心を抱いていた他の理由としては、もともとヴィオリスは戦場での弱い側、負けている側に同情してしまうところがあり、来日前に上海事変で日本軍による攻撃を目撃していたという点が大きいだろう。また、上海近辺での取材の過程で、おもに英語のできる知識人階級から情報を仕入れたことで、アメリカ仕込みの反日活動家の意見をたっぷりと吸収することになり、これが来日前のヴィオリスに先入見を植えつけたことも否定できない。私的な思い入れという点では、夫ジャン・ヴィオリスが作家のかたわらパリのセルニュシ博物館の学芸員を務める支那学者（シノローグ）だったことも関係しているかもしれない。さらにいえば、ヴィオリスにかぎらず、当時のフランス人は、日清・日露戦争以来の日本の快進撃や、「切腹」の強烈なイメージ、フランスへの柔道の紹介、あるいは新渡戸稲造が英語で書いた『武士道』などにより、一般に日本人は「好戦的」な国民だと思いこんでいたようだ。

　もうすこし本書に即してヴィオリスの考え方をあぶりだしてみよう。本書ではヴィオリスはなるべく主観的な判断は差し控えるようにしているが、それでも文章の端々に自分の立場が透けて見え、とくにわれわれ日本人にとっては読んでいて気になる箇所にぶつかることがある。たとえば、ヴィオリスは日本人を猿にたとえたり（本書29頁、89頁）、「がに股の短い脚」「肉食動物のようなあご」（122頁）、「顔に裂けめをいれたような細くて黒い瞳」（89頁）といった表現を使っており、「黄色」という言葉を「黄色人種」という意味で十回ほど使用し、老齢男性の顔を描写するときは黄ばんだ「柘植」や「象牙」の比喩を何度か用いている。それだけなら人種差別の意識が薄かった時代の無邪気な客観描写だといえるかもしれないが、しかし現実問題として、たとえばアメリカでは差別的な法律に基づいて日本人を含む有色人種が明確に差別的な扱いを受け、フランスを含む欧州諸国もアフリカやアジアを植民地化していたという時代背景を踏まえると、無邪気では済まされない根深い問題が含まれている。当時、日清・日露戦争で勝利し、第一次世界大戦を経て列強の仲間入りを果たした日本は、シャムすなわち現在のタイを別にすれば、アジアでほぼ唯一の完全な独立国となっていたが、そのぶん欧米からは有色人種の新興国として危険視され、アメリカでは「排日移民法」が成立し、ヨーロッパでも黄禍論が高まっていた。事実、一九三二年（昭和七年）に上海事件が始まった当時フランスに留学していた仏文学者の渡辺一夫は、パリの映画館に入ってニュース映画を見たところ、上海事件が紹介されたあとで「かくして黄禍は極東の一角から起つて、漸次世界におよばんとしつつあるのであります。」というナレーターの金属的な声が響いたと書いている（渡邊一夫『亀脚散記』朝日新聞社、一九四七年、一七七頁）。これと歩調をあわせるかのように、本書が刊行されたときに「ル・プチ・パリジヤン」紙に打たれた小さな広告にも「新しい黄禍か？」というキャッチフレーズが入れられ、また「クラプイヨ」誌に掲載されたヴィオリスの記事でも「黄禍」をテーマとする挿絵が何枚か用いられている。[*190] 本書のなかでも、日本の人口増加について述べた部分では、通常は鼠や害虫について使われる語彙を用いて「すばしこくて繁殖力の強い無数の黄色い人々が（……）増殖してひしめきあっている」（199頁）と表現されている。満洲での動きについては、「この黄色の波は押しよせつづけるのだろう。すでに堰を切って熱河（ねっか）省や支那の南満洲の地方にあふれでており、蒙古（モンゴル）をおびやかしている」（206〜207頁）と、河川の氾濫つまり災害の比喩を用いており、ヴィオリスは明らかに黄禍論の見方を共有していたことがわかる。フランス人アルフレッド・スムラーによると、日清・日露戦争頃からの政治漫画（諷刺画）の影響で、当時は日本人は残虐だというイメージが広まっていたが、その根底には「中世にジンギスカンの子孫のモンゴル人によって征服されかかった西洋が抱く深い恐怖心」があったという。[*191] そうだとすると、本文中でヴィオリスが荒木陸相や某大学教授に関して用いている「蒙古（モンゴル）系の顔」という言葉（44頁、49頁）も、単なる描写以上の意味を帯びてくる可能性がある。

ヴィオリスは、日本人は表むきは文明化されているが、その底流には「野蛮」な血が流れていると捉えていたようだ。前述のように、本書はもともと「日本人の仮面（マスク）の下」と題されて「ル・プチ・パリジャン」紙に連載されたが、これは「文明という仮面の下にある野蛮な本性」という意味にとれる。本文中でも、熊の血を吸う日本大使の話を紹介し、「現代的な文明の層の下にひそむ、この野蛮な底流」（31頁）と書くなど、日本人に関して「野蛮な（バルバール）」「野性的な（ソヴァージュ）」「粗暴な（ブリュタル）」という言葉を何度か使っている。そればかりか、日本人の前で「粗暴」という言葉を発して、「それはちょっと笑って聞きのがすわけにはいきませんね。」と反感を買ったりもしている（224頁）。前述の「クラプイヨ」誌の記事では、武士道のことも「英雄的で野蛮な掟」（傍点引用者）と呼んでいる。[*192]

こうした言葉やイメージの背後にあるのは、いうまでもなく、日本人は「文明開化」の努力にもかかわらず野蛮で未開なところの残る民族であり、逆にフランスは文明化された国の代表格だという認識である。本書でも、「フランスが世界で価値を認められ、幅をきかせるようになったのは、フランス革命とそこから生まれた民主主義的な原理によってなのだ」（103頁）とヴィオリスがつぶやく場面があるが、ここには控えめながらも誇らしげな自己陶酔が認められる。もともと、ヴィオリスはフランス革命で掲げられた自由・平等・友愛といった「美しい」フランスの価値観を無邪気に信じきっているところがあり、たとえば来日の二年前に刊行された『アフガニスタンの動乱』の末尾では、ヴィオリスは「フランスは世界において平和的に文明化するという使命を引き受け、つねにそれを自らの存在理由とし、名誉としてきた」（傍点引用者）と書き、また同年刊の『イギリス人に抗する印度』の末尾付近でも「近年、フランスはいくつかの植民地において正義と人道（ヒューマニティー）にのっとった政策を進め、土着の人々を自由な市民へと変えてきた」と楽天的な調子で書いている。しかし、こうした「民主主義的な原理」を広めて「野蛮」な民族を文明化するべきだという考え方こそが、フランスの植民地支配を正当化してきたことも、また周知の事実である。[*193] ヴィオリスは仏領印度支那での取材をつうじて、植民地支配については大きく考えを改めさせられたはずだが、根本的な認識は変わっていないようにみえる。

　以上のように、ヴィオリスは（少なくとも第二次世界大戦前は）植民地支配を否定するどころか肯定しており、いくらファシズム反対、ユダヤ人迫害反対を唱えようとも、根本的なところでは、むしろヴィオリスのほうこそナチスドイツに共通する人種差別的な考え方を温存していたともいえる。ただし、これは当時の白人ほぼ全員についていえることなので、ヴィオリスだけを責めるわけにはいかない。

　すこしヴィオリスに対して手厳しすぎるだろうか。訳者たるもの、なるべく原作者の意に沿うべきだとは思うが、しかし、とくに本書224頁では、ヴィオリスはそれまでほとんど自分の考えを押し殺してきた鬱憤を発散させるかのように、日本人に対して辛辣な意見をしるしているので、当時の口下手な日本人に代わって、いましばらく反対意見を述べてみよう。この箇所でヴィオリスは、当時の日本のさまざまな問題の根本原因は日本人の「自尊心」にあると指摘している。「自尊心」orgueil（オルグイユ）という言葉は、よくいえば「誇り」、悪くいえば「傲慢」「尊大」「うぬぼれ」「思いあがり」を意味し、本書では日本人に関してくりかえしでてくる。たとえばヴィオリスは「武士道」にみられるプライドの高さについてこの言葉を使っているが、根本的には、ヴィオリスが「思いあがり」と呼んでいるのは、いわゆる「大アジア主義」と呼ばれる考え方を指しているように思われる。つまり、欧米列強の侵略によってほぼ全域が植民地と化していたアジアにおいて、列強の一角だったロシアを日露戦争で破って独立を守った日本が、欧米の物質中心の考え方とは異なる価値観や精神性を発揮してアジアの盟主となり、アジア諸民族を欧米の植民地支配から解放し、不平等な平和ではなく、平等な正しい平和を打ちたてるのだとする考え方である。おなじような文脈で、荒木貞夫は『昭和日本の使命』のなかで「皇道（こうどう）を四海（しかい）に宣布（せんぷ）する」のが日本の使命だと述べており、これはヴィオリスも英訳か仏訳で読んだと思われるが（訳注167参照）、たしかにこうした主張は外国人から見れば「思いあがり」と評したくなるのも理解できる。しかし、ひるがえって考えるなら、フランスが十九世紀にアフリカとアジアを侵略して広大な植民地帝国を築いた背景には、無知蒙昧で野蛮な民族に文明の光（リュミエール）をわけ与えて暗闇から救うことこそフランスの使命だという恩着せがましい理論、つまりフランス人こそは文明化された民族なのだという「自尊心（おもいあがり）」があったわけだし、また最初は東海岸に移住したアメリカ人がインディアンを虐殺しながら西へ西へと領土を拡げ、日本を黒船で恫喝し、ハワイ、フィリピンを侵略したのは、自分たちこそは神に選ばれたアングロ・サクソンであるという選民意識、すなわち「自尊心(おもいあがり)」が根底にあったわけだから、こうした人種的優越感を抱いていた当時の欧米人に日本を非難する資格があったとは思われない。[*194]

ついでに、満洲や上海での日本の行動に対するヴィオリスの批判に答えてみよう。本書でも何人かの日本人が日本の立場を弁護しているが、ヴィオリスを説得するにはいたっていない。一般に、当時の日本人が満洲での正当性を主張する場合は、日本は日清・日露戦争で莫大な人命と戦費を犠牲にして満洲を獲得したのだと主張するか、経済的にも軍事的にも「満洲は日本の生命線」であると指摘するか、人口問題をもちだすことが多かったが、[*195]いずれも、どちらかというと日本からみた局地的な議論にとどまっている。しかし、たとえばヴィオリス来日中に日本の立場を訴えるために欧米各地を演説してまわっていた政治家の鶴見祐輔は、さすがに新渡戸稲造の薫陶を受けただけあって、大局的な見地から欧米人を説得しやすいような論理を展開している。それによると、ヨーロッパの白人は植民地支配によって世界の大部分を支配し、人口増加の著しい日本人を含む有色人種には十分な土地が与えられていないという「人種的不平等」「社会的不正義」がまかり通っているが、欧米諸国が一方では領土の現状維持を主張しながら、他方では日本人移民の入国禁止と日本製品への高い保護関税によって人と物の移動を制限するというのは、両方受けいれるのは不可能な主張であって、世界の土地の平等な分配という「世界正義」から見れば、日本が生存のために重要な満洲に足がかりをもつのは当然のことであり、「満洲問題を以て、漫然と日本の軍國主義的侵略〔である〕と誹難(ひなん)する人々は、宜(よろ)しく自國(じこく)の過去の歴史を顧みるべきである。」と述べ、多くの欧米人を納得させている。[*196]また、フランスなどのヨーロッパ列強にしてみれば、欧州を揺るがす未曾有の大戦争

（第一次世界大戦）が終わったばかりなのだから、もうこれで領土は確定して戦争はしたくないという気持ちもわかるが、それはすでに十分な植民地を獲得している旧大国の勝手な言いぶんであって、ここですべての戦争を禁じるというのは、領土獲得競争をマラソンにたとえるなら、まだゴールにいたっていないのに途中で終了のピストルを鳴らすようなものだと、評論家の稲原勝治は述べている（『清算期にある日本の外交』大乗社東京支部、一九三二年、五頁）。ヴィオリスが聞いたらどのような反応を示しただろうか。

本書の魅力

このように、深読みすれば政治的な立場が透けてみえるなど、いろいろと問題点がでてくる可能性があるが、基本的には、読者数の多い一般紙のレポーターという立場から中立が保たれているので、あまり気にはならず、むしろ満洲事変直後の時期の日本人の言動がいきいきと描かれているので、新鮮な興味をもって読むことができる。

本書の最大の魅力は、ヴィオリスとのインタビューや会話をつうじて、当時の有名無名の日本人の生の声が聞けることだろう。当時有名だった人物としては、外務大臣の芳沢謙吉、陸軍大臣の荒木貞夫（および側近の三人の将校）、のちに総理大臣となる平沼騏一郎、社会主義政党を率いていた安部磯雄と麻生久、国家社会主義者の赤松克麿などがいる。こうした一九三二年（昭和七年）当時の政治家の言葉は「語録」としても重要ではないかと思われる。

ただし、地位のある人の場合は、政治的な質問をしても当たりさわりのない受け答えをするものなので、会話の内容よりも、むしろインタビューにいたるまでの状況や背景、あるいは語り手（とりわけ荒木陸相や平沼騏一郎など）の風貌や物腰の描写のほうが興味をそそられることが多い。その点では、議会を傍聴したときの犬養毅首相や高橋是清蔵相の描写（89頁以降）にも共通することだが、元小説家としてのヴィオリスの描写力が大いに役立っている。

話の内容という点では、名のある政治家よりも、むしろ（当時の「思想犯罪」に問われる可能性を配慮したためか）名前が挙げられていない大学教授と代議士（48頁以降）や、血盟団事件を担当したおしゃべりな判事（82頁以降、125頁以降）のほうが興味深く、形式ばらない状況のなかで、ざっくばらんに踏みこんだ話を引きだすのに成功している。

また、日本滞在歴の長いヨーロッパ人として、スイスの実業家ハンス・ミューラー（23頁以降、163頁以降）と某国の駐在武官（98頁、106頁以降）が登場するが、この二人の観察と分析は鋭く的確で、理路整然としており、外国人ならではの視点からの示唆に富んだ話は、日本人にとっても教えられるところが多い。日本人では、巨大財閥につぶされた衣料品店の経営者の話（172頁以降）も興味を惹く。

しかし、本書の白眉となるのは、「三山一輝」（本文130頁以降、訳注97参照）とのやりとりだろう。この日本人は、もともと社会主義者で、共産主義の「シンパ」だったが、満洲事変の前後から国家社会主義者に鞍替え（共産主義者から見れば「転向」）した、当時の典型的な知識人の一人で、盲目的に欧米を礼讃していた父親の世代とは異なり、いわば「日本への回帰」を果たしており（本文225頁）、昭和初期の「モダンボーイ」としての側面もある（訳注99参照）。フランス滞在歴が長く、ヴィオリスとも終始フランス語で会話をしているが、友人となってヴィオリスのいる帝国ホテルで落ちあったり（108頁）、離日するヴィオリスを見送るために神戸港にまで同行していて、ヴィオリスには本音を漏らし、たとえば社会主義者だったときから「私は骨の髄まで、いわば本能的に天皇陛下につながっている」とヴィオリスに告白している（136頁）。こうした本音に近いような告白を引きだすのは、だれにでもできることではない。

もともと外国人はどうせすぐに帰ってしまうからというので、日本人の側で警戒心が緩み、「旅の恥はかき捨て」とは逆の心理により、本音を吐露しやすくなる傾向があるのかもしれないが、それだけではなく、ヴィオリスは相手の話を聞きだすのが上手だったのだろう。これはおそらく百戦錬磨のインタビュアーとしての才能によるもので、他の職業の人には真似できないところなのかもしれない。ひるがえってみると、幕末・明治以来、少なからぬ外国人が日本滞在記を書いてきたが、その職業は外交官、大学教授、作家などが多く、ジャーナリストというのは珍しいから、これも本書の特徴といえるだろう。さらに、ヴィオリスが本書でインタビューしたのは、ほぼ全員男性だった。フェミニストではあったにしても、女性としてヴィオリスが男性から誘いを受けやすい立場にあったことは否めず、『内面の日本』のなかでも「あなたは女であることで得をしていますね。」といわれている。このように、海外にでかけて体当たりで取材し、女性であることの利点をいかして相手のふところに飛びこみ、男性たちのあいだをうまく動きまわり、その過程も含めて興味ぶかい記事に仕立て、本国の読者の心をつかんだという点で、同時代の日本の人気作家、林芙美子（ふみこ）に比較できるかもしれない。*197

本書全体の構成に関していうと、もともとヴィオリスはジャーナリストになる前は小説を書いていたので、ルポルタージュでもストーリー性を重視しており、単なる事実のよせ集めではなく、それをある程度有機的にまとめて構成し、読者を引きずりこむような一つの作品に仕立てる術にたけている。というよりも、取材過程が一つの作品の「筋」となることを意識し、あらかじめ順序を考えながら取材をしている気がする。つまり、「取材する自分が作品の主人公となった一人称小説」であり、素材・題材はほとんどすべてありのままの事実で、脚色されてはいないものの、真相をつかもうとする過程で、戦場でもジャングルでもないのに、冒険小説を読むような期待感を抱かせてくれる。つまり、ルポルタージュ「文学」である。とくに、最終章の神戸港からの離日直前の描写などは文学的香気にみちており、実際、この本書の末尾部分は「ル・プチ・パリジヤン」紙に発表された初出時の文章とはすこし異なっていて、登場人物のせりふに対する編集や推敲の跡がみてとれる（訳注178参照）。他方で、重要な政治家のインタビューの内容などは、歴史的な証言として、できるかぎりそのまま載せているはずである。その意味で、この本は歴史と文学の中間に位置づけられるといえるだろう。

本書から読みとれること

本書は、文学的な構成としては、「日本はどこへむかうのか」という問いかけに発し、答えを探すためにあちこち歩きまわって取材したものの、結局振りだしにもどって最初とおなじ問いかけを発し、答えが得られないまま幻滅で終わるという体裁をとっている。しかし、この堂々めぐりをする過程で、実際には少なからぬ成果が得られたようにみえる。

おそらく本書は日本人「論」としてはさほど見るべきものはなく、結論のように使用されている

「日本人の自尊心の強さ」も、ヴィオリスが依拠しているシーグフリードの『現代の合衆国』（訳注147参照）において指摘されているところであって、それだけでは独創的とはいえないかもしれない。むしろ、実際のインタビューなどに日本人の感じ方・考え方を知るヒントがちりばめられているということのほうが重要ではないかと思われる。本書から読みとれそうなことを、以下に四つ挙げてみたい。

一つめは、日本人のほぼ全員が満洲での日本の軍事行動を支持していたらしいということである。来日以来、ヴィオリスは「ごく貧しい百姓から天皇陛下まで、あの土地に対するわれわれの権利の正当性を確信していない日本人は一人もおりません。」（42頁）という話をくりかえし聞かされ、社会主義者のなかにさえ「青年将校に心からの共感をよせる者がほんとうに大勢いました」（136頁）という話を三山一輝から聞く。ただし、ヴィオリスは「東京の共産主義者が檄文、声明、プログラムを出すときは必ず『軍部による満洲侵略への非難』に言及していた」（138頁）ことを知っていたから、この話は鵜呑みにはせず、社会主義政党の指導者だった安部磯雄と麻生久に直接話を聞きにゆく。この二人は満洲での軍事行動に反対の立場をとったが、「それ以来、影響力が衰えたと感じております。」と麻生久は告白している（147頁）。その後、ヴィオリスは東洋経済新報社の外郭団体である経済倶楽部の会合に顔を出す。当時「東洋経済新報」誌の主幹を務めていたのは「満洲放棄論」を唱えたことのある石橋湛山だったが、この倶楽部の会員数名にインタビューしたときですら、「国際連盟の調査の結果がどうであれ、満洲での利権を手ばなすつもりはありません。」（178頁）といった話を聞かされる。結局、非合法の共産主義者や一部の社会主義者を除き、ほぼ全員が満洲での軍事行動に賛成しているのを見て、ヴィオリスは「これほど分裂し、これほど危機に瀕しているこの国を、おそらく暫定的ではあるがまとめているのは、この政策だけなのだ。」（228〜229頁）と結論づけるに至っている。

こうした事情は、当時の政治家の言葉によっても確認される。たとえば、一九三二年（昭和七年）十二月八日、松岡洋右は、国際連盟の臨時総会でおこなった有名な「十字架上の日本」と題する演説のなかで、「満洲での軍事行動は軍国主義者のしわざではないか」とする意見を否定し、その証拠に「日本軍が満洲で行動を開始するや、日本の全国民がこぞってこれを支持した」と断言し、このように日本人の意見が「全員一致なのは、そこに正しい道理があるからである」と述べて満洲での行動を正当化している（『松岡全権大演説集』大日本雄辯會講談社、一九三三年、一一六〜一一七頁）。あるいは、鶴見祐輔も、一九三二年一月下旬にアメリカでおこなった演説のなかで、満洲事変が一部の軍人の行動であると考えるのはまちがいであり、たしかに事変勃発当初は日本の世論は二つに分かれていて、外交で解決すべきだと考える日本人もいたが、国際連盟が「支那が宣伝する材料」ばかりを鵜呑みにして公平な判断をせず、一方的に「恰も日本を被告として支那を原告とする法廷を作り」、日本への風当たりを強めたことで、日本国民の意見が一つにまとまったと述べている（『欧米大陸遊記』大日本雄辯會講談社、一九三三年、一九五〜一九七頁）。

敗戦後の日本では、戦争にいたるまでの経緯を「一部の軍部の暴走」のせいにして片づけようとする風潮が強かったが、そうではなく、もちろん醒めた眼で見る人は一定数いたにしても、日本全体がほぼ一体となっておなじ方向にむかっていたのではないかという印象を抱かされるのだ。

二つめは、当時の日本人は支那やアメリカから侮辱を受けていたと感じていたらしいということである。まず、荒木陸相は「二十年このかた、支那はますます耐え難い嫌がらせと侮辱をあびせかけてきました。こんどこそ、もうたくさんです。」(46頁)と述べている。一九三二年(昭和七年)当時からみて二十年前とは、ちょうど中華民国が成立した一九一二年(明治四十五年すなわち大正元年)にあたるが、反日運動が激しさを増したのは第一次世界大戦中の一九一五年(大正四年)の二十一か条の要求(訳注33参照)の頃からだといわれているので、大雑把にこの頃を指しているのかもしれない。ヴィオリスが取材した満洲の青年将校たちも、条約の不履行や「長年にわたって日本人が耐えしのんできたという侮辱」(72頁)について憤慨し、「これほどの挑発と侮辱を、ただ単に忍べというのですか。」(73頁)と訴えている。このように、たび重なる排日・侮日運動が満洲事変の背景にあったというのが当時の日本での一般的な認識だった。たとえば稲原勝治は、約二十年間にわたって日本はありとあらゆる反日・排日行為を耐えて隠忍自重してきたが、ますますエスカレートしてきたので、支那の反省をうながすために、あるいは「日支兩國關係の建直(たてな)ほし」のために日本は武力に訴えたのだと説明している(前掲書、五八頁)。つまり、柳条溝事件は単なるきっかけにすぎず、その背景には二十年来の支那側からの挑発と侮辱があり、それに対する答えとして満洲事変が起きたという認識である。本書にもでてくる赤穂義士の話にたとえるなら、浅野内匠頭が吉良上野介から侮辱を受けつづけ、しまいに堪忍袋の緒が切れて刃傷沙汰に及んだのが満洲事変だったということになるだろうか。

アメリカからも、たび重なる屈辱を受けていたと日本人は感じていたことがヴィオリスの筆からわかる。まず、ヴィオリスに講義をした将校たちは、日露戦争で日本が勝利すると「アメリカが嫉妬して騒ぐ番」(66頁)となり、ワシントン会議につづいてロンドン軍縮会議でも日本の海軍が弱められて「新たな屈辱」を受けたと語る(68頁)。さらに三山一輝は「欧米が日本を理解しようとせず、日本を見捨てて軽蔑している以上、欧米ぬきで事を進めるつもりです。」(225頁)と述べているが、これが形となってあらわれたのが一九三三年(昭和八年)はじめの国際連盟からの脱退だった。さらに、ヴィオリスはフランスの社会学者アンドレ・シーグフリードを援用しながら、アメリカでの日本人移民に対する人種差別について語ったうえで、排日移民法は「日本人の自尊心にとって生々しい傷となり、その傷はいまだに癒えていない。この傷口を洗い、ふさぐには、戦争に訴えてアメリカ人に血を流させる必要があるのではないかと考えている日本人がたくさんいる。」(205頁)と書いている。そして「ああ、せめて一九三六年(昭和十一年)以前に米国と戦争ができたらなあ。そうしたら、きっと勝つことができるのに。」という言葉を何度も耳にしたと書く(233～234頁)。アメリカとの戦争は、一九三二年(昭和七年)当時からみて九年後にあたる一九四一年(昭和十六年)の真珠湾攻撃によって実現されるが、これも赤穂義士にたとえるなら、吉良邸に討ち入りをしたようなものだといえるだろうか。いずれにせよ、結局、ヴィオリスが本書末尾で予言したように、四十七士さながら、日本人全員が詰め腹を切らされることになるのだが……。

三つめは、敗戦や破滅が予想されていたこと、そしてそれでも突き進まざるを得なかったということである。すでに本書の冒頭で、スイス人ハンス・ミューラーは、日本は「破滅をひき起こすように追いやられ、おそらくはその最初の犠牲者となろうとしているのです……。ええ、心ならずも……。」(25頁)と述べていたが、これと呼応するかのように、代々木練兵場での観兵式のあとでヴィオリスに話をした駐在武官は「いったい、これほどの軍事力の果てに、あの者たちにはどのような結果が待ちうけておるのかのう。」と意味深長なつぶやきを発する（99頁）。また、社会主義者の麻生久は「この労働者ファシズム運動は、少なくとも一時的には成功してしまうのではないかと危惧しております。軍事的な力も使えるわけですからね。日本の労働者が戦争に引きずりこまれる可能性さえあります。しかし、いずれ幻滅が訪れ、良識をとりもどすことになるでしょう。労働者は目をさますことになるでしょう。」（148頁）と、敗戦とそこからの復活を予言するかのような言葉を述べている。さらに、本書の末尾で、神戸港に見送りにきた三山一輝に対し、ヴィオリスは、このままでは日本は戦争という「無謀なおそろしい冒険」に引きずりこまれる可能性があり、失敗したら「日本全体が腹切りしなければならなくなるのではありませんか。」と懸念を伝えるが、これに対して三山一輝は「わかってます」と答えたうえで、

「辱められてつまらぬ生き方をするよりは死んだほうがましだ」

という「われわれ古来の価値観」を引きあいにだしている。「古来の価値観」というからには、なにか諺のようなもののはずであり、事実、フランス語の「……するよりは……したほうがましだ」といういいまわしは諺でよく用いられる表現の一つである。しかし、三山一輝とヴィオリスはフランス語で会話をしているので、もとの日本語が推測しづらく、最初は見当がつかなかったが、たまたま鈴木貫太郎の『終戦の表情』（労働文化社、一九四六年）という小冊子のなかに、戦争末期に日本列島が壊滅的な被害を受けてもなお一部の人たちは

「瓦（かわら）となって完（まった）からんよりは玉（たま）となって砕けん」

と叫んで本土決戦を主張している、と書かれているのを読んで思いあたった。この諺は『北斉書（ほくせい）』

の故事に由来し、本来は「完からん」は「全からん」と書くようだが、これを説明的にフランス語に訳したのが、右の三山一輝の言葉なのだろう。「瓦」や「玉」の比喩がフランス人には通じにくいので意訳したのだと思われる。この言葉は、軍歌「敵は幾万」のなかの

「瓦となりて残るより／玉となりつつ砕けよや」

という歌詞によって戦前は広く知られており、戦闘での名誉ある全滅を意味する「玉砕」という言葉のもとにもなり、桜の散りぎわの美しさなどと同様、恥を嫌って潔く死ぬ「武士道」の美学を示すものとされてきた。

この諺と、「けっしてひるむことはありません（……）たとえ戦争を前にしても。」（225頁）と意気ごむ三山一輝の言葉を考えあわせると、「侮辱を受けたり戦いを挑まれたりしたら、たとえ負けるとわかっていても受けて立つ」というのが戦前の日本人のスタンスだったのではないかという思いにとらわれる。これをしも「自尊心の高さ」と呼ぶのであれば、まことにそのとおりかもしれない。よく、「なぜ日本は負けるとわかっている無謀な戦争に突き進んでいったのか」という問いが立てられることがあるが、その答えは、意外と単純にこのあたりに求められるのではないだろうか。

このように、徐々にアメリカに追いつめられて太平洋戦争の開戦に踏み切らざるをえなくなってゆく日本の将来、すなわち「日本はどこへむかうのか」を、本書はかなりよく浮きぼりにしていると思われるのだ。

以上の三点は、もちろん本書だけから断定的に導きだせるものではないが、少なくともこのような疑問を抱かせるきっかけにはなってくれる。

最後に、戦前の日本人の天皇に対する感情がうかがわれるという点を挙げておきたい。来日早々、ヴィオリスは議会の開院式に天皇が行幸すると聞いて宮城(きゅうじょう)前の広場に行き、そこに集まっていた民衆がはるか遠くから鹵簿(ろぼ)を伏し拝み、喝采を送るでもなく、無言のまま「嵐になぎ倒される葦(あし)のようにお辞儀を」するのを見てあっけにとられる。そして不満そうにしていると、同行の日本人から「陛下は人間ではなく（……）神なのだということをご存知ないのですか。神を前にして喝采したり、叫んだり、身ぶり手ぶりをまじえたりしますか。そもそも、天(あま)つ神の御子(みこ)なのですから、厚かましくも直視しようとする者や、とりわけ上から見おろそうとする者の目をくらませ、雷で打ちます。ですから、陛下がお通りになるところは窓をすべて閉め、カーテンはすべて引かねばならないのです。」とさとされる（35頁）。戦前の一般の日本人は、敗戦の「玉音放送」までは天皇の肉声に接したことすらなかったが、こうした天皇に対する距離感は、戦後のものとは相当隔たっているといわざるをえない。

ヴィオリスは、何人もの日本人に対して、「結局、天皇陛下は、どのような考えをもっているのですか。何をされているのですか。聡明な方ですか。感じのよい方ですか。ご自分で統治なさっているのですか。」と尋ねまわり、そのたびに「困惑したような沈黙、逃げるような答え、口笛、弁解を兼ねた爆笑など」といった防御反応を示されたと書いている（118頁）。こうした質問は、当時の日本人と常識を共有していない外国人にしかでてこない発想のものであり、外国人だからということで大目に見すごされたものの、もし当時の日本人がおなじ質問をしたら「不敬なことをいうな」と怒鳴られたかもしれない。こうした質問は、当時の日本人にとっては場ちがいで当惑させられるものであったが、しかし現代の日本人にとっては、どうなのだろう。おそらく、あまり違和感を感じることなくヴィオリスの質問に答えてしまう人も多いのではないだろうか。このように、本書は当時の無名の人々の感覚を知るうえでも、貴重な記録となっている。

大東亜戦争の敗北後、日本人は価値観の大転換を強いられたが、それでも戦前と戦後をつなぐ昭和天皇の存在によって、多少なりとも戦前の「天皇観」が戦後にも引きつがれたように個人的には感じている。しかし、天皇が代替わりして、平成が三十年もつづき、昭和天皇の映像や音声をリアルタイムで見聞きしたことのない人々が増えるにつれて、おそらく日本人の「天皇観」はさらに変化し、戦前の日本はすっかり縁遠くなり、現代のわれわれは生まれながらにしてヴィオリスとおなじような価値観と感性を身につけているのかもしれない。もしタイムスリップしてわれわれが昭和初期の日本を訪れたとしたら、ヴィオリスとおなじような感想を抱かされるのかもしれない。そのあたりのことを考えさせられるのも、やはり外国人の書いたものだからなのだろう。

親日家フランス人から本書への反論

以上まで書き終えてから、「ポロニユス」と名のるフランス人が本書に関してヴィオリスを激烈な調子で非難した珍しい小冊子を入手することができた（Polonius, *La défense du Japon : Pour éclairer l'opinion publique française sur les problèmes d'Extrême-Orient*, Paris, Imprimerie Moulin, 1934）。作者「ポロニユス」は本名も経歴も不明で、[*198] ヴィオリスとは正反対の立場からの反論なので、すべてを額面どおりに受けとることはできないかもしれないが、すこぶる有益な視点を提供してくれるので、蛇足や重複する部分もでてくるかもしれないが、ここでとりあげておきたい。本書刊行の一年後の一九三四年（昭和九年）に刊行されたもので、題名は『日本の擁護』、つまり「日本を擁護する」という意味で、副題が「極東問題についてフランスの世論を啓発するために」となっているのは、これが日本人ではなくフランス人に呼びかけて書かれたものであることを示している。ひと言でいえば、作者ポロニユスは、ヴィオリスが本書のなかで日本と日本人について悪いイメージをフランスの読者に抱かせているといって非難しながら、満洲事変を含めた日本の立場を擁護し、フランスは日本と手を結ぶべきだと説いている。

まず小冊子の扉をめくると、小説『ラ・バタイユ』で名高い親日家のクロード・ファレール（訳注5参照）の「私はあなたの小冊子に完全に同意しており、訂正したらどうかと申し上げたい部分はまったくありません。」という言葉がサインとともに掲載されており、謎の著者ポロニユスの主張にお墨付きが与えられた格好となっている。ちなみに、ファレールはフランス中部でおこなった講演のなかでもヴィオリスを非難し、「完全に無理解でいるくせに、おこがましくもモンパルナス（ヴィオリスの住んでいたパリ左岸）の高みから極東に判断を加えている」と述べたと、ポロニユスは本文のなかで伝えている。

ポロニユス著『日本の擁護』の表紙

このファレールの言葉に続き、作家でもあるフランス植民地軍アルベール・ガレンヌ大佐が序文を寄せており、参考になる部分も少なくないので、すこし詳しく見ていきたい。ガレンヌ大佐はソ連共産主義を毛嫌いしているらしく、この時代の新聞・雑誌によくみられる辛辣な調子で、皮肉や揶揄（やゆ）をまじえながら、当時共産主義に傾倒していたヴィオリスを口をきわめて罵倒している。たとえば、「このでしゃばり女が、何週間か日本ですごしただけで、日本人の心理の複雑な歯車を我々の目の下で分解できるなどと思っているのだ。」といった調子だ。しかし、こうした誹謗に近い言葉のなかにも、一片の真理は含まれている。たとえば、本書のなかでヴィオリスが三山一輝の告白に対して「たんに理解できないだけです」と答える場面（本書136頁）に関しては、こう述べている。

「名誉、愛国心、英雄的精神への崇拝を究極までおし進めているこの日本民族のことが、どうしてあなたなどに理解できようか。日本人の偉大な魂とあなたの魂とのあいだには共通の尺度がないのだ。『雀は、偉大な大砲の音を知覚するのに適した聴覚をもたない』と人はいう。あなたは日本で高貴な民族的感情に接して、理解できずにすれちがっただけだったが、こうした感情に対して、あなたは一羽の雀なのだ。つけ加えるなら、とてもかわいらしい雀ではあるが、それだけのことだ。」

たしかにヴィオリスは、たとえばアンドレ・マルローとはちがって、武士道の崇高な側面については、かたくななまでに理解するのを拒んだ（訳注192参照）。また、ヴィオリスよりもすこし前に駐日フランス大使として日本に赴任したポール・クローデルが能について深い理解を示したのとは対照的に、日本の伝統芸能もほとんどまったく理解しようとしなかった。

ガレンヌ大佐は、とりわけヴィオリスの軍人嫌いや愛国主義者に対する無理解には我慢がならなかったらしく、本書のなかでヴィオリスが「あの感心するほど横柄な若い中尉」（本書96頁）と書いたのは、その中尉がヴィオリス奥様の足下にひれ伏さなかったからだろうと皮肉をいい、荒木将軍に関して「過去への崇拝にひたって生きているというのは奇妙ではないだろうか」（本書100頁）と書いたことに対しては、過去や伝統に敬意を表するのは当然のことではないかと述べている。また、荒木将軍の麾下の将校が第一次世界大戦中のフランス軍を讃美している言葉を聞きながらヴィオリスが当惑している場面（本書103頁）については、大戦でフランスが勝利したことにヴィオリスは不満なのかと疑問を呈している。さらに、ガレンヌ大佐は第一次世界大戦のときの個人的な思い出を語り、トンキン（仏領印度支那の北部）で大尉として部隊を率いていたとき、支那の匪賊から攻撃を受けて非常に危ない目にあったことがあったが、日本が参戦を表明したとたんに支那政府が印度支那に対する敵対をやめさせ、一挙に秩序が回復されたというエピソードを紹介し、日本のおかげでフランスは仏領印度支那を維持できたのだと述べている。一般に、第一次世界大戦で戦ったフランスの軍人は、当時同盟国だった日本に対して好意的なことが多く、たとえばリットン調査団のフランス代表だったアンリ・クローデル中将（訳注79参照）も日本びいきだったが、このガレンヌ大佐もその一人だったわけである。

以上のガレンヌ大佐の序文に続き、これに比べればだいぶ冷静な調子で、ポロニユスがまず本書についてこう述べている。

「この本は偏っており、最初の頁から最後の頁まで反日パンフレットでしかない。日本とすばらしい日本人に対する反感、いやそれどころか敵意に染まっている。」

本書の訳を読まれた方は、これは言い過ぎだと思われるかもしれない。日本人に対する反感や敵意というのは、たとえば何度かでてくる「醜く野蛮な黄色人種」を思わせるような描写を指しているのだろう。しかし、現代の日本人からすると、かえってむかしの日本人はそんなものだったのではないかと思って、読み流してしまいがちだ。ポロニユスのいうほどにヴィオリスが「反日」的といえるのかどうか、訳者もすこし意外に感じたが、しかし振り返ってみると、たとえば観桜会の場面（123頁以下）だけをとってみても、「皇后様は（……）おちょぼ口なので、笑いを浮かべるのは無理」、女性の皇族方は一人を除いて「不格好で魅力がない」、「秩父宮様は（……）鼻は支那犬のように低くて小ぶり」で、全体としてこの「日本の皇室による祝宴は、田舎の結婚式のよう」だと感想をもらすなど、たしかに当時の日本人が聞いたら失礼だと感じたにちがいない言葉がならんでいる。そういえば以前、本書を読んだことのあるフランス人の友人に感想を求めたところ、「日本は嫌いだと、ヴィオリスは言わずして言っている。」といわれたのを思いだした。そこで、再度思いめぐらしてみると、ヴィオリスが日本人についてキーワードのように使っている「自尊心」orgueil（オルグイユ）という言葉に再度突きあたった。「自尊心」といえば聞こえがよいが、これを「思いあがり」や「傲慢」と訳すなら、一転してネガティブな意味に変わる。フランス語の原文を読む人は、むしろこのネガティブな意味を感じとるにちがいない。なにしろ、カトリックで「傲慢（オルグイユ）」といえば「七つの大罪」の筆頭に数えられる罪悪であり、「あなたは傲慢ですね」といわれて喜ぶフランス人はいないだろう。これを、たとえば「あなたは自尊心が強いですね」と訳すことは非常に無理がある。本書でも、たとえばハンス・ミューラーの語った「日本人ほど入りこみにくいものはありません。自尊心があると同時に臆病なのです。いや、自尊心があるからこそ臆病なのです……。」という言葉（24頁）も、本来なら「日本人ほど入りこみにくいものはありません。傲慢であると同時に臆病なのです。いや、傲慢だからこそ臆病なのです……。」と訳すべきだったかもしれない。しかし、訳者としては、原作者に寄り添わなければ翻訳作業そのものが成り立たないという事情もあって、ゆえのない性善説を原作者に対して抱き、警戒心を解きながら翻訳作業を進め、また日本人読者が違和感なく読み進められるようにという配慮を無意識のうちに働かせた結果、原文に含まれていた毒をとり除くような形で、比較的無害な訳語を選んでしまったことは否めず、この点は反省しなければならないかもしれない。

さらに上記の箇所に続けて、ポロニユスはこう書いている。

「作者〔ヴィオリス〕は、日本にプラスになるような偉大な点や美しい点に言及せざるをえない場合でも、非常に感動的で美しい日本人の感情を、けなしたり笑いものにするか、あるいは批判や悪意のある含みを加えずに済ますことは、けっしてない。」

そういわれてみると、前述の荒木将軍の「過去への崇拝」や麾下の将校のフランス軍讃美の言葉に対してヴィオリスが挟んだコメントは、まぜかえしたり冷やかしたりしているようにもみえる。あるいは、日本人の崇高な犠牲的行為を示す例として、夫が嫉妬で軍務をおろそかにすることがないようにと気づかって妻が自殺したという話を聞き、ヴィオリスが「グリブイユ」のようだとコメントしている箇所がある（本書109頁、訳注82参照）。訳者も最初に読んだときは、たしかに愚かな行為かもしれないが、そうはいっても誠実に思いつめて自殺した人に対して、いいすぎではないかと、この箇所は妙に心にひっかかっていた。フランス人に指摘されないと気づきにくいところだが、これなども美談を茶化して笑いものにしている例だともいえるし、ヴィオリスの棘や毒が感じられるところである。おそらくヴィオリスは本書が日本語に訳されるとは思っていなかっただろうが、たとえ日本語に訳されたとしても「グリブイユ」の比喩なら日本人には通じないだろうと思って、こっそり文章にまぎれ込ませたような感じさえ受ける。

ポロニユスは上海事変などの個別の事柄についても細かく反論しており、たとえば上海の日本軍将兵の態度と「完璧なジェントルマン」である外交官とがちがいすぎているとヴィオリスが指摘していること（96頁）については、戦闘中の兵士と会議での外交官が対照的なのは世界共通のことであり、これをもって日本人に裏表があるかのように示唆するのは、日本人をおとしめようとする意図によるものだとポロニユスは指摘している。また、ヴィオリスは支那軍が「とるにたりない武器で、ほとんど補給も受けず、ヘルメットもかぶらず、靴も履かぬまま」（19頁）だったと書いているが、ポロニユスが見た上海事変の写真によると、支那軍の装備は立派な現代的なものであって、もちろん靴も履いているし、それが「三十四日間ももちこたえた」のは、なにもヴィオリスのいうように「支那人の国民的な団結」（20頁）によるものではなく、屋根裏などに立てこもる支那兵を掃討するのに時間がかかったことと、支那軍が隠れこんだ共同租界に対して中立を尊重する必要があったことによるものであって、そもそも内地の支那人は上海で戦闘があったことすら知らなかったはずだとポロニユスは主張している。

しかし、ポロニユスとガレンヌ大佐が過度にヴィオリスを非難しているのは、その背後にある政治的な立場の相違によるところが大きい。この小冊子が発行されたのは、フランス国立図書館の書誌によると一九三四年（昭和九年）二月七日だというが、これはフランスを揺るがした右派による国会クーデター未遂事件の翌日にあたる。右派と左派の対立が激化する政治的風土のなかで、ポロニユスやガレンヌ大佐が右派だったのに対し、ヴィオリスは左派に属していた。この小冊子とほぼ同時期に、前述のようにヴィオリスは「クラプイヨ」誌の二月号に「日本の帝国主義は世界への脅威である」という、かなり過激な煽動記事を書いており、日本をめぐっても両者は非難と擁護という対極の位置に立っていた。ただし、本書執筆時点では、ヴィオリスはまだ共産主義一辺倒とまでは至っておらず、共産主義に深く入れ込むのは本書刊行後のことだったが、それでも、たとえば共産主義者だと思っていた三山一輝が国家社会主義に転向したと聞いて不信感と軽蔑をあらわにする場面（132頁）や、判事さんとの会話で共産主義者の肩をもつような質問をする場面（129頁）では、共産主義に惹かれているようすがみてとれる。さらに、初出時（一九三二年十月〜十一月の「ル・プチ・パリジヤン」紙）には存在せず、本書刊行の直前になって加筆された説明的な文章（本文150頁の訳注114、本文226頁の訳注164、本文234頁の訳注175を参照）では、比較的強く共産主義に肩入れしている感じが伝わってくる。

共産主義を目のかたきにしていたポロニユスやガレンヌ大佐が、これをおもしろく思うはずがない。ポロニユスの主張に耳を傾けてみよう。いわく、日本が満洲で行動にでたのは、「共産主義（ボルシエビズム）ソ連の脅威をはねのけてこの地域を健全化」し、「おそるべき略奪や殺人をおかす支那人の寄りつかない」秩序ある繁栄する国に生まれ変わらせるためであって、これをヴィオリスのように「帝国主義」という言葉で呼ぶべきではない。そもそも、フランスの植民地である印度支那やアルジェリアは認めるのに、満洲を認めないのはおかしいし、列強がみな植民地を経営しているのに、「なぜ日本だけをちがう尺度ではかろうとするのだ。」混迷をきわめるアジアで秩序をもたらすことができるのは日本だけなのであり、フランスは日本と手を結ぶことによって、仏領印度支那も安泰となるのだ。むかしから、ソ連はアジアで領土を拡大しようとし、アメリカは太平洋の覇者たろうともくろんできたが、最近、両国にとって邪魔な存在である日本を共通の仮想敵として、アメリカとソ連が接近しようとしている。しかし、仮に両国が手を組んで日本を負かしたとしても、アジアで得をするのはソ連だけであり、共産主義がアジア全域を席捲するだけなのだから、アメリカには自制を促したいし、フランスも安易にソ連やアメリカに接近すべきではない、とポロニユスは主張する。

結局、ポロニユスとガレンヌ大佐がいちばん非難しているのは、ヴィオリスが本書のなかで日本と日本人についてフランス人に悪いイメージを抱かせるようなネガティブな描き方をし、軍事的にも日本は危険だと思わせることで、フランスと日本との関係に楔(くさび)を打ち込み、ソ連やアメリカの陣営にフランスを引きずり込もうとしている、という点なのである。

本書の末尾付近で、ヴィオリスはこう書いていた。「太平洋での紛争は世界のバランスを乱し、何百万人もの運命を巻きこむ可能性があるが、それはもう起こりえないことではなくなっているようにみえる。」（本書235頁）。この部分を引用しながら、ヴィオリスに呼びかけるような形で、ポロニユスはこう書く。

「……とヴィオリスさんにはみえるわけですな。しかしねえ、奥さん、この対立は二十年以上も前から存在しているものであって、もし日本がことあるごとに協調し、列強の要求にたえず譲歩しつづけてこなかったとしたら、とっくの昔に戦争になっていたはずなんですよ。たとえば、〔第一次世界〕大戦後にアメリカ政府の要求にしたがって日本が山東での強大な地位を放棄したのは、その典型的な例です。それに、この対立はアメリカ人にとってはずっと前から存在していたのです。なぜなら、アメリカ人は太平洋全域での支配を独り占めしたいと思っており、この地域に住んでいる強い民族というのは、アメリカ人にとって、すこぶる邪魔なものだからです。でも、この強い民族が、自分たちの帝国をとり巻く海に対して権利を行使しようとするのも、正当な要求なのですがね。しかし、このことをヴィオリスさんはご存知ない。またはご存知ないふりをしている。

ヴィオリスさんは、結論として『日本はどこへ駈けてゆくのだろう。』とお書きになっています。これに対して、私は『アメリカはどこへ駈けてゆくのだろう。』と問い返したいと思います。アメリカは果てしない帝国主義にみちびかれ、世界の征服へとむかって駈けているのです。その過程で、日本に侵略者の汚名を着せ、あらゆる方法で日本を侮辱しながら、他のすべての国々を煽って日本に敵対させようとしているのです。」

こうした論調に接すると、アメリカが正しくて日本は悪かったとする戦後の歴史観とは正反対の、戦前の多くの日本人の見方に共通する認識をもったフランス人が現に存在し、軍事面も含めて日本を擁護していたという事実に驚かされる。それとともに、ヴィオリスという美しい花には、やはり毒も秘められていたのではないかという気がしてくる。このあたりのことについては、もう一度、考え直してみる必要があるのかもしれない。

ヴィオリスは日本語がほとんどできなかったこともあり、本文には細かい事実に関するまちがいが散見される。明らかな固有名詞の綴りミスや混同などは断りなく訂正し、その他の事実誤認のおもなものに関しては訳注をつけたが、煩わしくなることを恐れて見送った箇所もある。また、年表・地図・年譜は訳に際して付したもので、原文には含まれていない。

解説と訳注をつけるにあたっては、ヴィオリスが日本に対して厳しめの姿勢で臨んでいるぶん、バランスをとるために、当時の日本人のいいぶんを擁護するように努めた。至らぬ部分については、大方の御叱正を仰ぎたい。

末筆ながら、ヴィオリス研究で博士号を取得した Anne Renoult 氏には、疑問点にお答えいただいただけでなく、ヴィオリスが使っていた手帳の日本滞在中の頁をすべて写真に収めて送っていただいた。また、博覧強記の友人 Jean-François Berthier 氏には、いつもながら有益な示唆をいただいた。草思社の編集長碇高明氏には、解説や訳注などを訳者の望む形で具体化していただいた。この場を借りて、諸氏に厚くお礼申し上げたい。

二〇二〇年（令和二年）秋

大橋尚泰

【アンドレ・ヴィオリス年譜】

一八七〇（明治三）年	十二月九日、誕生（出生時の氏名はアンドレ・ジャケ）
一八九〇年代	英国オックスフォード大学在学中に社会主義とフェミニズムに関心をよせる
一八九四（明治二十七）年	ドレフュス事件でドレフュスを支持
一八九五（明治二十八）年	ギュスターヴ・テリーと結婚
一八九九（明治三十二）年	世界初のフェミニズム新聞「ラ・フロンド」に執筆開始
一九〇二（明治三十五）年	「フランス女性権利同盟」に加わり、女性参政権を訴える
一九〇四（明治三十七）年	ギュスターヴ・テリーと離婚
一九〇五（明治三十八）年	作家ジャン・ヴィオリスと再婚
一九一一（明治四十四）年	夫と連名で小説『ピュイセランピオン』を刊行
一九一三（大正二）年	小説『クリケ』を刊行、ゴンクール賞候補となる
一九一四（大正三）年	第一次世界大戦勃発、看護婦に志願
一九一七（大正六）年	英国首相ロイド・ジョージとの独占インタビューに成功
一九二二（大正十一）年	アイルランド内戦を取材
一九二六（大正十五）年	歴史小説『真のラ・ファイエット夫人』刊
一九二七（昭和二）年	ルポルタージュ『ロシアにて女一人で――バルト海からカスピ海まで』刊

一九二八（昭和三）年

ルポルタージュ『アルザス・ロレーヌ――情熱を超えて』刊

一九三〇（昭和五）年

ルポルタージュ『アフガニスタンの動乱』刊
四月、「塩の行進」の直後にガンジーにインタビュー
十二月、ルポルタージュ『イギリス人に抗する印度』刊

一九三一（昭和六）年

九月十一日、仏領印度支那公式視察団に加わり、南仏マルセイユから出港
十月十七日、印度支那の西貢（サイゴン）に到着
十一月十九日、公式視察団が仏領印度支那から去るが、ヴィオリスは残る
十二月中旬、印度支那の海防（ハイフォン）を出港、香港を経由して上海にむかう

一九三二（昭和七）年

一月二十八日、上海で上海事変の勃発に立ち会う
三月十八日、来日
三月二十日、臨時議会の開院式にむかう天皇の列を見る
三月二十二日、臨時議会を傍聴
四月十九日、新宿御苑の観桜会に招待される
四月二十七日、靖国神社への天皇皇后の行幸啓に立ち会う
四月二十九日、天長節の観兵式に出席
五月十六日、京都で五・一五事件の報に接し、急遽東京にもどる
六月八日、神戸から乗船、日本を離れる
七月、フランスに帰国

一九三三（昭和八）年　十月十一日、本書のもとになった「日本人の仮面（マスク）の下」の連載を開始
十二月、夫ジャン・ヴィオリスが死去、この後、急速に共産主義に接近
一九三四（昭和九）年　三月、ルポルタージュ『日本とその帝国』（本書）刊
ルポルタージュ『上海と支那の運命』刊
「日本の帝国主義は世界への脅威である」を「クラプイヨ」誌二月号に掲載
「反ファシズム知識人監視委員会」（CVIA）に名を連ねる
一九三五（昭和十）年　日本印象記『内面の日本』刊、「ジャーナリズムの女王」の称号を得る
ルポルタージュ『印度支那SOS』刊
一九三六（昭和十一）年　スペイン内戦を取材
一九三八（昭和十三）年　共産党系の夕刊紙「ス・ソワール」の特派員となり、東欧などで取材
一九三九（昭和十四）年　ルポルタージュ『我らがチュニジア』刊
第二次世界大戦が始まり失意のなかで南仏で療養
一九四一（昭和十六）年　南仏ディユールフィ村でレジスタンス運動に加わる
一九四三（昭和十八）年　小冊子『ヒットラーの人種主義、フランスに対する戦争機械』を匿名刊行
一九四四（昭和十九）年　歴史小説『クリスティーナ女王の秘密』刊
一九四八（昭和二十三）年　ルポルタージュ『南アフリカ、この未知なるもの』刊
一九五〇（昭和二十五）年　八月九日、死去（七十九歳）

【日本語訳のある著作】

書籍

・『牢獄の人々』（安部靖訳、慶應書房、一九四二年）〔『印度支那ＳＯＳ』、原文 *Indochine S.O.S.*, Paris, Gallimard, 1935 の訳〕

記事

・「世界の脅威日本帝國」（「帝國教育」第六五〇号、帝國教育會、一九三四年六月）および「日本の帝國主義」（國際情勢研究會編『世界は日本をどう見る？』太陽閣、一九三七年所収）〔いずれも「クラプイヨ」誌掲載の「日本の帝国主義は世界への脅威である」、原文 « L'impérialisme japonais est une menace pour le monde », *Crapouillot*, février 1934, p.12-17 の訳だが、原文に忠実な訳とはいえないので、引用にあたってはフランス語原文から訳出した〕

・「マドリィドは生きてゐる」（「中央公論」五九五号、一九三七年六月）〔原文 « Madrid encore... », *Vendredi*, le 26 mars 1937.〕

・「仮初の幻滅」（『仏共産主義者よりみたインドシナ戦争』外務省アジア局第三課、一九五三年所収）〔原文 « Désillusion provisoire », dans *La vérité sur le Viet-Nam*, Paris, La Bibliothèque Française, 1947.〕

訳注

＊1　（第一次）上海事変は一九三二年（昭和七年）一月二十八日に始まった。ヴィオリスは来日直前に取材のためにたまたま上海に来ていて、この事変勃発に立ち会った。本来なら「戦争」と呼ぶべき規模なのに「事変」という呼び方がされていることに疑問を呈する意味で、引用符がつけられている。

＊2　閘北区は上海中心部からみて北側にあり、上海事変では激しい市街戦がおこなわれた。「閘北」は、当時の日本では「こうほく」ではなく「ざほく」と読まれていた。

＊3　共同租界の北側、閘北区の東隣にあたる虹口区には日本人街が形成されていた。ここにある虹口公園（現魯迅公園）付近では、一九三二年（昭和七年）一月二十八日の午前中、すなわち上海事変が始まる直前、日本軍が演習をおこなったが、ヴィオリスはそのときの一糸乱れぬ様子を偶然目撃した（訳注73も参照）。

＊4　一九三二年（昭和七年）の来日時点からみて、一八六八年（明治元年）の明治維新は六十四年前にあたる。

＊5　「ラ・バタイユ」はフランス語で「戦い」を意味するが、ここでは日露戦争の日本海海戦を題材にとったフランスの作家クロード・ファレールの小説『ラ・バタイユ』*La Bataille*（一九〇九年刊）を指す。「提督」とは東郷平八郎を指す。この小説はフランスでベストセラーとなり、ヒロインの

＊2　戦火の跡の閘北市街を進む日本軍（『新滿洲國寫眞大觀』大日本雄辯會講談社、1932年）

名「ミツコ」はゲランの香水の名前にも採用された。一九二三年（大正十二年）にはフランスで早川雪洲（せっしゅう）主演の無声映画がつくられ、日本でも東郷平八郎らを集めて試写がおこなわれたのち、大幅に編集されて『ラ・バタイユ』として公開された。一九三〇年（昭和五年）には原作の部分訳がでている（高橋邦太郎訳『ラ・バタイユ』改造社）。ファレールは「骨の髄まで親日の作家」（松尾邦之助『風来の記』読売新聞社、一九七〇年、一二〇頁）で、日仏親善を目的とした「フランス・ジャポン」誌（訳注198参照）にもしばしば寄稿し、親日家の立場からヴィオリスを批判している（解説283頁参照）。一九三八年（昭和十三年）には来日して文壇からも歓迎を受けた。第二次世界大戦の直前にフランスに留学していた中村光夫は、下宿のおばさんがクロード・ファレールの『ラ・バタイユ』を愛読していて日本びいきだったので得をしたと書いている（中村光夫『戰争まで』実業之日本社、一九四二年、一三〇頁）。

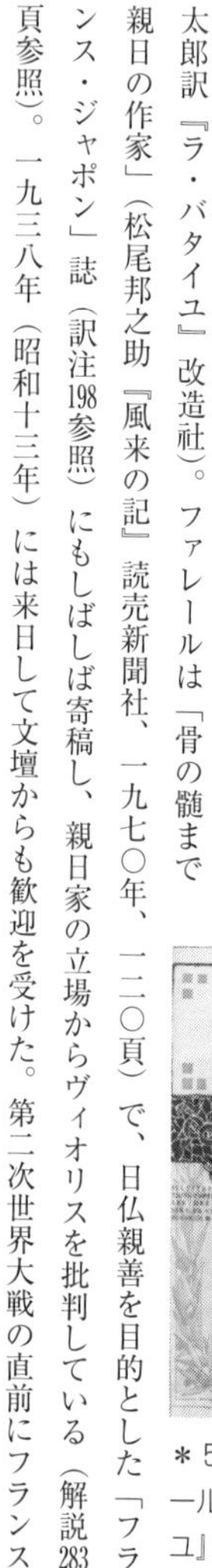

＊5　クロード・ファレールの小説『ラ・バタイユ』の初版の表紙

＊6　日本人どうしのお辞儀について、ヴィオリスは来日したばかりのときに帝国ホテルのなかで目撃した光景をもう一冊の日本滞在記『内面の日本』のなかでこうしるしている。「宗教儀式なのだろうか、それともリズム体操なのだろうか。いや、たんに日本の紳士が歩み寄り、祝いの言葉をかわしあっているのだ。シューシューいう音、唾をすする音、交互にかわされる軽い含み笑いによって協奏曲を奏でながら、あやつり人形（マリオネット）のように体を二つに折り、最敬礼が終わったかと思うと、また始まるのだ（……）」（Andrée Viollis, *Le Japon intime*, Paris, Éditions Montaigne, 1934, p.18）。当時の日本人はお辞儀をするときに歯と歯のあいだから息を吸いこみながら唾をすするように「シューシュー」という音をたてたらしく、戦前に来日した多くの外国人が物珍しそうに記録に残している（たとえばピエル・ロチ『お菊さん』野上豊一郎訳、岩波文庫、三四頁など）。

＊7　スイスのジュネーヴに面するレマン湖だと思われる。当時の国際連盟の本部はジュネーヴのパレ・ウィルソンと呼ばれる建物に置かれていた。風光明媚な保養地だったので、付近にはボート遊びをするための小型の舟が

多数係留されていた。

＊8 「イギリス老婦人」の見た「背の低い完璧なジェントルマン」という日本人像については、ヴィオリスは『内面の日本』のなかでこう書いている。「日本人の礼儀正しさというのは、いまだに世界的な定説となっているが、このことを考えるとき、私はいつもあのイギリス老婦人のことを思い浮かべる。ロンドンの下宿のおばさんなのだが、日本人のことに話題がおよぶと、白い目をくるくると動かして、うっとりした表情で『世界でもっとも完璧な背の低いジェントルマン』とささやくのだった。」(*Le Japon intime*, p.141)

＊9 「ドイツ野郎(ボッシュ)」とは、第一次世界大戦中にフランスで使われはじめた、ドイツ兵に対する蔑称。

＊10 「大きな六つの主要な島」とは、樺太(南半分)、北海道、本州、四国、九州、台湾を指す。

＊11 「一九〇五年の秘密協定」とは、一九〇五年(明治三十八年)の「桂・タフト協定」のこと。アメリカが日本による朝鮮の支配を認めるかわりに、日本はアメリカによるフィリピンの支配を認めた。

＊12 門司は本州と九州を結ぶ関門海峡の九州側にある港で、北九州の筑豊(ちくほう)炭田からの石炭の積みだし港として栄えた。上海からの船は、ここから瀬戸内海に入った。つまり、ここは21頁の「私たちの船は、この日出づる帝国の魅惑の玄関口である内海に入り……」という記述と時間的に前後しており、地理感のある日本人にとっては違和感

＊7 左側奥に国際連盟の置かれていたパレ・ウィルソンが建っている。右側のレマン湖には多数のボートがつながれている(1933年の消印のある絵葉書)

＊13 1932年(昭和7年)頃の日本海軍九〇式飛行艇(当時の絵葉書)

を抱かされるところ。ちなみに、瀬戸内海ののどかな風景は、ヨーロッパから船で来日する多くの外国人を魅了した。

＊13 飛行艇とは、海上で離発着できるように設計された飛行機のこと。

＊14 第六十一臨時議会の開院式（現在の臨時国会の開会式に相当）は、一九三二年（昭和七年）三月二十日（日曜）におこなわれた。この日、昭和天皇は午前十時三十五分に宮城（当時は皇居のことをこう呼んだ）をでて、午前十時四十五分に貴族院に到着、午前十一時からの開院式に親臨した（翌二十一日付「讀賣新聞」による）。この翌々日の二十二日にヴィオリスは衆議院本会議を傍聴することになる（本書第八章）。

＊15 天皇が行幸するときは、皇居の東南の二重橋のある正門から出入りした。これをヴィオリスたちが遠くから伏し拝んだのは、いわゆる宮城前の大広場（皇居前広場）の一角だったと思われる。「反った三重の屋根の建物」とは、この広場から北側に見える、現存唯一の三重櫓である富士見櫓だったはずである。

＊16 当時は黒いマスクが流行していた。

＊17 一九三二年（昭和七年）一月八日の桜田門事件（天皇の馬車に朝鮮人テロリストが爆弾を投げつけた事件）のこと。警視庁は桜田門のむかいにある。

＊18 日比谷公園は、ヴィオリスが滞在していた帝国ホテルの西隣にある。

＊19 通常は「爆弾三勇士」または「肉弾三勇士」と呼ばれる。一九三二年（昭和七年）二月二十二日の早朝、上海の北の郊外の廟行鎮で、鉄条

＊14 開院式を終えて還幸（皇居に帰還）する鹵簿（天皇の馬車の列）（3月21日付「東京朝日新聞」）

＊15 左奥に見えるのが富士見櫓（昭和7年9月号「主婦之友」附録「大東京名所繪はがき集」）

網を破壊するために爆弾を抱えて自爆し、歩兵の突撃路を切りひらいて英雄視された三人の工兵のこと。

＊20　芳沢謙吉（よしざわけんきち）は一八七四年（明治七年）生まれの外交官。一九三〇年（昭和五年）に駐仏大使に任ぜられ、赴任する船のなかで急いでフランス語を学び、滞仏中の一九三一年（昭和六年）九月に満洲事変が勃発すると対応と説明に追われた。犬養毅の娘と結婚していた縁で、同年十二月に犬養内閣が成立すると外務大臣への就任を要請されて翌一九三二年（昭和七年）一月に帰国、外務大臣となった直後にこんどは上海事変が起きた。ヴィオリスの芳沢外務大臣へのインタビューの内容は一九三二年四月七日付「ル・プチ・パリジヤン」紙に掲載された（記事の冒頭には「東京にて、四月六日」とある）。外務省に遅刻した（本書59頁参照）焦りもあってか、このインタビューのなかでヴィオリスは柄にもなく満洲・上海事変について正面から問いただすような質問を連発してしまい、また流暢では

＊18　写真手前（左下）の樹木が日比谷公園の一角で、その外側に市電（路面電車）が走っている。写真中央で広大な左右対称の翼棟（よくとう）をもつコの字形の比較的低層の建物が帝国ホテル。そのむかって右側は明治時代に鹿鳴館だった建物。その背後に省線（鉄道省の路線つまり国有鉄道、ここでは山手線）が走っているのが見え、むかって左に進むと有楽町駅と東京駅、右に進むと新橋駅がある。奥には銀座の百貨店が写っている（『大東京寫眞帖』忠誠堂、1933年）。

ないがフランス語ができた芳沢外相は、通訳を介さずに答えたためか、ときに激昂しながらも当たりさわりのない模範的な答えに終始し、結果としてあまり興味深い話は引きだせず、会談の雰囲気もよくなかったので、本書には詳しい内容は収録されなかったのだと思われる。『内面の日本』では「しばしばいたたまれない感じに襲われた」と書かれており、ヴィオリスが窓の外の景色について話題を振ると、にわかに芳沢大臣は明るい顔つきになって「庭の桜のつぼみには気づかれましたか。開花したら、ぜひ公園や通りを見物してくださいよ。」と述べたというエピソードだけが紹介されている（*Le Japon intime*, p.120）。

＊21　東三省とは、奉天省（現遼寧省）、吉林省、黒龍江省のことで、ほぼ満洲に相当する（この三省に熱河省を加えたものが満洲国）。

＊22　荒木貞夫は一八七七年（明治十年）生まれの陸軍軍人。一九三一年（昭和六年）十二月に成立した犬養内閣では、青年将校の期待を一身に背負って陸軍大臣に就任し（当時中将）、一九三二年（昭和七年）のヴィオリス来日当時は人気の絶頂にあった。荒木陸相とのインタビューの模様は、「東京にて、四月二十三日」として同年四月二十四日付「ル・プチ・パリジャン」紙に掲載された（当時数えで五十六歳）。五・一五事件のあとの斎藤内閣でも陸軍大臣に留任した。精神論を得意とし、竹槍三百万本あれば

＊19「爆弾三勇士」と称された江下武二（左上）、作江伊之助（右上）、北川丞（下）（1932年４月６日付「ル・プチ・パリジャン」紙にヴィオリスの文章とともに掲載された写真）

＊20　1931年（昭和６年）９月の満洲事変勃発の直前、国際連盟総会から退出してきた、当時駐仏大使だった芳沢謙吉（中央）（世界知識増刊『滿洲事變の經過』新光社、1932年）

戦ってみせるとも述べ、国軍を「皇軍」と称して皇道精神を鼓吹したことから、荒木貞夫の一派が「皇道派」と呼ばれるようになった。その著「昭和日本の使命」はヴィオリスも英訳か仏訳で読んだと思われる（訳注167参照）。一九三三年（昭和八年）に大将となるが、次第に影響力を失い、斎藤内閣の途中で陸相を辞任することになる。

＊23 十七世紀フランスの劇作家モリエールの喜劇『スカパンの悪だくみ』第二幕第十景の有名なせりふに由来する慣用句。

＊24 日本の戦前の傾向をファシズムと呼ぶことについては、当時から疑問が呈せられていた。たとえば本書で何度か登場する赤松克麿（訳注108参照）は、一九三二年（昭和七年）の『新國民運動の基調』（萬里閣、一〇六〜一五〇頁）のなかで、「ファシズム」という言葉は、もともと共産主義者からの侮蔑的なレッテルだったのをジャーナリズムが採用して日本で流行語となったものなので、反動的・暴力的で否定的なイメージが強いと指摘し、日本の「国家社会主義」（同書では「国民社会主義」と書かれている）を「ファシズム」と呼ぶことに否定的な見解を示している。

＊25 ヴィオリスが日本に滞在していた当時は、東京は十五区で人口約二百万人だったが、ヴィオリスがフランスに帰国してしばらくした一九三二年（昭和七年）十月一日、周辺の五郡八十二町村が集まって新たに二十の区（世田谷区や江戸川区など）が誕生し、「東京三十五区」（現在のほぼ東京二十三区に相当）となったことで、人

＊26 銀座１丁目の裏手の、いまは埋め立てられた京橋川の「大根河岸（がし）」に軒をつらねる貧しい家々（昭和７年９月号「主婦之友」附録「大東京名所繪はがき集」）

＊22 リットン報告書を読む荒木貞夫陸軍大臣（BNF/Gallica）

口は約五百万人となった。この再編を記念して「東京音頭」が生まれ、また「大東京」という言葉を冠した写真集や絵葉書集が数種類発行されたが、そのうちの数枚の写真を訳注にも収録した。

＊26　東京の中心部には、戦後の復興期に埋め立てられてしまった小川が多数あった。ヴィオリスは銀座の近くを流れていた小川について、「こうした画趣に富んだ小川こそ、東京が数ある異名のなかでも『極東のヴェネチア』と呼ばれるもとになった」と『内面の日本』のなかで書いている（*Le Japon intime*, p.159）。

＊27　実際には地上八階（一部九階）、地下二階だった（『丸の内百年のあゆみ 三菱地所社史 資料・年表・索引』三菱地所株式会社社史編纂室、一九九三年、三六六頁）。ビルの高さは三三メートル。この丸ノ内ビルヂング（丸ビル）の正面に建つ「中央停車場」とは、東京駅のこと。

＊28　一九三〇年（昭和五年）に完成したニューヨーク市マンハッタンのクライスラービル（七十七階、高さ三一九メートル）のこと。翌一九三一年（昭和六年）にエンパイアステートビル（百二階、高さ四四三メートル）が完成して世界一の座を譲り渡した。

＊29　バクーはカスピ海の西岸にある街で、当時はソビエト連邦の一部（現在はアゼルバイジャン共和国の首都）。油田によって栄え、日本にもここから石油が輸入されていた。ヴィオリスは『ロシアにて女一人で――バルト海からカスピ海まで』（一九二七年）の取材の一環としてバクーを訪れている。

＊27　左側は東京駅の正面。円タクなどの停まる広場を挟んで、右上は丸ノ内ビル（『大東京寫眞帖』忠誠堂、1933年）

＊30　このように当時のタクシー（東京市内を一円均一で走ったことから「円タク」と呼ばれた）の運転手が猛スピードをだす心理を現代文明と結びつけているのは、ヴィオリスだけではない。たとえば永井荷風によると、現代人は人と競争することに慣らされており、「彼等は店の内が込んでゐると見るや、忽ち鋭い眼付になつて、空席を見出すと共に人込みを押分けて驀進する。（……）汽車の中の空席を奪取らうがためには、プラットフホームから女子供を突落す事を辞さないのも、かういふ人達である。（……）圓タクの運轉手も亦現代人の中の一人である。それ故わたくしは赤電車がなくなつて、家に歸るために圓タクに乘らうとするに臨んでは、漠然たる恐怖を感じないわけには行かない。成るべく現代的優越の感を抱いてゐないやうに見える運轉手を捜さなければならない。必要もないのに、先へ行く車を追越さうとする意氣込みの無さゝうに見える運轉手を捜さなければならない。若しこれを怠るならばわたくしの名は忽翌日の新聞紙上に交通禍の犠牲者として書立てられるであらう」（永井荷風『濹東綺譚』「作後贅言」）

＊31　来日するまでは、ヴィオリスは『お菊さん』や『蝶々夫人』などの文学や絵画をつうじて、日本女性は

＊29　桜田門内から見た警視庁（昭和７年９月号「主婦之友」附録「大東京名所繪はがき集」）。この庁舎は1931年（昭和６年）に完成したばかりで、当初の計画では監視塔を高くしてドーム型にする予定だったのが、風致上の理由から切りつめられたことで、不安定な形となっている。

＊28　クライスラービルを写した1931年の消印のある絵葉書。裏面の通信欄には「ニューヨークでいちばん高い建物だ。70階もあって、たえず細かく揺れている。」と書かれている。

輝くような着物を着て、花や蝶のように幸福そうに生活していると想像していたので、実際に東京の通りで地味な服を着て前かがみになって歩く女性を見て失望したと『内面の日本』のなかで書いている（*Le Japon intime*, p.201）。ちなみに、当時はまだ洋服姿の女性は少なく、「夏は幾らか多いけれども、冬の街頭や百貨店内を見渡したら、十人に一人もゐないかも知れない。オフィスガールまでが、半數は和服を着てゐる。」と谷崎潤一郎は一九三三年（昭和八年）頃の東京について書いている（「東京をおもふ」、「中央公論」昭和九年二月号）。

＊32　「丸い塔」ではなく「四角い櫓」とすべきか。日本の城では、石垣の隅などに設けられる櫓は四角く、皇居にも丸い塔はない。それに対して、ヨーロッパの城では、門の両脇や城壁の角度の変わる部分などに丸い塔が建てられることが多く、それが記憶のなかでオーバーラップしたのではないかと思われる。

＊33　第一次世界大戦中の一九一五年（大正四年）に日本が中華民国に対しておこなった「二十一か条要求」にもとづく条約。当時の日本では「（対支）二十一箇条条約」等と呼ばれた。当初は山東省でのドイツの権益を日本が引き継ぐことなども含まれていたが、支那側からの宣伝によって欧米には「過度の欲望」と映った結果、日本は多くの条項を放棄することを余儀なくされ、満洲事変当時で残っていたのはおもに旅順・大連の租借権と満鉄の営業期限の延長、および南満洲での商租権だけとなっていた。たしかにこの条約は一種の不平等条約だったが、改正したければ「懲弁国賊条例」（訳注45）のような姑息な手段によらずに、日本が幕末期に結ばされた不平等条約を努力して対等にもっていったように、内政を改善してから正々堂々と改正の交渉をすべきだと考える日本人もいた（佐藤安之助『満蒙問題を中心とする日支關係』日本評論社、一九三一年、七九頁）。

＊31　フランスでの「日本趣味」の一例であるクロード・モネ画「日本の女、日本の衣裳をまとったモネ夫人」

＊34　ワシントン海軍軍縮会議は、一九二一年（大正十年）末から翌年はじめにかけてワシントン（当時の表記で「華府」）で開催された。アメリカは、日本と戦争になった場合に絶対的な優位性を確保できるよう、主力艦の米国と日本の保有比率を五対三の割合（つまり日本からみて対米六割）とすることを提案し、これに対して日本側は五対三・五（つまり対米七割）を主張したが、日本も折からの経済不況で、軍備費の削減を歓迎する政治家が海軍軍人の反対を押し切り、アメリカに譲歩する形でワシントン条約が結ばれた（原文では次の文で「日本には三・五しか割り当てず」となっているが「三」に訂正した）。同時に、日本は満洲への進出を狙うアメリカによって門戸開放を掲げる九か国条約を結ばされて満洲での優先権を放棄させられ、またアメリカの画策によって日英同盟が解消されて日本が孤立することになった。

＊35　のちのロンドン軍縮会議の結果に不満を抱いた草刈英治海軍少佐が切腹したことは有名だが、ワシントン会議を受けて「何人も腹を切」ったというのは不明。

＊36　原敬首相は、ワシントン会議が始まる直前の一九二一年（大正十年）十一月四日に暗殺された。この説明にしたがえば、原敬を暗殺した中岡艮一は、ワシントン会議の開催前に、国際協調路線を取ろうとしていた原敬の方針に「憤慨」したことになる。

＊37　田中義一内閣が一九二九年（昭和四年）に総辞職したのは、経済問題ではなく、その前年に起きた張作霖爆殺事件の処理に関して田中首相が昭和天皇の不興を買ったことが原因だとされている。

＊38　ロンドン海軍軍縮会議は、ヴィオリス来日の二年前にあたる一九三〇年（昭和五年）、ワシントン軍縮会議では定められなかった補助艦艇の割合を定めるためにロンドン（当時の表記で「倫敦」）で開催された。この会議では、アメリカの得意とする航空機については一切ふれられないまま、とりわけ日本の得意とする潜水艦に制約がかけられたことで、日本海軍が大幅に劣勢に立たされ、日本は大坂城の外濠を埋められたようなものだとも評された（本多熊太郎『世界の動きと日本の立場』六二頁、清瀬一郎『正氣』六〇頁）。交渉にあたったのは浜口内閣（外相は幣原喜重郎）だったが、これを攻撃するために、野党だった犬養毅と鳩山一郎は、政府が海軍軍

令部に相談せずに条約に調印したことを「統帥権の干犯」であるとして問題視し、これが軍部の怒りを理論的に正当化する結果となり、浜口首相は佐郷谷留雄に狙撃されてまもなく死亡した。また、ロンドン条約に憤慨した海軍の草刈英治少佐は抗議の意味をこめて割腹自殺し、これは一部の海軍軍人が二年後の血盟団事件や五・一五事件に加わるきっかけともなった。

＊39　南下してくるロシアの脅威を踏まえ、朝鮮半島をその形状から「日本列島に突きつけられた匕首（あいくち）（短刀）」にたとえる比喩は当時はよく用いられた。たとえば松岡洋右や菊池寛は、日清戦争の背景を説明するにあたって、もし朝鮮半島が支那の支配下になっていたら、日本は匕首や槍を突きつけられるような格好となり、脅威となっていたはずだと説いている（松岡洋右「十字架上の日本」『松岡全權大演説集』大日本雄辯會講談社、一九三三年、一一九頁、および菊池寛『大衆明治史　國民版』汎洋社、一九四二年、一七〇頁）。また、本書（158頁）にもでてくる本多熊太郎は、ロシアが「朝鮮に猿臂（えんぴ）を伸ばして、直（ただ）ちに日本帝國の胸に匕首を擬（ぎ）する」ような挙動にでたために日本が立ち上がって日露戦争が起きたと述べている（『世界の動きと日本の立場』千倉書房、一九三一年、一四頁）。ただし、本文で、一九一〇年（明治四十三年）の朝鮮併合が一九一二年（明治四十五年）に崩御した「明治大帝の御遺言」であると書かれているのは矛盾している。一九三二年（昭和七年）当時は、満蒙の利権を押さえることが「明治大帝の御遺業」を継ぐことだと一般に考えられていたので、こちらと混同されていると思われる。

＊40　日本から輸入される品目にかける関税をとりきめた「日支関税協定」のこと。「日支関税協定」と名のつくものはいくつか存在し、田中義一内閣のときにも一九二九年（昭和四年）に結ばれたが、むしろ次の浜口雄幸内閣（外務大臣は幣原喜重郎）のときに一九三〇年（昭和五年）に結ばれた日支関税協定のほうが知られている。この協定では、日本の妥協によって支那（国民政府）の関税自主権が認められた。

＊41　第一次世界大戦の結果、日本はドイツから青島（チンタオ）を中心とする山東省（さんとう）での権益を引きついだが、蒋介石率いる国民党軍が日本人を虐殺する済南（さいなん）事件などがあいついだことから、居留民保護のために田中義一首相は一九二七

年（昭和二年）から三度にわたって山東出兵を実施し、一九二九年（昭和四年）に撤兵した。

＊42　一九三一年（昭和六年）八月四日（原文は「五日」だが訂正した）の「軍司令官及師団長会議」での南次郎陸軍大臣の訓示が物議をかもしたのは、それが満洲に関する政府（第二次若槻内閣）の方針を暗に糾弾したものだったからだった。これは軍部による政治への干渉であるとして、政府や与党民政党から非難の声が挙がった。この出来事の翌月に満洲事変が起きることになる。

＊43　「一九一八年〔大正七年〕の取り決め」とは、「満蒙四鉄道覚書」（満蒙四鉄道借款契約）のこと。支那側がこの覚書を無視し、日本と協議せずに、南満洲鉄道（満鉄）と並行する吉海（吉林―海龍）線の敷設を進めたことで、日本が抗議した。ただし、並行線はつくらないという取り決めは、日露戦争後の一九〇五年（明治三十八年）十二月に小村寿太郎が清国と結んだ「日清満洲善後条約」附属の取り決めにおいて定められており、こちらが引きあいにだされることが多かった（リットン報告書の第三章第三節など）。

＊42　満洲事変の直前の頃の南次郎陸相（昭和6年8月6日付「東京朝日新聞」）

＊44　並行線としては、とくに打通（打虎山―通遼）線と吉海（吉林―海龍）線の二本が挙げられることが多いが（リットン報告書の前掲箇所など）、一九三二年（昭和七年）当時は、これに瀋海（瀋陽〔奉天〕―海龍）線と大豆の輸送に使われた軽便鉄道の開豊（開原―西豊）線を加える場合もあり（大阪對支經濟聯盟『滿蒙の我權益』大阪毎日新聞社、一九三二年、九六頁）、そうすると並行線は四本となる。瀋海線の長さは、本文では「一八二マイル」と書かれているが、長野朗『滿蒙に於ける列强の侵略戰』（千倉書房、一九三一年）では「一四五・七哩」、前記『滿蒙の我權益』では瀋陽（奉天）―海龍間の本線と梅河口―西安間の支線をあわせて「一四七哩」と書かれている。

＊45　一九一五年（大正四年）五月二十五日に結ばれた「二十一か条条約」（訳注33参照）により、日本人は南満洲における「土地商租権」を得たが、その一か月後の六月二十六日に中華民国は「懲弁国賊条例」を発布し、ここで外国人に商租権を与えた者を「国賊」と解釈する余地を残し、同時に国賊は死刑に処すと定めたことで、日本の商租権を空文化した。これは「二十一か条条約」を蹂躙するものだった。

＊46　原文は「七月」だが訂正した。黒龍江省で実地調査をしていた中村震太郎大尉は、一九三一年（昭和六年）六月二十七日、関玉衡の率いる屯墾軍第三団の正規兵によって殺害された。

＊47　北大営は、奉天郊外の柳条溝（「柳条湖」の当時の一般的な呼称）の近くに置かれていた支那軍の兵営。

＊48　「鉄道守備隊」とは、日本陸軍の関東軍のこと。「関東」とは、万里の長城の東端に位置する山海関の東側、すなわち満洲全体を指すが、とくに日露戦争の結果、日本がロシアから受けついで租借地としていた遼東半島の先端部分（旅順や大連）は「関東州」と呼ばれた。「関東軍」は、この関東州の守備に加え、南満洲鉄道（満鉄）の線路沿いと駅周辺地区（いわゆる附属地）の守備も担当していた。

＊49　原文は「一月」だが訂正した。犬養内閣が発足したのは一九三一年（昭和六年）十二月十三日。

＊51　左奥の建物は1929年（昭和４年）に完成した日本橋の三井銀行本館。ヴィオリス来日直前の1932年（昭和７年）３月５日の正午前、この玄関前に自動車を乗りつけた団琢磨が、待ち伏せしていた血盟団員の菱沼五郎に拳銃で暗殺された。そのむかいの右奥の建物は三越百貨店、左手前の建物は日本銀行の一部（昭和７年９月号「主婦之友」附録「大東京名所繪はがき集」）。

＊47

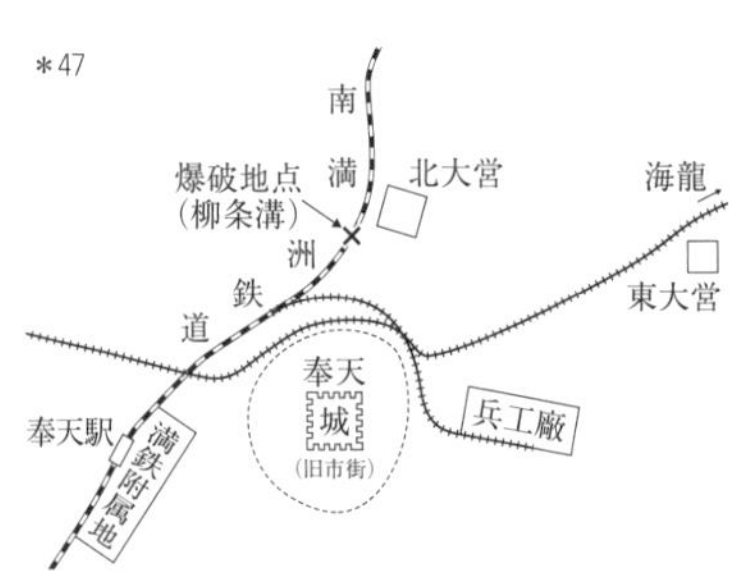

＊50　一九三一年（昭和六年）十月に起きた「十月事件」（別名「錦旗革命事件」）のこと。九月に起きた満洲事変に関して、政府が不拡大の方針をとったことに不満を抱いた橋本欣五郎大佐や大川周明らによるクーデター未遂事件で、成功していれば「荒木貞夫内閣」が誕生するはずだった。次の章のはじめあたりでもうすこし詳しくふれられている。

＊51　原文は「三井銀行社長」だが訂正した（80頁も同様）。三井銀行を含む三井財閥の総帥が三井合名会社の理事長。

＊52　井上日召は一八八六年（明治十九年）、群馬県生まれ。前橋では知らぬ者のいない悪餓鬼として鳴らす。一九一〇年（明治四十三年）、大学を中退して満洲に渡り、満鉄社員や陸軍の諜報勤務員となる。一九二一年（大正十年）に帰国し、人生の煩悶を解くために日蓮宗の唱題と座禅によって修行し、悟りの境地に至り、水戸の近くの大洗の護国堂の住職となって、一種の霊能力とカリスマ性によって弟子を指導した。他方、日本の現状を憂い、北一輝や大川周明との連携を模索しながら「血盟団」を組織し、政党と財閥が日本の腐敗の元凶であると考えて要人の暗殺を計画した。数えで四十七歳だった一九三二年（昭和七年）、井上準之助と団琢磨の暗殺後、かくまわれていた頭山満邸から出頭し、無期懲役となるが一九四〇年（昭和十五年）に大赦となる。敗戦後の東京裁判では、禅問答によって占領軍の検事をやりこめた。一九六七年（昭和四十二年）没。

＊52　井上日召（井上日召『一人一殺』日本週報社、1953年）

＊53　井上日召の兄の井上二三雄は、一九一四年（大正三年）の第一次世界大戦で青島攻略に参加したが、正しくは一九一九年（大正八年）に静岡県沖で事故死した。ただし、日召の子息横地尚によると、戦死扱いされて靖国神社にまつられた（横地尚『昭和の原点　一人一殺に生きた井上日召』行政出版、一九七一年、一九七頁）。おそらく、血盟団事件の準備に関与しながら上海事変に出征して真茹鎮の上空で戦死した海軍大尉（死後少佐に昇

進）の藤井斉（81頁）と混同されていると思われる。

＊54　井上日召は田中義一首相とも多少の接点はあったが、「熱烈な信奉者」といえるかどうかは疑問。おそらく、もっと井上日召と関係の深かった田中光顕または田中智学と混同されているか。

＊55　坂西利八郎。「『坂西』は『ばんざい』と読むが、『さかにし』としているものもしばしば見受けられる。」（山本四郎編『坂西利八郎書翰・報告集』刀水書房、一九八九年、二八〇頁）。ヴィオリスの原文では Sakanishi となっている。坂西利八郎は井上日召が仕えていた頃は大佐だったが、一九一七年（大正六年）に少将、一九二一年（大正十年）に中将に進級している。井上日召が坂西大佐のもとで諜報活動に従事したことは事実だが、次に書かれているように「関東軍の諜報部長もつとめた」といえるかどうかは不明。

＊56　原文は「Keizai-Club」だが「工業倶楽部」に訂正した。団琢磨が理事長（トップ）を務めていた日本工業倶楽部は、丸ノ内に存在し、経済問題や労働問題について財界から政府に提言する機関として、政府の決定に強い影響力を行使していた。上海事変の勃発当時も、工業倶楽部を訪れた荒木陸相を相手に、満洲・上海両事変が日本経済に及ぼす影響について団琢磨ら財界人が意見交換をおこない、この席上、「陸相に向かって急所に触れた質問を発した」資本家もいたことが一九三二年（昭和七年）五月号「改造」所収の鈴木茂三郎「満蒙新國家と日本の金融資本」にしるされている。原文の「Keizai-Club」という字面からは、本文177頁以降にでてくる東洋経済新報社の「経済倶楽部」（訳注133）を連想してしまうが、同倶楽部では団琢磨は八十人近い評議員の一人にすぎず、ここでは関係ないと思われる。

＊57　静岡県の東海道線興津駅の近くにあった坐漁荘。

＊58　幣原男爵の暗殺を狙った東京帝国大学学生の久木田祐弘は、一九三二年（昭和七年）三月二十一日、麻布歩兵第三連隊の安藤輝三中尉（当時）のもとに立ち寄った帰りに逮捕された。安藤輝三は、同連隊の中隊長だった秩父宮雍仁親王（本書123頁で描写）と親しく、のちの二・二六事件では鈴木貫太郎に瀕死の重傷を負わせて死刑に処せられることになる。

＊57　1932年（昭和７年）３月16日、首相官邸を訪問した西園寺公（左）とそれを出迎える犬養首相（右）（翌17日付「東京朝日新聞」）。お辞儀の角度が上下関係を物語っている。

＊57　1932年（昭和７年）５月20日、犬養内閣の後継内閣の御下問に奉答するために坐漁荘をでる西園寺公望（同日付「東京朝日新聞」）

＊59　たとえば「大化の改新」など。大化の改新は、六四五年（大化元年）、中大兄皇子（のちの天智天皇）が中臣（のちの藤原）鎌足の助けを得て蘇我入鹿を暗殺し、蘇我蝦夷を自殺に追いこんだ事件。蘇我氏の専制を排除し、一連の改革の端緒となり、天皇を中心とする律令政治の基礎を築いたことで、昭和初期のクーデターの模範とみなされた。

＊60　『忠臣蔵』などが念頭に置かれている。赤穂浪士（本文215頁にもでてくる）は、とりわけ幕末の尊皇論以来、忠義の手本、武士道の精華であるとされ、「赤穂義士」と呼ばれていた。

＊61　原文は「ポーツマス条約」となっているが訂正した（ワシントン条約については訳注34を参照。原敬首相の暗殺については訳注36を参照）。

＊62　一九二一年（大正十年）に原敬首相を暗殺した中岡艮一は無期懲役の判決を受けたが、事件から三年後の一九二四年（大正十三年）に一回目の恩赦を受けて懲役二十年に減刑され、六年後の一九二七年（昭和二年）に二

回目の恩赦、七年後の一九二八年（昭和三年）に三回目の恩赦を受け、十三年間の獄中生活を経て一九三四年（昭和九年）に出獄した。回想録『鉄窓十三年』を書いている。

＊63　旧約聖書『伝道の書』（『コヘレトの言葉』）第四章十節「孤身にして跌倒る者は憐なるかな」による。

＊64　一九三〇年（昭和五年）に浜口首相を狙撃した佐郷屋留雄は、ヴィオリス日本滞在中の一九三二年（昭和七年）四月二十二日に一審で死刑判決を受け、翌年に上告審で死刑が確定したが、恩赦によって減刑され、のちに出獄することになる。

＊65　原文は「一九二七年」だが訂正した。普通選挙法の成立は一九二五年（大正十四年）。第一回普通選挙は一九二八年（昭和三年）。93～94頁も同様に訂正した。

＊66　原文は「鉄筋コンクリート」だが「木造」に訂正した。現在の永田町の国会議事堂は、外観はほぼできあがっていたが（本文57頁参照）、まだ完成はしておらず、竣工式は一九三六年（昭和十一年）におこなわれた。それまでは日比谷公園の西隣に建てられていた木造の仮議事堂が使用されており、政治的な陰謀のうず巻く劇場になぞらえて「日比谷座」とも呼ばれた。

＊67　高橋是清は一八五四年（嘉永七年）生まれ。ヘボン塾

＊66　写真中央の大通りが通称「国会通り」で、突きあたり右奥には建設中の新国会議事堂が見える。この大通りの左側で、正面玄関に柱廊が等間隔にならぶ低い建物が仮国会議事堂（貴族院と衆議院）。大通り沿いの右側（写真中央）にそびえる鉄塔は海軍省のアンテナ。写真右手前の樹木の多い一帯が日比谷公園の一部で、風変わりな野外音楽堂の建物が見える（『大東京寫眞帖』忠誠堂、1933年）。

で英語を学び、一八六七年（慶応三年）に留学するが、だまされて米国カリフォルニア州で奴隷となり、一八六八年（明治元年）に帰国した。日露戦争では日銀副総裁として戦費調達に成功し、政友会に入党して複数の内閣で大蔵大臣となり、原敬首相の暗殺後は半年間、内閣総理大臣も務めた。一九二七年（昭和二年）の金融恐慌では景気を回復させ、一九三一年（昭和六年）末に組閣された犬養内閣でも蔵相となると、すぐに金輸出を再禁止し、積極財政によって経済を立て直した。本文の一九三二年（昭和七年）三月当時は数えで七十九歳。この後、犬養首相が暗殺されると臨時で総理となり、次の斎藤内閣でも蔵相に留任したが、軍事費の抑制に動いたことで軍部の恨みを買い、一九三六年（昭和十一年）の二・二六事件で暗殺されることになる。

＊68 「野党屈指の手ごわい論者」とは、弁護士出身の巧みな弁舌で人気のあった民政党の斎藤隆夫のことだと思われる。斎藤隆夫は一九三二年（昭和七年）三月二十二日の衆議院本会議で演壇に立ち、むかし明治時代の大逆事件のときに犬養首相は桂(かつら)内閣の責任を追及した過去があるのに、今回、桜田門事件（一九三二年一月八日に朝鮮人テロリストが天皇の馬車に爆弾を投げつけた事件）の責任をとって辞任しないのはおかしいと論じ、これに対して犬養首相は「しりぞいて腹を切るより、進んで責任を果たす考えから留任した」と答弁した（三月二十三日付「東京朝日新聞」）。ここから、ヴィオリスが議会を傍聴したのは一九三二年三月二十二日だったと推定される。のちの斎藤隆夫自

＊67　犬養首相の暗殺後、臨時で総理大臣に任命された高橋是清（「歴史寫眞」昭和7年7月号）

＊68　本文の４年後の1936年（昭和11年）に衆議院で質問演説をする斎藤隆夫（同年５月８日付「東京朝日新聞」）

身の回想によると、「私は午後六時登壇、約五十分の演説を終りて降壇したる時は、同僚より大成功なりとの讃辞を呈せられ（……）続いて犬養首相登壇したるが（……）一国の宰相たる地位に似あわしからざる口吻と狼狽の態度をもって、支離滅裂の答弁をなした」（斎藤隆夫『回顧七十年』中公文庫、一〇六頁）。このときの議会内のようすがヴィオリスの筆によってよく描写されている。この後、斎藤隆夫は一九四〇年（昭和十五年）に衆議院で支那事変の泥沼化を問いただす演説をおこない、「反軍演説」であるとして議員除名処分を受けることになる。

＊69　八年前の一九二六年（大正十五年）の松島遊廓疑獄事件を指す。実際には大臣ではなく、党役員などの有力政治家が詐欺容疑で起訴された（ただし無罪）。このとき、若槻礼次郎首相と床次竹二郎政友本党総裁も予審訊問を受け、スキャンダルとなった（ただし不起訴）。

＊70　ヴィオリス滞日中の一九三二年（昭和七年）四月、明治製糖（明糖）脱税疑惑事件が表面化し、新聞各紙でスキャンダルとして大きくとりあげられたが、大臣経験者は関係していない。これよりもすこし前の一九二九年（昭和四年）の五私鉄疑獄事件では、田中義一内閣の鉄道大臣小川平吉が有罪となり、これが政治不信の原因のひとつとなったとされているので、おそらくこちらと混同されているか。

＊71　院外団とは、議院（衆議院）の中で政治活動をおこなう代議士に対し、議院の外で政治活動をおこなう一団のこと。まじめに遊説をする見習い政治家もいたが、多くは「国を憂える壮士」といった風を装いながら、反対政党の演説のぶち壊しや、支持する代議士の護衛に従事し、しばしば乱闘騒ぎを演じただけでなく、政治家や財界人にたかって金銭をせしめたり、喧嘩の仲裁を買ってでるなど、暴力団と変わらない者も多かった（摩天楼・斜塔『院外團手記』時潮社、一九三五年、五六頁以降）。

＊71　民政党の院外団と政友会の院外団の乱闘によって壊れた予算委員会の通路のガラス戸（「歴史寫眞」昭和６年３月号）

＊72　労働農民党（いわゆる労農党）は、一九二八年（昭和三年）の第一回普通選挙で二議席を獲得したが、同年に解散命令を受け、新「労農党」を経て、一九三一年（昭和六年）に全国労農大衆党に合流していた（141頁、146頁参照）。

＊73　来日前の一九三二年（昭和七年）一月二十八日、上海事変の始まる日の午前中、たまたま上海に来ていたヴィオリスは、共同租界の北の日本人街にある虹口公園まで車を走らせてようすを見にいってから、ふたたび共同租界にもどり、約二百人の日本兵による演習を眺めていたところ、日本軍の中尉に呼びとめられた。この中尉は許可証を求めたが、ヴィオリスは共同租界にいるかぎり許可証は不要のはずだと答え、中尉はしかし日本軍の兵営を眺めていたではないかといい張り、ヴィオリスは眺めことは禁止なのかと反問し、あまり英語ができない中尉は激昂して押し問答となったが、日本の文官が現れてその場を収めたという話が『上海と支那の運命』にでてくる（Andrée Viollis, *Changhaï et le destin de la Chine*, Paris, R.-A. Corrêa, 1933, p.136-138）。

＊74　「便衣」とは「民間服」のことで、便衣兵とは、軍服を着用せずに民間服を着てゲリラ戦などの戦闘行為を働く兵隊のこと。国際法では、民間人を攻撃することが禁じられていたぶん、民間服姿で戦闘に参加することも禁じられていた。

＊74　満洲事変で日本軍に捕らえられた便衣兵とされる2名。民間服の下に隠し持っていた弾薬を首にかけさせられているところ（世界知識増刊『滿洲事變の經過』新光社、1932年）。

＊75　本文の3年後の1935年（昭和10年）、満洲国皇帝の愛新覚羅溥儀が初来日したときに代々木練兵場でおこなわれた観兵式のようす（当時の絵葉書）。

＊75　一九三二年（昭和七年）四月二十九日の天長節は、昭和天皇の満三十一歳の誕生日だった。この日、午前八時十五分に天皇は大元帥としての正装で宮城をでて代々木練兵場（現代々木公園）の観兵式に臨み、午前九時三分から白馬にまたがって閲兵したのち、分列行進を親閲、式典は午前十時十七分に終了した（四月三十日付「東京朝日新聞」）。このおなじ日、上海では天長節の祝賀会場となった虹口公園で朝鮮人が爆弾テロ事件を起こし、白川義則大将が重傷を負って死亡し、重光葵や植田謙吉中将（221頁参照）も重傷を負った。

＊76　おそらく東京偕行社か。偕行社は陸軍将校向けの社交クラブのような組織で、東京では靖国神社の鳥居の前（九段坂上）にあった。一九三〇年（昭和五年）には新館が建てられ、ここから東京市内を一望することができた。

＊76　偕行社新館の外観と屋上からの東京市内の眺め（当時の絵葉書）

＊77　ジャン＝バティスト・クレベール、フランソワ・セヴラン・マルソー、ラザール・オッシュは、いずれもフランス革命からナポレオンの頃にかけて活躍した将軍の名。

＊78　マルヌ会戦とヴェルダンの戦いは、第一次世界大戦（当時は「欧州戦争」とも呼ばれた）における主要な戦い。フォッシュ、ジョッフル、ペタンの三人は、いずれも同大戦でフランス軍を指揮した元帥。

＊79　リットン調査団の一員でフランス代表のアンリ・クローデル中将のこと（駐日フランス大使を務めたポール・クローデルも姓はおなじだが関係ない）。クローデル中将は親日家として知られ、「リットン卿にたてついて、日本に有利な結論に導こうとし（……）卓を叩いてリットン卿に喰つて掛つた」（昭和七年九月十四日付「神戸又新日報」）。荒木中将の麾下の将校たちがフランスに対して友好的だったのは、このクローデル中将の態度も影響していたのではないかと思われる。ちなみに、北一輝も、一九三二年（昭和七年）四月十七日付で政府要人に書

き送った「對外國策ニ關スル建白書」で、英米を牽制するために日仏同盟を結ぶことを説いており、当時は一部の陸軍関係者のあいだでフランスに対して友好的な雰囲気があったのかもしれない。

＊80 マルスはローマ神話の戦いの神。ベローナはマルスの妻または妹とされる戦いの女神。古代ローマのウェルギリウスの叙事詩『アエネーイス』第八巻七〇三には、マルスと並んで、血のしたたる鞭を持ったベローナが登場する。

＊81 フランスの作家アンドレ・ベルソールは二回日本を訪れている。初来日は一八九七年（明治三十年）で、これに基づき日本論『日本の社会』（一九〇二年）と日本滞在記『日本の昼と夜』（一九〇六年、日本語訳は『明治滞在日記』新人物往来社）を書いた。再来日は一九一四年（大正三年）、第一次世界大戦の開戦とほぼ同時期で、このときはのちに京都大学仏文科の教授となる太宰施門に資料集めなどの点で協力を得ているが（太宰施門『フランス生活』創元社、一九四六年、二頁）、このときの体験をもとに極東滞在記『戦争初期の極東における一フランス人』（一九一六年）と日本論『新しい日本』（一九一八年）を書いている。この最後の『新しい日本』の第四章において、一九一二年に英国人バジル・ホール・チェンバレンが発表した小論「新宗教の発明」（チェンバレン『日本事物誌』「武士道」の項に再録）を援用しながら、ベルソールは仏教と神道に代わる「新しい宗教」としての武士道について論じている。

＊79 1932年（昭和７年）２月29日の早朝に来日し、午後に首相官邸を訪れて犬養首相（前列中央）をかこむリットン調査団の５人。順に、英国のリットン卿（前列左）、イタリアのアルドロヴァンディ伯爵（前列右）、ドイツのシュネー博士（後列左）、フランスのクローデル中将（後列中央）、米国のマッコイ少将（後列右）（BNF/Gallica）。このうちシュネーは『「満州国」見聞記』（講談社学術文庫）を書いており、本書と比較するとおもしろい。

＊82　グリブイユは、フランスの民間伝承で、雨に濡れるのを恐れて水のなかに飛びこんでしまった間抜け者の名前。一般に、危険を避けようとして、さらに大きな危険に飛びこんでしまう愚か者についていう。ヴィオリスがここで揶揄するような喩えをもちだしたのは、驚きを通り越して理解不能に感じ、その当惑をまぎらわすためであったようにもみえる。

＊83　以上、一九二三年（大正十二年）の北一輝『日本改造法案大綱』（もとになった一九一九年の『國家改造案原理大綱』もこの前後はほぼ同文）巻八からの引用だが、字句が多少異なっている。ここでは、あくまでヴィオリスのフランス語から訳した。

＊84　逐語訳ではないので、ヴィオリスのフランス語にもとづいて訳した。ただし、天照大神の神勅（二重カギかっこ部分）は一九二七年（昭和二年）発行『尋常小學國史上巻』（文部省）から引用した。

＊85　この三種の神器の説明は第九章（96頁）とはすこし異なっている。ちなみに、ヴィオリスが仏訳か英訳で読んだと思われる荒木貞夫『昭和日本の使命』（社會教育協會、一九三二年、一九頁、訳注167参照）には、「鏡は公明正大を象徴し、勾玉は仁愛を意味し、劍は勇斷を示現する」と書かれている。

＊86　一九〇八～一一年（明治四十一～四十四年）の第二次桂内閣で農商務大臣を務めていた大浦兼武のこと。次で引用されているのは、「ほんの数年前」ではなく二十年以上も前に大浦大臣が「学生」誌（富山房）一九一一年二月号に寄稿した論文「尊皇宗を擁護せよ」のなかでしるした言葉。この大浦兼武の文章は、一九一二年にバジル・ホール・チェンバレンが執筆した小論「新宗教の発明」（訳注81参照）で引用されており（『日本事物誌1』平凡社東洋文庫、一九六九年、九三頁）、この『日本事物誌』は一九三一年（昭和六年）にフランス語訳がでて

＊82「濡れないようにと、グリブイユは水のなかに入ってしまった……。」と書かれた当時のフランスの子供むけカード

いるので、ヴィオリスはこれを読んで孫引きしたものと推測される。ここではあくまでヴィオリスのフランス語訳から訳した。

＊87　松井石根陸軍中将（当時）のことか。

＊88　一九三二年（昭和七年）四月二十六・二十七日、靖国神社において、満洲事変・上海事変などで戦死した英霊五三一名を合祀するためにとりおこなわれた臨時大祭のこと。この二日目にあたる二十七日に昭和天皇が親拝し、これを千人以上の遺族が出迎えた（『靖国神社百年史 資料篇 中』靖国神社、一九八三年、一三頁）。

＊89　当時は毎年、春は観桜会、秋は観菊会が新宿御苑で催されていた。一九三二年（昭和七年）の観桜会は四月十九日だった。この日、昭和天皇は鈴木貫太郎侍従長の陪乗する車で午後二時四十五分に新宿御苑に到着し、犬養首相や各国大使などを引見したのち、庭を散策し、午後三時五十分に還幸した（翌二十日付「東京朝日新聞」による）。侍従次長だった河井弥八の日記には、「八重櫻三分咲にして少しく早し。夜來の大雨、塵埃を洗除して清爽を加へたり。皇族十三殿下御參會」と書かれている（『昭和初期の天皇と宮中 侍従次長河井弥八日記』第六巻、岩波書店、一九九四年、七六頁、ただし正字体に改めた）。

＊90　鈴木貫太郎侍従長のことか。

＊91　一九二八年（昭和三年）三月十五日に共産主義者を一斉検挙した三・一五事件のこと（小林多喜二の短編小説『一九二八年三

＊88　1932年（昭和７年）４月29日の天長節当時の昭和天皇（同年４月29日付「東京朝日新聞」）

＊89　新宿御苑の桜の咲く小道（『新宿御苑御寫眞』宇佐美寫眞館、1934年）。御苑内には一重と八重の桜の老樹約千二、三百本が植えられていた。

月十五日』の拷問の場面が有名）。このときに逃れた共産主義者を対象として、翌一九二九年（昭和四年）四月十六日におこなわれた一斉検挙が四・一六事件。この二つの事件で逮捕された大勢の被告をまとめて審理するための「統一公判」は、満洲事変前の一九三一年（昭和六年）六月二十五日に始まり、ヴィオリスが日本を離れた翌月にあたる一九三二年（昭和七年）七月二日までつづけられた。

＊92 「共産主義との訣別」とは「転向」のこと。この原注は本書が刊行される一九三三年（昭和八年）三月の直前の時期に追加されたが、刊行後の同年六月七日には佐野学と鍋山貞親が転向声明を発表し、翌七月には三田村四郎も転向するなど、同月末までに未決囚・既決囚の約三分の一が転向した。

＊93 原文は「Sato」だが訂正した。次の文にかけては若干の事実誤認があり、この日に判決がいい渡された被告人の合計が百八十一人で、そのうちここにしるされた四人が無期懲役となり、執行猶予となったのは二十六人だった。

＊94 「二十五歳から三十歳くらい」で、数行前にあるように「ロシアに留学したことのあるインテリ」の「指導者の一人」ということから推測すると、高橋貞樹（さだき）ではないかと思われる。高橋貞樹は一九〇五年（明治三十八年）生まれで、若くして『特殊部落一千年史』を書いてから一九二二年（大正十一年）の第一次共産党の創立に参加、その後ソ連の国際レーニン学校に留学しており、片山潜を介して紹介された勝野金政（きんまさ）は「純インテリ出身のやうに感じた」と印象を述べている（『ソ聯邦脱出記』日露通信社出版部、一九三四年、三六頁）。高橋貞樹は四・一六事件で検挙されると、獄中で統一公判の「法廷委員」（本文中のいわゆる「指導者」）の一人に選ばれ、一九三一年（昭和六年）には代表陳述をおこなった記録が残っている（『現代史資料⒅ 社会主義運動五』みすず書房、一九六六年）。一九三二年（昭和七年）当時は数えで二十八歳だったが、ヴィオリスが裁判を傍聴した同年四～五月頃では、いつ法廷に立ったのか不明。この後、獄中で転向し、一九三五年（昭和十年）に病没する。

＊95 小山内薫（おさないかおる）とともに築地小劇場をつくった土方与志（ひじかたよし）（本名土方久敬（ひさよし）伯爵）のこと。原文は「子爵」だが訂正した。築地小劇場は、関東大震災の翌年にあたる一九二四年（大正十三年）に完成し、プロレタリア演劇の拠点と

なった。この後、一九三二年（昭和七年）九月、プロレタリア文学への弾圧（訳注113参照）の一環として土方与志も検挙され、一九三四年（昭和九年）には爵位を剝奪されることになる。

＊96 上海事変で戦死した林大八少将（108頁参照）の長男、林俊一のこと。一高在学中の一九三一年（昭和六年）十一月に共産青年同盟に加入して翌月退校を命じられ、家族とも音信を絶ち、共産青年同盟の川崎鶴見地区のオルグ（勧誘活動家）となっていたところ、一九三二年（昭和七年）二月に不穏なビラを配って逮捕されたという（四月九日「東京朝日新聞」による）。ちなみに、その弟（林大八少将の次男）の林八郎歩兵少尉は二・二六事件で叛乱軍に加わって処刑されることになる。

＊97 原文は「Ikki Miyama」。本文のもうすこし先で、「こんな格好ですが、ある大きな国家主義団体（＝国家社会主義新党準備会。訳注108参照）の書記をつとめており、目下、ある社会主義ファシズム団体（＝日本国家社会党）の設立に携わっています。これでも有力者の一人、『要人』の一人なんですよ。」と書かれているので、両団体で重要な役割を果たしていたと思われるが、一九三二年（昭和七年）前後の内務省警保局保安課「特高月報」等にあたって両団体や社会民衆党の詳細な役員・中心人物の表を調べてみても「ミヤマ イッキ」という名前の人物は見あたらず、本名でない可能性が高い。声をひそめて共産党のシンパであること（本文131頁）を告白したりしているので、本名は伏せてくれとヴィオリスに頼んだのではないかと想像される。したがって漢字表記も不明で、姓だけでも美山、深山、宮間などいろいろな可能性が考えられるが、とりあえず渡辺一民『フランスの誘惑――近代日本精神史試論』（岩波書店、一九九五年）にしたがって「三山一輝」としておく。あるいは本書にもでてくる北一輝（本名北輝次郎、113頁参照）を意識して筆名としたのかもしれない。ヴィオリスの手帳を見ると、日本滞在中に何人かの日本人の名前がしるされており、その多くは姓だけなので人物の特定が困難となっているが、そのなかで山田 Yamada という姓がもっとも多く、四月十八日を皮切りに十回ほどもでてくる。三山一輝と初めて会った（130頁）のが本文の内容からして四月十六日だったと推定されるので（137頁および訳注103参照）、初回は偶然に会ったのだから予定には書きこめなかったとして、その二日後あたりから頻繁に会うようになったとす

ると辻褄があうから、もしかしてこの「山田」が三山一輝の本名なのだろうか。また、248頁の「奈良公園で鹿に餌をやるヴィオリス」の写真でヴィオリスの横に立っている男性は、もしかして三山一輝だろうか。

＊98　当時の「円タク」（訳注30参照）では、手動でドアを開閉したりタイヤのパンクを修理したりするために、運転手のほかに助手が乗りこんでいた。ちなみに、血盟団事件の実行犯の何人かは、東京市内の地理に通じるために円タクの助手のアルバイトをしていた（小沼正『一殺多生』読売新聞社、一九七四年、一八〇頁他）。

＊99　東銀座の歌舞伎座の西隣の交差点の角にあったカフェー「バー・ラパン」のことか。当時の「カフェー」は「女給」が接客するバーのようなもので、「ラパン」はフランス語で「うさぎ」を意味する（永井荷風や菊池寛が通った「タイガー」や現在はビアホールとなっている「ライオン」など、動物の名の店が多かった）。「バー・ラパン」では、一九二九年（昭和四年）から一九三〇年（昭和五年）にかけてアララギ派の女流歌人原阿佐緒も働いていた（原阿佐緒「純への絶縁状」、「婦人公論」昭和五年九月号、一九三〇年、二一〇頁および野口孝一『銀座カフェー興亡史』平凡社、二〇一八年、一〇五頁）。当時はこうした「カフェー」の全盛期で、永井荷風によると「銀座通の裏表に處を擇ばず蔓衍したカフヱーが最も繁昌し、又最も淫卑に流れたのは、今日から回顧すると、

＊99　1933年（昭和８年）頃に南西側の上空から撮影された歌舞伎座。その左隣の交差点に面した三角形の泰聖ビルの１階に「バー・ラパン」が入っていた（『大東京寫眞案内』博文館、1933年、博文館新社1990年復刻）。

＊98　銀座４丁目の交差点付近に停まる円タク。右奥の建物は1932年（昭和７年）に完成したばかりの服部時計店（現在の和光）（昭和７年９月号「主婦之友」附録「大東京名所繪はがき集」）。

この年昭和七年の夏から翌年にかけてのことであつた」（永井荷風『濹東綺譚』「作後贅言」）。また、谷崎潤一郎によると、震災後つまり昭和初期に急に増えた知識人タイプの東京人や「モダンボーイ」と呼ばれる人々は、むかしの江戸っ子のように派手に芸者を揚げて騒ぐのではなく、自分の「趣味にかなつた小ぢんまりしたカフエーに行き、薄暗いボックスの隅に収まって目立たぬやうに（……）女給を相手にヒソヒソコソコソと私語することを楽しみと」していた（「東京をおもふ」、「中央公論」昭和九年四月号）。三山一輝もこの類型に当てはまるかもしれない。

＊100　「海軍の男たち」は、一九三一年（昭和六年）のドイツのミュージカル映画 *Bomben auf Monte Carlo*（『モンテカルロ爆撃』）の仏語版（同年）*Le Capitaine Craddock*（『クラドック大尉』）にでてくる歌で、ジャン・ミュラ Jean Murat が歌ってヒットした。一九三二年（昭和七年）にヴィオリスが訪れた「バー・ラパン」では、このフランス語の歌が流れていたと思われる。本書刊行の翌年にあたる一九三四年（昭和九年）、日本でも『狂乱のモンテカルロ』という邦題で映画が公開され、歌は「これぞマドロスの恋」という題で奥田良三（りょうぞう）が歌って流行したが、歌詞はまったく異なる。

＊101　一九二三年（大正十二年）の関東大震災の直後、社会主義者の大杉栄（さかえ）と内縁の妻、および甥が甘粕（あまかす）正彦憲兵大尉に殺害された事件（甘粕事件）。

＊102　日本が満洲に進出するのは当然だという意味がこめられている。

＊103　一九三二年（昭和七年）四月十五日、安部磯雄を戴く社会民衆党から、片山哲（てつ）らの主流派と対立した赤松克麿の一派が脱党した（訳注108参照）。ここから、本書第十二章は四月十六日の話だったとことがわかる。

＊104　おそらく「軍艦行進曲」（軍艦マーチ）のことか。当時の「軍艦行進曲」には「海ゆかば」が組みこまれていたが、この「海ゆかば」は大伴家持の詞に「君が代」に似た旋律をつけた「純粋に日本的」なものだった。ちなみに、今日よく歌われるゆったりした旋律の「海ゆかば」は一九三七年（昭和十二年）に信時潔（のぶときさよし）が作曲したものので、一九三二年（昭和七年）当時は威勢のよい「軍艦行進曲」のメロディーにのせて「海ゆかば」が歌われて

いた。

＊105　安部磯雄は、一八六五年（元治二年）、福岡の黒田藩の武士の家柄に生まれた。海軍軍人を志し、英語を学ぶために京都の同志社に入学するが、新島襄（じょう）の感化を受けてキリスト教の牧師となり、さらに米国留学や英国滞在を経て社会民主主義への傾倒を深めた。早稲田大学（慶応大学ではない）で教鞭をとり、早大野球部を創設して日本野球の父とも呼ばれた。一九二六年（大正十五年）に社会民衆党を結成して政治家に転身し、一九二八年（昭和三年）の第一回普通選挙に立候補して当選、衆議院議員となった。一九三一年（昭和六年）に満洲事変が起きると、党内の意見が二分し、自身は満洲での軍事行動に反対の立場をとったが、これに賛成する赤松克麿一派が一九三二年（昭和七年）四月十五日に脱党（訳注103参照）したことで党勢が衰えた。この直後にヴィオリスのインタビューを受けている（数えで六十八歳）。この後、同年七月二十四日、おなじく軍事行動に反対する麻生久とともに社会大衆党を結成するが、一九四〇年（昭和十五年）に反軍演説（訳注68参照）をおこなった斎藤

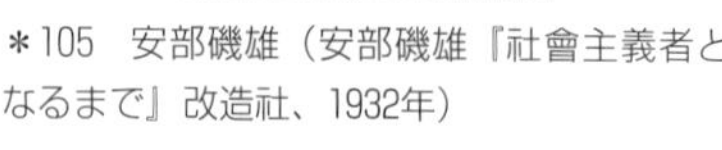

＊105　安部磯雄（安部磯雄『社會主義者となるまで』改造社、1932年）

＊105　1932年（昭和７年）７月24日に合流して社会大衆党を結成した社会民衆党の安部磯雄（左）と全国労農大衆党の麻生久（右）（翌25日付「東京朝日新聞」）

隆夫の議員除名に反対する立場をとり、社会大衆党から除名されることになる。

＊106　たとえばフランスの社会主義者で文豪のアナトール・フランスの風貌が連想される。

＊107　社会民衆党の当選者数は、一九二八年（昭和三年）二月の第一回普通選挙では四名、一九三〇年（昭和五年）二月の第二回普通選挙では二名、一九三二年（昭和七年）二月の第三回普通選挙では三名だった（河野密『日本社会政党史』中央公論社、一九六〇年、一一〇～一一五頁）。

＊108　赤松克麿は一八九四年（明治二十七年）生まれ。東京帝大在学中、多くの社会主義者・共産主義者の母体となった「新人会」の創設者の一人となり、吉野作造に指導を仰ぎ、多くのライバルを蹴落として吉野作造の娘と結婚した。一九二二年（大正十一年）に結成された第一次共産党に加わるが、関東大震災直後に共産党が弾圧されると、一転して共産党の解党を主導した。一九二六年（大正十五年）、安部磯雄の社会民衆党の結党に参加し、ついで書記長となる。満洲事変の前後から国家社会主義を唱えるようになり、満洲進出に賛成して一九三二年（昭和七年）四月十五日に社会民衆党を飛びだし（訳注103参照）、同日夜に国家社会主義新党準備会を立ち上げたが、他の党派との合流の問題から、すぐには新党結成に至らず、一か月以上経過した五月二十九日に日本国家社会党を設立した。本文には「すぐに新しいグループ『日本国家社会党』を設立した」と書かれているが、ヴィオリスと会った時点では、正確には国家社会主義新党準備会だったはずである。この新党準備会の事務所は、新橋駅の西側（当時の住所で東京市芝区桜田伏見町二の内田ビル三階十七号室）に置かれており、本文142頁以降で描かれているのは、この事務所内のようすだと思われる。当時、赤松克麿は数えで三十八歳だった。

＊109　麻生久は一八九一年（明治二十四年）生まれ。鈴木文治の友愛会に入り、労働争議に駆けつけて再三投獄され、一九二七年（昭和二年）の山東

＊108　赤松克麿（國民新聞社政治部編『非常時日本に躍る人々』日東書院、1932年）

出兵では出兵反対・対支非干渉を唱えた。無産政党による政治運動をつづけ、一九三一年（昭和六年）には全国労農大衆党を結成し、満洲事変後は軍事行動に反対する論陣を張っていた。一九三二年（昭和七年）春、数えで四十二歳のときにヴィオリスと会い、同年夏に安部磯雄とともに社会大衆党を設立する。しかし、しだいに軍部の力を利用することを考えるようになり、一九三四年（昭和九年）の陸軍省の「国防の本義と其強化の提唱」も「軍部の社会主義的傾向の表現」であるとして歓迎し、一九三六年（昭和十一年）の二・二六事件にも「革新」の意義を認めて一定の共感をよせた。一九四〇年（昭和十五年）没。

＊110　全国労農大衆党の本部は新橋駅東口のビルの二階（当時の住所で東京市芝区芝口二丁目二十三番地の新橋ビル二階二号室）に置かれていた。しかし、本文には「最上階」とあり、これとは異なるのか、詳細不明。

＊111　いわゆる第一次共産党は一九二二年（大正十一年）に設立され、翌年の関東大震災を経て、一九二四年（大正十三年）に解党していた。ここで述べられているのは、再建されたいわゆる第二次共産党のことで、一九二六年（大正十五年）十二月、山形県の五色沼温泉で再建大会が開かれた。

＊112　「反帝新聞」は反帝国主義と反戦をとなえる日本反帝同盟の機関紙。「赤旗」は日本共産党の機関紙だが、戦前は「あかはた」ではなく「せっき」と読まれていた。

＊110　新橋駅から北側の有楽町・銀座方面を見たようす。このあたりは線路が高架線となっている（『大東京寫眞帖』忠誠堂、1933年）。

＊109　1928年（昭和３年）の普通選挙に立候補したときのポスター（麻生久伝刊行委員会『麻生久傳』1958年）

＊113　一九三二年（昭和七年）三月以降、中野重治、村山知義、蔵原惟人、宮本百合子ら日本プロレタリア文化連盟（略称コップ）の作家があいついで大量に検挙された。これに関しては宮本百合子が「一九三二年の春」という短編小説を書いている。

＊114　原文は「Sugihara」。法律学者で戦後は弁護士となった杉之原舜一のこと。一八九七年（明治三十年）生まれ。京都大学で法律学を学び、九州大学をはじめ多くの大学で教鞭をとった。一九三一年（昭和六年）に非合法だった共産党に入党し、共産党中央の資金局の責任者となるが、特高からのスパイだった「スパイM」こと飯塚盈延に密告されて一九三二年（昭和七年）に検挙された。河上肇の『自叙傳』（第二巻・第三巻）では「杉ノ原」舜一と表記され、共産党員として河上肇に接触して共産党への寄附金を呼びかけたことや、検挙後に予審判事に洗いざらい供述したことなどが書かれているが、後者については、杉之原舜一の回想録『波瀾萬丈――一弁護士の回想』（日本評論社、一九九一年）で河上肇の勘ちがいであることが示唆されている。杉之原の検挙当時の新聞（昭和七年九月十三日付「讀賣新聞」）にはこう書かれている。「警視廳特高部のいはゆるインテリ・シンパに對する一斉検擧は、去る八月上旬から間斷なく進められ、檢擧者二十余名を出して、同月末一先づ一段落を告げたところ、數日前またも小石川富坂署で元九州大學・東京女子大・横濱専門學校教授、現日本大學教授で我が國プロ民法學の權威松原舜一（三六）氏を（……）自宅から檢擧した（……）松原氏は（……）東京女子大、日本女子大の左翼學生を使用して黨シンパに對する『赤旗』の配布を行わせ（……）」（別途「『松原』は『杉原』の誤植につき訂正す」と記載）。なお、ヴィオリスの原文では「日本自由大学」となっているが、単に「日本大学」と訳した。このあたり（148〜152頁）は一九三二年（昭和七年）十月以降に加筆された部分にあたる。

＊115　一九三二年（昭和七年）九月二十二日付「東京朝日新聞」によると、「軍隊及び軍需品工場の赤化を企てんとする共産黨の活動は最近ますます盛んとなり、黨中央部に屬する軍事委員會は（……）根強き地下運動を繼續し、去る九月十五日付をもつて『兵士の友』の機關紙を發行、全面的大飛躍に移り軍事關係のあらゆる機關に黨勢の浸潤をはかると共に、空の赤化を計畫（……）。特高課では二十日夜（……）アジトを包圍し軍事委員會の

中心人物で黨中央部・商大出身・横濱専門學校講師鹿島宗二郎（二九）、深川區枝川町寶島の第一飛行學校々長上田光男（三七）、東大出身遠藤忠剛（二九）（……）の五名が祕密會合中を踏み込んで檢擧、同時に機關紙『兵士の友』はじめ『赤旗』その他各種の宣傳物を多数押収して引揚げた」。同日付「讀賣新聞」によると、これは「深川洲崎」にある「東京第一飛行學校」で、飛行機から共産党のビラを撒くことを計画していたらしい。

＊116　一九三二年（昭和七年）九月二十七日に文部省で始まった全国師範学校長会議のこと。会議の冒頭で、斎藤実内閣の文部大臣鳩山一郎が次のように訓示した。「健全なるべき小學校教員中に往々にして極左運動に關係する者をも生じ、昭和四年以來、之に關する檢擧件數三十五件、關係教員二百九十二人の多數に達し、地域は一道二十四府縣、朝鮮にも及びましたことは國家の爲實に痛心の至りであります」（翌二十八日付「讀賣新聞」夕刊）。鳩山一郎は、一九三〇年（昭和五年）、民政党の浜口内閣を攻撃するために、犬養毅とともにはじめて「統帥権の干犯」を問題にし、結果的に軍の不可侵性を強めてしまったことで知られ、戦後は吉田茂のあとをついで総理大臣になった（鳩山由紀夫・邦夫兄弟の祖父）。

＊116　当時の鳩山一郎（「キング」昭和８年５月号附録「時局問題 非常時國民大會」）

＊117　原文は「Nihon Kokousai Kai Hombu」。一九一九年（大正八年）、原敬内閣の内務大臣床次竹二郎らによって設立された国粋会（大日本国粋会）は、一九三二年（昭和七年）当時は「大日本国粋会総本部」と称していた。同会の会員は「院外団」（訳注71参照）のような存在として、しばしば労働争議の妨害（ストライキ破り）に携わり、暴力団呼ばわりされた。また、江戸時代の任侠の精神に基づき、血約によって家族のように団結を固めていたことから、次の文の「旧体制下の家族のような党員」といった表現が生まれたと思われる。

＊118　原文は「Gyochi Shai」（末尾のiは不要）。「行地社」は「こうちしゃ」と読まれることも多いが、日本語が

ほとんどできないヴィオリスがこのようにローマ字で綴ったということは、行地社のメンバーないしはヴィオリスの案内役が「ぎょうちしゃ」と発音していたことを示している。行地社は大川周明が中心となっていた団体。

＊119　立憲養正会は「八紘一宇」という言葉の名づけ親として知られる田中智学（ちがく）が創設した団体。

＊120　47頁、77頁参照。

＊121　当時のフランス（第三共和政）では、政府の軍部に対する不信感に基づき、軍人は個人の意思表示が禁じられ、選挙権ももたなかった。日本でも、明治天皇の軍人勅諭、帝国憲法第三十二条に対する伊藤博文『憲法義解』による注釈、陸軍刑法第百三条および海軍刑法第百四条によって軍人の政治への関与は禁止され、やはり軍人は選挙権をもたなかったが、満洲事変の頃から軍人が政治に口を挟むようになってきたという（斎藤隆夫『回顧七十年』中公文庫、二五二頁）。南次郎陸軍大臣の訓示が物議をかもした（訳注42参照）のも、この流れで理解することができる。

＊122　平沼騏（き）一郎は、一八六七年（慶応三年）、津山藩士の子として生まれた。司法畑を歩み、一九一〇年（明治四十三年）の幸徳秋水の大逆事件では検事を務めた。検事総長や大審院長を歴任し、一九二一年（大正十年）に国粋主義団体「国本社」が設立されると会長に就任して隠然たる勢力を築き、その後も司法大臣や枢密院副議長などを務め、満洲事変後は首相に推す声もあったが、西園寺公望に嫌われて実現しなかった。一九三二年（昭和七年）、数えで六十六歳のときにヴィオリスと会っている。この七年後の一九三九年（昭和十四年）に首相に就任するが、独ソ不可侵条約を受けて「複雑怪奇」の声明を出して半年あまりで総辞職した。太平洋戦争末期の一九四五年（昭和二十年）二月、昭和天皇が総理経験者らを一人づつ

＊122　1939年（昭和14年）の内閣総理大臣親任式の日の平沼騏一郎（『平沼騏一郎回顧録』同編纂委員会、1955年）

呼んで具体策を求めたことがあったが、そのときの平沼騏一郎の話は抽象的で、「さながら漢書の講義を聞く思いがした」と立ち会った侍従長藤田尚徳が感想をもらしている（『侍従長の回想』講談社、一九六一年、四七頁）。

＊123　国本社の本部は東京市麹町区（現千代田区）平河町六丁目にあった。

＊124　国本社の理事の一人、本多熊太郎のこと。本多熊太郎は一九二四〜六年（大正十三〜五年）に駐ドイツ大使を務めた。原文では「ロンドンで大使をつとめたことのある」と書かれているが訂正した。

＊125　ここで引用されている四つの言葉のうち、一番目の言葉の典拠は不明だが、あるいは明治天皇の「五箇条の御誓文」の「廣く會議を興し、萬機公論に決すべし」あたりを通訳がルソーの『社会契約論』などに引きつけて意訳したものか。二番目は『日本書紀』にある崇神天皇の「農は天下の大なる本なり」。三番目は仁徳天皇の「古の聖王は、一人も飢ゑ寒れば顧みて身を責む。今百姓貧しきは則ち朕が貧しきなり」。四番目は雄略天皇の「心を小め己を勵まして日一日を慎むことは、蓋し百姓の爲の故なり」（以上『訓読日本書紀 中巻』黒板勝美編、岩波文庫、一九三一年による）か、または後醍醐天皇の御製「世治まり民安かれと祈るこそ我が身につきぬ思ひなりけれ」あたりを意訳したものか。

＊126　硫酸アンモニウム（略して「硫安」）は化学肥料（窒素肥料）の一種。

＊127　日本で生糸（絹糸）を出荷するときは、国内むけには三十七・五キログラム（十貫）を一梱として筵に包んだが、海外むけには六十キログラム（十六貫）を一俵として梱包した。

＊128　結局、一九三四年（昭和九年）二月一日、いわゆる「製鉄合同」が実現し、官営八幡製鉄所（北九州）と民

＊124　本多熊太郎（1932年11月1日付「ル・プチ・パリジヤン」紙にヴィオリスの文章とともに掲載された写真）

間五社（北海道室蘭市の輪西(わにし)製鉄、岩手県の釜石鉱山、川崎市の富士製鋼、朝鮮の兼二浦(けんじほ)の三菱製鉄、九州製鋼）があわさり、日本製鉄が発足することになった。なお、この段落の二つめの文で、「八幡製鉄所」にあたる原文が「Yamato Steel Cy」となっているが訂正した。

＊129　ここで「私たち」と複数形になっているのは、通訳も同行していたからかと思われる。なお、ヴィオリスの日本の西洋風レストランに対する評価は総じて低かったが、料亭のような和食の店は高く評価していた（*Le Japon intime*, p.57-63）。

＊130　フランス中部ル・クルーゾに本拠を置いていた欧州屈指の兵器製造会社シュネデール（シュナイダー）社のことか。

＊131　たとえば『ロメオとジュリエット』など。

＊132　犬養内閣の農林大臣山本悌二郎(ていじろう)は、三井財閥傘下の台湾製糖の元社長だった。また、大臣ではないが同等の実力者だった内閣書記官長の森恪(かく（つとむ）)は、政界に転じる前は三井物産に勤めていた。

＊133　経済倶楽部は、一八九五年（明治二十八年）創刊の雑誌「東洋経済新報」を発行する東洋経済新報社の外郭団体として、満洲事変勃発前の一九三一年（昭和六年）六月、同社の日本橋の新社屋（訳注134）への移転にともなって設立された。ただし、本文中（ここから節の末尾までの約五行）の説明は、経済倶楽部ではなくむしろ工業倶楽部（訳注56）について当てはまるものであり、ヴィオリスはこの二つの団体を混同していた可能性が高い。

＊134　東洋経済新報社の社屋（東洋経済ビル）は、一九三一年（昭和六年）六月、日本橋の日本銀行（現在の日本銀行本館）の北隣に建

＊134　1931年（昭和6年）に完成したばかりの東洋経済ビル（『経済倶楽部五〇年（上）』1981年）

てられたばかりだった。地下一階、地上五階の鉄筋コンクリート造りで、一階には「東洋経済新報」誌の営業部と組版課、二階には編輯部と統計課、三階から五階には経済倶楽部が入っていた。このビルは戦後取り壊されて跡地に日本銀行新館が建てられ、東洋経済新報社は二百メートル南の現在地に移転した（『東洋経済新報社百年史』一九九六年および『経済倶楽部五〇年（上）』一九八一年による）。

＊135　一九三〇年（昭和五年）十一月十六日、富士瓦斯（ガス）紡績の川崎工場ではじめて「煙突男」が現れた。川崎大師への参詣客などの五千人の野次馬が見まもるなか、ストライキ六日目となる同月二十一日に解決し、煙突男が地上に降り立った。折から、岡山・広島方面での陸軍特別大演習を終えて御召艦で海路、横須賀軍港に上陸した昭和天皇は、横須賀線で東京方面にむかっていた。この御召列車が川崎付近を通過したのは、煙突男が地上に降り立ってからわずか六分半後のことだった（同月二十二日付「讀賣（よみうり）新聞」朝刊）。本文中の記述はこれとはすこし異なるが、詳細不明。

＊136　日本初の地下鉄が銀座—浅草—上野間に開業したのは一九二七年（昭和二年）のことだったが、従業員

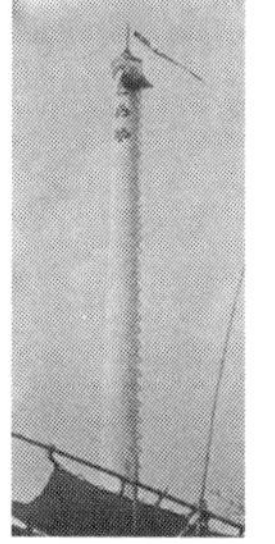

＊135　ヴィオリス東京滞在中の1932年（昭和７年）４月中旬、赤坂の和菓子店「とらや」の煙突によじのぼり、てっぺんから吊り下げたハンモックに包まれている「煙突男」（「歴史寫眞」昭和７年６月号）。おそらくヴィオリスはこの写真を見たのではないかと思われる。

＊136　「触ルト死ス」の紙を貼って鉄条網に電流を流した「地下鉄争議団本部」（３月21日付「東京日日新聞」）

の待遇が悪かったことから、地下鉄構内へのトイレの設置などを求め、一九三二年（昭和七年）三月二十日から二十三日夜まで、食料を持ちこむなどの周到な用意をしたうえで、従業員たちが地下鉄の車両に立てこもった（東京地下鉄争議）。ヴィオリスは来日早々この現場にでかけ、ストライキ中の女性たちが三味線を弾きながら歌を歌っているのを目撃した（*Le Japon intime*, p.232）。

＊137　内務省社会局長官のことか。六行後には「労働省」と書かれているが、当時は「労働省」は存在せず、労働関係は内務省社会局が所管していた。

＊138　内務省社会局では「失業状況推定月報概要」で毎月の失業者数を公表していたが、一九三二年（昭和七年）三月は四十七万三七五七人となっていて、これはヴィオリスが挙げている数字とほぼおなじである。ただし、当時の経済学者阿部賢一は、この四十七万人あまりという数字は「官廳（かんちょう）統計の杜撰（ずさん）さ」によるもので、せいぜい「實際（じっさい）の三分の一くらゐを見積つたもの」であり、失業者数は「百五十万から二百万といふのが今日の常識」であると書いている（『昭和八年毎日年鑑』一六二頁）。ちなみに、菊池寛は一九三二年（昭和七年）六月の「話の屑籠」で、「今年などの、各學校の卒業生の就職狀態など、慘憺（さんたん）たるものであるらしい。某大學の文科の卒業生など、一人も就職してゐないらしい」と書き、一九三三年（昭和八年）一月にも「學校を卒業して就職し得ない人間が自分の知つて居る範圍（はんい）でも、いかに多き事ぞ」と書いている（菊池寛『話の屑籠』不二屋書房、一九三四年）。

＊139　日本海員組合（事務所は神戸、組合長は浜田国太郎）は国際運輸労連（ＩＴＦ、当時の本拠地はアムステルダム、書記長はエド・フィメン）に加盟していたが、このＩＴＦは国際労働組合連盟（ＩＦＴＵ、通称アムステルダム・インターナショナル）に加盟していたらしく（戦時思想戦同盟「銃後思想戰に關する資料」第二号、一九三七年、八頁）、ＩＦＴＵは第二インターナショナルと密接な関係があった。ただし、実際には日本海員組合は右派系の（反動的な）組合とされ、これと対立していた左派系の海員刷新会は非合法の「海上共産党」となって弾圧を受け、壊滅状態にあった。なお、ヴィオリスは離日直前の一九三二年（昭和七年）六月上旬、海員組合

の幹部だった米窪満亮と会っている(ヴィオリスの手帳による)。
*140 旧約聖書『ダニエル書』第五章で、バビロニアの驕れるベルシャザル王が宴会をしていると、突然手の指があらわれて壁に不吉な文字を書き、まもなく王が殺害されたという逸話にもとづく。ここは、血盟団事件の「抹殺者リスト」(80頁参照)に名前が記載されているという意味が重ねられているようにみえる。
*141 紀元前一世紀の古代ローマの詩人。『牧歌』『農耕詩』『アエネーイス』の作者。
*142 自治農民協議会は、権藤成卿の理論的な影響のもとで、農本主義者の長野朗が指導者となっていた団体で、農民十万人を組織していた(昭和七年六月九日付「讀賣新聞」による)。長野朗は、石原莞爾と同期の陸軍士官学校卒で、陸軍大尉だったが、一九二一年(大正十年)に軍を辞めて支那問題の研究に打ちこみ、一時は大川周明と交わって猶存社や行地社に属したのち、農本主義者として実地での観察にもとづく多数の著書を残したが、そのうちの十八点が敗戦後に「焚書」処分となった(西尾幹二『GHQ焚書図書開封7――戦前の日本人が見抜いた中国の本質』徳間書店、二〇一二年、三五七頁他)。
*143 当時の日本は、朝鮮・台湾などの「外地」を除くと、三府(東京府・京都府・大阪府)・四十三県・一庁(北海道庁)の合計四十七府県庁に行政区分されていたが、北海道を除いて「四十六府県」という表現も使われた。
*144 一九三〇年(昭和五年)の国勢調査によると、日本の内地の人口は約六四四五万人、朝鮮・台湾・樺太・満洲(関東州および附属地)・南洋を含む総数は約九〇四〇万人(こちらは一九三二年時点での速報値)だった(『昭和八年毎日年鑑』五二一頁)。
*145 原文は「十五世紀から十九世紀まで、三世紀にわたって」だが訂正した。江戸幕府がつづいたのは実際には二六〇年余りだが、長めに「徳川三百年」と称されることも多かった。ここでいう「出生制限」や「堕胎」とは、いわゆる「間引き」や「嬰児殺し」などを指す。
*146 マルサス主義とは、十八世紀末以降の産業革命期の爆発的な人口増加を背景として、イギリスの経済学者トマス・ロバート・マルサスが『人口論』で唱えた、産児制限で貧困層を救おうとする考え。一九二二年(大正十

一年)、アメリカから産児制限を説く社会主義者のサンガー夫人(マーガレット・サンガー)が初来日し、避妊具の使用を勧めて物議をかもした。

＊147 アンドレ・シーグフリード(ドイツ語風に冒頭の「シ」を濁ってジーグフリードとも表記された)は、アルザス出身の国会議員を父にもつフランスの著名な政治社会学者・歴史学者で、日本語訳も多数でている。ここでヴィオリスが参照しているのは、一九二七年(昭和二年)に出版された『現代の合衆国』(André Siegfried, *Les États-Unis d'aujourd'hui*, Paris, Armand Colin, 1927)だと思われる。ヴィオリスがこの段落および次の二つの段落で書いている内容は、同書の第二十五章「合衆国と黄色人種」の要約・抜粋である。とくに同書にでてくる「自尊心」というキーワードは、ヴィオリス(および本書中で日本について語っている他のフランス人)にヒントを提供した可能性が高い。このシーグフリードの本は、戦前に少なくとも三種類の日本語訳がでている(一九三一年の藤井新一・藤井千代子訳『北米合衆国』、一九四一年の木下半治訳『現代のアメリカ』、同年の神近市子訳『アメリカ成年期に達す』)。

＊148 「ダイコン」とは、もちろん沢庵のこと。『内面の日本』では、「ロックフォールやマンステール〔どちらもフランスのチーズの名前〕のような圧倒的なものすごいにおいをあたりに放つ黒っぽい酢漬けのラディッシュである『ダイコン』」と書かれている(*Le Japon intime*, p.56)。

＊149 この「支那人」とは、漢民族と満洲族をあわせたものを指すと思われる。長野朗(訳注142参照)によると、清の時代には満洲族が支那全土を支配し、漢民族が満洲に立ち入ることは禁じられていたが、清朝末期になると禁制が緩んで漢民族が流入しはじめ、とくに日露戦争後に日本が満洲の治安維持にあたるようになると、治安のよさと経済発展ゆえに、混迷する支那本土から多数の漢民族がなだれこんできて満洲を「植民地」化し、一九三一年(昭和六年)後半時点で、満洲の総人口二千八百万人のうち、満洲族は二〜三百万人にすぎず、漢民族が二千五百万人前後を占め、残りは朝鮮人が百万人、モンゴル人が数十万人、日本人が二十万人という内訳になっていて、満洲族は言語・風俗などあらゆる点で漢民族に同化していたという(長野朗「滿蒙今後の新政權」世界知

識増刊『滿洲事變の經過』新光社、一九三二年所収）。

*150　エリゼ・ルクリュ（一八三〇〜一九〇五）はフランス人の地理学者。無政府主義者としても有名で、一八七一年のパリコミューンに参加してヴェルサイユ政府軍に捕らえられて祖国を追われ、ブリュッセルの大学で地理学講座を担当した。第一次世界大戦中、日本のアナーキスト石川三四郎はエリゼ・ルクリュの甥ポール・ルクリュの南仏の家に寄寓し、エリゼ・ルクリュの著『地人論』を訳している。

*151　一九三二年（昭和七年）十月、拓務省の第一次武装移民団が大連に上陸し、満洲北東部のハルビンの北東にある佳木斯（チャムス）の南に移住した（のちに弥栄（いやさか）村と命名される）。

*152　いわゆる「時局匡救（じきょくきょうきゅう）事業」（景気対策のための公共事業）を指すと思われる。

*153　このあたり、事件直後に混乱した情報を収集したためか、事実誤認がみられる。まず、鈴木貫太郎侍従長は、血盟団事件では標的になりかけたこともあるが、五・一五事件では襲われていない（四年後の二・二六事件で襲撃される）。また、死亡した警察官は田中五郎巡査のみだった（五・一五事件での死亡者は犬養毅首相と同巡査の計二名）。次の文の大新聞社についての記述は不明。また、首相官邸の襲撃の際は「通用門」ではなく表門と裏門から二手にわかれて邸内に侵入しており、犬養首相は「書斎で読み物をしていた」のではなく、食堂に行くために廊下を歩いているところだった。

*154　五・一五事件の被告が属していたのは、直接には井上日召のいわゆる血盟団と橘（たちばな）孝三郎の愛郷塾であり、「千人ほどの将校からなる秘密結社」というのは不明。また、「連帯のしるしとして小指の先を切り落としていた」というのも不明。この小指の話をヴィオリスは一九三四年二月号の「クラプイヨ」誌に載せた巻頭記事「日本の帝国主義は世界への脅威である」（訳注183参照）や日本に関する短い文章（Andrée Viollis, «Le Soleil Rouge», dans *Voilà*, nº 151, 10 février 1934）でも紹介しているが、日本の「軍国主義」のおどろおどろしさを強調するつもりなのか、こうした出所不明の風聞を確かめもせずに再三にわたって記事にしているのはいただけない。

*155　以下の檄文は、蹶起者（けっきしゃ）たちの心情がよく伝わってくる一種の名文なので、もとの日本語のままとした（ヴィ

オリスのフランス語原文は、このほぼ忠実な訳となっている)。ビラの実物の写真は平凡社『日本史大事典』第三巻(一九九三年)「五・一五事件」の項に掲載されているが、判読しにくい字が多いので、とくに原秀男他編『検察秘録五・一五事件I 匂坂(さきさか)資料1』(角川書店、一九八九年)七三頁と、起草に関与したという古賀不二人(ふじと)の『私の歩道』(島津書房、一九八六年)六一頁を参照し、漢字は略字体も含めてできるだけ原文のままとし、その代わりにルビを振った。

*156 葬儀は事件から四日後の五月十九日(木曜)におこなわれた。翌日の二十日付「東京朝日新聞」によると、まず朝九時から犬養家による「最後のお別れ」がおこなわれ、午前十時に故人の柩(ひつぎ)が死去した日本間から式場ホールに移された。十二時二十分から「党葬」が開始され、午後一時に天皇の勅使らによる代香、午後一時二十分から政友会代表の鈴木喜三郎内相らによる弔辞、ついで喪主犬養健(たける)、葬儀委員長高橋是清、親族による焼香があり、二時半にいったん式が終了した。ついで、一般の告別式が午後四時半までおこなわれてから、遺体が霊柩車に移され、午後五時に出棺、落合火葬場にむかった。

*157 日本の結婚式で花嫁が着る白装束について、ヴィオリスは『内面の日本』のなかでこう書いている。「当日、花嫁はフランスとおなじように白い衣装を着るが、しかし注意しなければならないのは、白というのは日本では喪の色だということである。この白が意味するのは、花嫁は実家で〔いったん〕死ぬということ、そして花嫁が夫の家族のもとを去るのは死者となって経帷子(きょうかたびら)をまとうときだけだということなのである。」(*Le Japon intime*, p.221)

*158 本書36頁参照。

*159 犬養毅の嗣子で喪主となった犬養健とその妻仲子だと思われる。仲子の母延子(後藤象二郎の娘)は絶世の美人だったという(犬養

*156 犬養首相の葬儀に際して、各方面からの花輪で埋め尽くされた首相官邸(「歴史寫眞」昭和7年7月号)

道子『花々と星々と』増補版、中央公論社、一九七四年、一一四頁)。ヴィオリスは『内面の日本』のなかでも、日本の女性でほんとうに整った顔の美人はめったに見かけないが、例外として、この犬養首相の葬儀のときに見かけた首相の「義理の娘」は「現実のものとも思われない上品な」顔立ちをしていたと絶讃している(*Le Japon intime*, p.203)。

＊160 斎藤実は安政五年(一八五八年)生まれ。海軍兵学校卒業後、米国に留学して米国公使館付武官を兼ね、日露戦争後に八年間にわたり海軍大臣を務め、一九一二年(大正元年)に海軍大将に進級、一九二八年(昭和三年)に退役していた。数えで七十五歳のときに五・一五事件が起きて犬養毅が暗殺されると、軍部を抑えるのに適任と目されて西園寺公望に推挙されて首相に就任し、政友会と民政党の両方からなる挙国一致内閣を組閣、ここに大正時代からつづいた政党政治に終止符が打たれた。五・一五事件後、荒木貞夫がさかんに「非常時」という言葉を使用してこれが流行語となったことから、斎藤内閣は「非常時内閣」とも呼ばれ、一九三三年(昭和八年)の国際連盟脱退を経て、一九三四年(昭和九年)の帝人汚職事件で総辞職に追いこまれた。その後しばらくして内大臣に就任し、天皇の側に仕えるようになるが、これがわざわいして一九三六年(昭和十一年)の二・二六事件で「君側の奸(くんそくのかん)」として殺害された。

＊161 陸軍金沢第九師団の師団長植田(うえだ)謙吉中将は、一九三二年(昭和

＊159 1932年(昭和7年)5月19日に首相官邸の大ホールで営まれた犬養首相の葬儀(「歴史寫眞」昭和7年7月号)

＊160 海軍大将の制服を着用した斎藤実首相(廣岡宇一郎他編『齋藤實傳』、齋藤實傳刊行會、1933年)

七年）四月二十九日に上海で催された天長節の式典で朝鮮人テロリストに襲われて重傷を負った（おなじ日、ヴィオリスは代々木練兵場での観兵式に招待されている。97頁参照）。その約一か月後、植田中将は五月三十一日に上海でリヴァプール丸に乗りこんで帰国の途につき、六月三日午前三時半に広島沖の似島に寄港、折しもコレラの流行が懸念されていたことから、検疫に手間どって六月四日午前八時に似島を出帆し、同日午後四時すぎに大阪港に入港、担架に乗せられて上陸した（六月三〜五日付「神戸新聞」による）。植田中将は担架に乗ったまま大阪ではじめて故国の土を踏んだとされており（六月五日付「神戸新聞」および「讀賣新聞」）、また『金城聯隊史』（伊佐一男・長沢子朗共編、歩七戦友会、一九六九年）その他の文献に当たっても神戸に寄港した痕跡は見あたらないので、ヴィオリスが見たのは大阪港での光景だったと思われる。なお、このときヴィオリスは植田中将の妻が出迎えにきて船に乗りこんだのも目撃しており、夫婦ともに感動しているはずなのに感情を抑えているようすを『内面の日本』で描写している（*Le Japon intime*, p.207）。この後、植田中将は六月六日に列車で金沢に凱旋し、六月二十四日に上京して昭和天皇に拝謁した。

＊162　一九三二年（昭和七年）の暦の上での「梅雨入り」は六月十一日だったが、「入梅」という言葉は当時は「梅雨」の同義語としても使われた。たとえば永井荷風の一九三一年（昭和六年）刊の『つゆのあとさき』には「間もなく入梅があけて夏になり」という一節がある（中央公論社、一九三一年、六一頁）。それにしても、ここで「この夏の終わりの数週間ほとんど降りやまない入梅の雨」と書かれているのは奇妙な感じを受ける。じつは、この箇所は「ル・プチ・パリジヤン」紙掲載時点では「この夏の数週間」となっており、「の終わり」という言葉は本書刊行の直前に加筆されたものである（同様に、229頁の「一九三二年の夏の終わ

＊161　担架に運ばれて下船する植田中将（1932年10月13日付「ル・プチ・パリジヤン」紙にヴィオリスの文章とともに掲載された写真）

り、に」という言葉もあとから加筆されている）。おそらく、フランスに帰国して日本通だと目されていたヴィオリスは、日本滞在期間を長く見せかけようとしたのではないだろうか。それで、本来なら「夏の前」ないしは「夏のはじめ」とすべきなのに、このように改変したことで、日本の季節感に疎いフランス人には気づかれなくても、日本人の読者には不自然だと気づかされる箇所となってしまっている。

＊163　仲仕（または沖仲仕）とは、船の荷物の積み下ろしをおこなう港湾労働者のことで、荒っぽい者が多かった。ちなみに、神戸港の仲仕から現在の暴力団「山口組」が生まれ、一九三二年（昭和七年）当時は山口組組長は二代目となっていた。

＊164　一九三二年（昭和七年）十二月、民政党を脱党した安達謙蔵、中野正剛らにより、国民同盟が結成された。なお、この段落から228頁あたりまでは、本書が刊行される一九三三年（昭和八年）三月の直前に加筆された。

＊165　「クラプイヨ」誌の記事（訳注183参照）では、共産主義への傾倒を強めていたヴィオリスはさらに日本への批判を強め、こうした日本による綿製品などの「ダンピング」は日本の資本家が仕掛けた「経済戦争」であると断じ、これによってイギリスだけではなくフランスでも失業者がでているとし、さらに広大な綿畑のあるフランス領印度支那を日本は「物欲しげな目で見ている」とも書いている。

＊166　前記「クラプイヨ」誌の記事の末尾では、ヴィオリスは一歩進んで、日本の学生、労働者、農民などの困窮した人々は、八方塞がりの状況を打破するには戦争しかないと考えていると書いている。

＊167　原文は「八月」、雑誌名は単に「Kaikosha」（偕行社）となっているが、訂正した。「偕行社記事」は偕行社（訳注76参照）が発行していた月刊誌だが、一九三二年（昭和七年）八月号には荒木貞夫の記事は存在しな

＊164　国民同盟の結成式で旗をもつ中野正剛（写真むかって右側が国民同盟の旗）（「歴史寫眞」昭和８年２月号）

い。内容からして、同誌四月号（六九一号）に掲載された「昭和日本の使命」のことだと思われる。この記事は、もともと同年二月に「社會教育協會」から小冊子として刊行され、英語とフランス語を含む十二か国語に翻訳された（同年十一月二十八日「官報」に掲載の広告による）。この「昭和日本の使命」には、たとえば「東亞の諸國は、白色人種壓迫の對象となってゐる。覺醒したる皇國日本は、今日以上に彼等の横暴を許容することは出來ない。」「この覺悟と實力さへあつたならば、所謂傳家の寶刀を拔くまでもなく、平和は招徠し得るものと信ずる。」「日本は、日本だけの平和と繁榮を守るだけで滿足すべきではなく、更に東亞の天地にその理想を展べ、更に更に廣くこれを世界に及ぼさねばならぬ。」「皇道を四海に宣布する、これが昭和日本の眞使命である。」などの言葉がみえる。しかし、ヴィオリスのフランス語は元の日本語からはだいぶ離れており、とくに最後の「我々は神々の子孫であり、世界に君臨せねばならぬ」などという言葉は日本語の原文には見あたらない。ここでは、あくまでヴィオリスのフランス語原文どおりに訳した。

＊168　いわゆる「田中上奏文」の一節。「田中上奏文」は、田中義一首相が一九二七年（昭和二年）に天皇に上奏したという架空の設定にもとづき、反日プロパガンダの一環として日本の野心を強調するために捏造された怪文書。一九二九年（昭和四年）頃から支那や満洲でまわるようになり、英語やフランス語にも訳され、国際連盟で日本をおとしめるのに大いに役立った。ヴィオリスはここでは真偽について多少保留しているが、233頁では保留なしで引用しているので、結果的に反日プロパガンダに踊らされてしまった観がなくもない。太平洋戦争後の極東軍事裁判でも、日本の「侵略」の意図を証明するためにこの「田中上奏文」が証拠として採用されかけたが、偽書であることがわかって取り下げられた（清瀬一郎『秘録東京裁判』七）。当時の日本語訳では、この箇所は「支那を征服せんと欲せば、先づ満蒙を征せざるべからず。世界を征服せんと欲せば、先づ支那を征服せざるべからず。」（日華倶樂部『支那人の観た日本の滿蒙政策』一九三〇年、二二頁）となっている。

＊169　アメリカ国務長官ヘンリー・スティムソンは、フィリピンの独立に反対した白人至上主義者で、日本に対しては敵対的な態度で臨み、日本が満洲で勢力を広げることに強硬に反対した。のちの太平洋戦争では、日本に先

制攻撃を仕掛けさせようと画策し、原爆投下にも深く関与した。

＊170 ケロッグ＝ブリアン条約とは、一九二八年（昭和三年）にパリで米国国務長官フランク・ケロッグとフランスの外務大臣アリスティッド・ブリアンの間で締結された、別名「パリ不戦条約」のこと。ただし、自衛のための戦いは除外されていた。また、アメリカは自国の都合のよいように中南米地域は条約の適用範囲外であると宣言し、イギリスも例外地域を設けたうえで条約に参加していたのだから、日本も満洲を例外地域であると宣言すればよいと稲原勝治は述べている（『清算期にある日本の外交』大乗社東京支部、一九三二年、一八六頁）。

＊171 前出の偽書「田中上奏文」（訳注168参照）からの引用。「支那を制せんと欲せば、必ず先づ米國の勢力を打倒せざるべからざること、日露戰爭と大同小異なり。」（日華倶樂部、前掲書、同頁）

＊172 雑誌「月」は不明。「大戦の指揮官の一人だった佐藤中将」とは、第一次世界大戦中に地中海で日本海軍の第二特務艦隊を指揮した佐藤皐蔵海軍中将だと思われるが、問題の雑誌記事に関しては、多くの著作を残した佐藤鉄太郎海軍中将などと混同されている可能性も考えられる。

＊173 「伊藤少将」は不明。日本とフランスの軍の呼称のちがいにより、「少将」ではなく役職としての「主席参謀」の可能性もある。原文は「Ito」で「伊東」その他の可能性も考えられる。

＊174 伊達龍城は、一九三二年（昭和七年）に出した本のなかで、一九二二年（大正十一年）のワシントン軍縮会議と一九三〇年（昭和五年）のロンドン軍縮会議の取り決めの結果、一九三六年（昭和十一年）になると実際に米国海軍と日本海軍の比率が一〇対六となって日米の軍事力の差が開きすぎてしまうが、それまではアメリカが艦船を建造している最中なのだから、「ここ一、二年ないしは二、三年の間なら」日本が勝つ勝算は十分にあるとしている（『日○もし戰はば？』明治図書出版協会、一九三二年、四九九頁）。また、日米戦争を不可避と見ていた評論家の池崎忠孝も、一九二九年（昭和四年）の『米國怖るゝに足らず』では、ワシントン軍縮会議で日本海軍が対米六割に制限されたとはいえ、実際に戦争になった場合は互角以上の戦いができるとしていたが、ロンドン軍縮会議後の一九三一年（昭和六年）に書いた『六割海軍戰ひ得るか』では、同会議でさらに日本に制約が

かけられて米国が軍縮枠内で最新艦の建造にいそしむことになる結果、このままゆけば一九三六年（昭和十一年）には米国海軍が俄然有利になると述べ、さらに一九三二年（昭和七年）の『宿命の日米戰爭』では次のように書いている。「露骨にいふと、『戰はば今』といはなくてはならない。このまま三四年間を經過して、アメリカの海軍力が増大した場合、餘儀なく戰爭を強制されるといふことになれば、當時の日本は、今以上に不利な狀態の下に戰はなければならぬ。それとも、アメリカの强壓に屈して、をめをめと滿洲を吐き出すだけの覺悟が出來れば、強いて戰爭をする必要はなくなるが、まさかそれほど意氣地のない眞似も出來まい」（『宿命の日米戰爭』先進社、一九三二年、一一〇頁）。早期の日米戦争を望む日本人がいたことについては、ヴィオリスは「クラプイヨ」誌の記事（訳注183参照）のなかで、五・一五事件の被告の一人が語った話を紹介している。それによると、この被告は、来日中のチャーリー・チャップリンを公式歓迎会で暗殺する計画を立てていたのに、歓迎会がとりやめになったことに関して、「（もし歓迎会がおこなわれていたら）チャップリンも殺せたのに。そうしたらアメリカとの戦争を引き起こすことができたのに。」と残念がったという。

＊175　一九三一年（昭和六年）九月十八日に始まった満洲事変から約「一年半」後の一九三三年（昭和八年）二月二十四日、国際連盟総会で満洲国問題について採決がおこなわれ、日本の松岡洋右代表が退場した。この節（234～235頁）は本書が刊行される一九三三年（昭和八年）三月の直前に加筆された。

＊175　1932年（昭和７年）、国際連盟での満洲に関する会議に臨む松岡洋右（BNF/Gallica）

＊176　原文は「四十二か国中、四十一か国によって採択された」となっているが訂正した。実際には賛成四十二票、反対一票（日本）、棄権一票（シャム、現在のタイ）、欠席十二票だった。

＊177　アメリカ海軍は、一九三二年（昭和七年）二月六日から五月十三日まで、九十七日間にわたって全艦隊を動員してハワイを中心に大規模な軍事演習をおこない、日本を威嚇した（前掲『宿命

の日米戦争』四頁）。この挑発的なアメリカ海軍の大演習を受け、同年四月に『日米戦ふ可きか』（新光社「世界知識」増刊、仲摩照久編）が編集された。

＊178　この最後の数行は、一九三二年（昭和七年）十一月二十五日付「ル・プチ・パリジヤン」紙に発表された初出時の文章とはすこし異なっている。初出時には以下のようになっており、最後の「万歳。」という言葉はない。おそらく会話部分は初出時のほうが実際に近かったかもしれない。

私はいった。「……もしそうなったら、〔海軍軍縮〕会議の失敗後のように、何人かの日本人だけが腹切りするのではなく、日本全体が腹切りしなければならなくなるのではありませんか……。」

「わかってます。」と暗い表情で三山さんは頷いた。「でも、満洲に関してはファシズム云々の問題ではなく、正義が問題なのです。そして、これに関しては国の世論は一致しています。不名誉な目にあうくらいなら死んだほうがましです。」

三山さんは急いでタラップを下りて光る波止場に飛び降り、長髪のずんぐりとした顔でこちらを振り仰ぎ、

「それに、われわれのことはご心配なく。」と、図太い声で力強く叫んだ。

「日本は無敵です。」

＊177　『日米戦ふ可きか』（新光社「世界知識」増刊、1932年）の表紙

＊178　「神戸港第四突堤より川崎造船所を望む」と書かれた戦前の絵葉書

＊179 一冊は238頁に記載のアンヌ・ルヌー（Anne Renoult）による伝記的研究、もう一冊は訳注181に掲げるアリス＝アンヌ・ジャンデル（Alice-Anne Jeandel）による思想的研究。

＊180 戸籍上は「アンドレ」の他に「フランソワーズ」と「カロリーヌ」という名も持っていた。これは、ありふれた名で他人と区別する必要から、親類などの名をとって複数の戸籍に名を登録した結果によるもので、たとえばジャン＝ポール・サルトルなどの「複合名」とは異なる。

＊181 当時のヴィオリスは、他のほとんどのフランス人やヨーロッパ人と同様、植民地支配自体に異議を唱えていたわけではなかった。ヴィオリスが視察団に招かれたのは、当時のヴィオリスがフランスには植民地の人々を「文明化する使命」があると無邪気に信じていたことも要因だったはずだと、アリス＝アンヌ・ジャンデルは指摘している（Alice-Anne Jeandel, *Andrée Viollis : Une femme grand reporter, une écriture de l'événement 1927-1939*, Paris, L'Harmattan, coll. « Inter-National », 2006, p.67）。

＊182 訳注162で指摘したように、おそらくこれはヴィオリスが日本滞在期間を長く見せようとしたためではないかと思われる。なお、アリス＝アンヌ・ジャンデルはヴィオリスに引きずられて「夏の終わりまで」日本に滞在したと書いてしまっている（Alice-Anne Jeandel, *op. cit.*, p.78）。また、渡辺一民『フランスの誘惑――近代日本精神史試論』（岩波書店、一九九五年）に「三月なかば横浜に到着し、以後八月末まで、五カ月あまり日本に滞在」したと書かれているのも誤りといわざるをえない。

ちなみに、この渡辺氏の本ではヴィオリスの日本関係の二冊の本が紹介されているが、荒木貞夫中将（当時）が「荒木大将」となっていたり、門司港で水上を滑走しているはずの飛行艇（本書30頁参照）が「上空を旋回」していると書かれているなどの誤謬がみられる。

＊183 一九三四年（昭和九年）二月特別号の「クラプイヨ」誌に掲載されたヴィオリスの記事「日本の帝国主義は世界への脅威である」は、同年六月号（第六五〇号）の「帝國教育」誌に「世界の脅威日本帝國」という題で邦訳され、さらに一九三七年（昭和十二年）の國際情勢研究會編『世界は日本をどう見る？』（太陽閣）にも「日

本の帝國主義」という題で新しい訳が掲載された（どちらも訳者不明）。

＊184 『牢獄の人々』については、西尾幹二『GHQ焚書図書開封2』（徳間書店、二〇〇八年）二一一頁以降でもとりあげられ、自国に不利なことまで暴くヴィオリスの批判精神が称讃されている。ただし、同書でヴィオリスが「左翼でも共産主義者でも社会主義者でもない」（二一九頁）と書かれているのはすこし異なり、たしかに印度支那を訪れた当時はまだ共産主義者ではなかったが、学生時代から一貫して左翼や社会主義者ではあった。とはいえ、フランスでは左翼や社会主義者の位置づけが当時の日本とは異なり、むしろ主流派の一角を構成していたので、一九三一年（昭和六年）当時のヴィオリスは「反体制派ではなかった」とはいえる。

＊185 Jean Cabanel, « Andrée Viollis », *Triptyque* nº 95, février 1936, p.8.

＊186 Anne Renoult, *Andrée Viollis : Une femme journaliste*, Presses de l'Université d'Angers, 2004, p.159.

＊187 独ソ不可侵条約の発表直後のフランス人の反応や雰囲気については、当時フランスに留学していた中村光夫の『戰爭まで』（實業之日本社、一九四二年、四二三頁他）によく描かれている。

＊188 このあたりの事情は、たとえばアンドレ・マルローもおなじだった（村松剛『評伝アンドレ・マルロオ』中公文庫、一九八九年、三三五頁他）。

＊189 Anne Renoult, *op. cit.*, p.168.

＊190 「ル・プチ・パリジヤン」紙上の広告では、「新しい黄禍か？」というキャッチフレーズとともに、偽書「田中上奏文」のなかの「世界を征服するためには、まず支那を征服する必要がある。」という言葉（本書231頁と訳注168参照）が添えられた。また、前述の「クラプイヨ」誌に掲載されたヴィオリスの記事では、「黄禍」をテーマとする寓意画が挿絵として多数用いられており、たとえばドイツ皇帝ヴィルヘルム二世が広めた有名な「ヨーロッパ人よ、汝の神聖な財産を守れ！」（ハインツ・ゴルヴィツァー『黄禍論とは何か』瀬野文教訳、中公文庫、二〇一〇年、二六九頁）の絵が掲載されている。

＊191　アルフレッド・スムラー『ニッポンは誤解されている――国際派フランス人の日本擁護論』長塚隆二・尾崎浩訳、日本教文社、一九八八年、一〇一～一〇三頁）。このスムラーの本では本書（日本大使が熊の血を吸う話、本書30頁）にも言及されている。

＊192　「武士道」に関しては、ヴィオリスは一面的な理解しかもっておらず、本文にでてくる駐在武官から「〔武士道という道徳律が〕気高いものだということは、素直にお認めになるのですな。」（110頁）といわれても、まったく同感を示そうとしない。こうしたヴィオリスの無理解と救いがたいほど小市民的な見方は、たとえばアンドレ・マルローが一九三一年（昭和六年）を皮切りに合計四回も日本を訪れ、太平洋戦争中の日本の特攻隊員のなかに「男の崇高な美学」を見たのとは大ちがいである（神坂次郎『特攻――還らざる若者たちへの鎮魂歌』PHP文庫、二〇〇六年、二二一頁、および黄文雄『日本人はなぜ世界から尊敬され続けるのか』徳間書店、二〇一一年、一七二頁）。

UN NOUVEAU PERIL JAUNE ?
ANDRÉE VIOLLIS
LE JAPON ET SON EMPIRE
GRASSET

＊190　1933年４月14日付「ル・プチ・パリジャン」紙二面右隅に掲載された本書の広告

＊190　1934年（昭和９年）２月号「クラプイヨ」誌に掲載されたヴィオリスの記事「日本の帝国主義は世界への脅威である」の末尾に添えられた挿絵。「日本の野心を示唆する絵」と説明がつけられている。

＊193　Ｎ・バンセル、Ｐ・ブランシャール、Ｆ・ヴェルジェス著、平野千果子・菊池恵介訳『植民地共和国フランス』（岩波書店、二〇一一年）七五頁など。

＊194　なぜ当時の欧米人が日本人は「思いあがっている」と思っていたのかは、前述のアルフレッド・スムラーが紹介している次のようなアメリカ人の意見を見るとわかる。「アメリカ人が日本人を好かないもう一つの理由は、日本人による平等な立場の主張である。もちろんわれわれはそれを平等性とはいわず、劣等生の思いあがりと呼んでいる。われわれがもう一つの黄色人種、中国人とうまくやってゆけるのは、中国人がへり下った態度と卑屈な服従によって、われわれの人種的優越感をくすぐるからである」（前掲書、八五頁、傍点引用者）。しかし、これとは逆に、たとえば萩原朔太郎は、支那人と印度人はかたくなな「自尊心」をもっていて西洋文明を学ぼうとせずに侵略されてしまったが、日本人は「謙虚」な心をもって西洋文明を学んだがゆえに侵略されずに済んだという見方を示している（萩原朔太郎「日本への回帰」および「日本の使命」、『日本への回歸』白水社、一九三八年所収）。

＊195　この他、万里の長城の北側にある満洲は、もともと漢民族の土地ではなく満洲族の土地であり、これを漢民族が民族の流入によって「侵略」したものであるということは、当時は長野朗などは指摘していたものの（訳注149参照）、一般には閑却されており、たとえば東洋史学者の矢野仁一は、外務省が満洲は支那のものだという主張に反論しないことを歎いている（『満洲國歴史』目黒書店、一九三三年）。

＊196　鶴見祐輔『歐米大陸遊記』（大日本雄辯會講談社、一九三三年、一九八頁、三四三頁他）。おなじような議論は、赤松克麿の一九三二年（昭和七年）六月二十四日の講演でも展開されているし（『新國民運動の基調』東京中央講演会、一九三二年、三二頁以降）、一九三二年五月号「改造」所収の那須皓「満蒙政策と農業移民」末尾などにも書かれている。また、永井荷風は日記のなかで「余窃に思ふに、英國は世界到る處に領地を有す。然るに今日吾國が満洲占領の野心あるを喜ばざるは奇怪至極なり。」としるしているが（『斷腸亭日乘』昭和七年十月三日の項）、この「英国」はもちろん「仏国」といいかえることができる。

＊197　林芙美子は、満洲事変の二か月後の一九三一年（昭和六年）十一月に日本を出発して半年間パリに滞在し、ちょうどヴィオリスといれちがいに一九三二年（昭和七年）六月中旬に神戸にもどっている。その後、支那事変勃発後の一九三七年（昭和十二年）末には東京日日新聞の特派員として上海から南京に入り、一九三八年（昭和十三年）九月にも「ペン部隊」陸軍班に加わり、漢口攻略戦に従軍して『戰線』と『北岸部隊』を書いている。

＊198　「ポロニユス」はシェイクスピアの『ハムレット』の登場人物ポロニウス（ポローニアス）を意識した筆名だが、序文を寄せたフランス植民地軍アルベール・ガレンヌ大佐が「私の同僚のポロニユス」と書いているので、フランスの軍人だったのではないかと思われる。このポロニユスなる人物は、この小冊子の刊行とおなじ一九三四年（昭和九年）にパリで創刊された「フランス・ジャポン」誌にも「過去半世紀間における日本の発展の奇蹟」という記事を寄稿し、やはり日本を擁護している。この記事では自分のことに言及し、一八八八年（明治二十一年）頃に日本に滞在していたときに、日本陸軍の創設に功績のあったドイツのメッケル少佐の知遇を得て、「まもなくこの民族は世界に名だたる強国になるぞ。」と予言されたことをしるしている。この「フランス・ジャポン」誌は、日本の国際連盟脱退後、日仏親善をアピールするために満鉄の肝いりで創刊された雑誌で、松尾邦之助とアルフレッド・スムラー（訳注191参照）が編集にあたり、日本文化を紹介する記事や、親日家のフランス人による記事などがフランス語で掲載された。アンドレ・ヴィオリスも知日派として寄稿を求められたようで、一九三五年（昭和十年）十月十五日の同誌第十二・十三合併号に一頁だけ文章を寄せているが、ほとんどが風景の話ばかりで、春の山あいに立ちこめる靄（もや）、日光の杉並木、奈良公園の鹿などについて書いてから、最後に、「この偉大な民族のいくつかの方法や目的については批判することができるとはいうものの、この民族からかもし出される誘惑にどうして抗（あらが）うことができようか、またこの民族への敬意と讃嘆の念をどうして抑えることができようか。」と締めくくっているのは、前半で本音をのぞかせながら、後半でリップサービスをしたような形となっている。この「フランス・ジャポン」誌については、『満鉄と日仏文化交流誌『フランス・ジャポン』』（ゆまに書房、二〇一二年）でも概要が紹介されているが、同書一〇九頁でポロニユスについてふれた部分では、だいぶ偏った取

りあげ方がされている上に、フランス語の発音として「ポロニユス」と表記すべきところが「ポロニウス」となっており、同書四四七頁では「アンドレ・ヴィオリ」となっている。

人名索引

編集協力――編集室カナール（片桐克博）

著者略歴――――
アンドレ・ヴィオリス Andrée Viollis

1870年生まれ。20世紀前半(とりわけ両大戦間)に活躍した女性ジャーナリスト兼ルポルタージュ作家で、社会主義やフェミニズムに惹かれながらも、幾度となく戦争や紛争地域に飛び込み、10冊ほどのルポルタージュ作品を残した。本書はそのうちの1冊で、1932年(昭和7年)にフランスの大新聞「ル・プチ・パリジヤン」紙の特派員として来日したときの取材内容をまとめたもの。来日の翌年に刊行され、その後は共産主義に傾倒した。1950年没。

訳者略歴――――
大橋尚泰 おおはし・なおやす

1967年生まれ。早稲田大学仏文科卒。東京都立大学大学院仏文研究科修士課程中退。現フランス語翻訳者、ことわざ学会理事。著書に『ミニマムで学ぶフランス語のことわざ』(2017年、クレス出版)、『フランス人の第一次世界大戦―戦時下の手紙は語る―』(2018年、えにし書房)。解説に『復刻版　アラス戦線へ―第一次世界大戦の日本人カナダ義勇兵』(2018年、えにし書房)。歴史と文学の中間領域に興味をもつ。

1932年の大日本帝国
あるフランス人記者の記録

2020年10月23日　第1刷発行

著者　アンドレ・ヴィオリス
訳者　大橋尚泰
装幀者　鈴木正道(Suzuki Design)
発行者　藤田　博
発行所　株式会社 草思社
〒160-0022　東京都新宿区新宿1-10-1
電話　営業 03(4580)7676　編集 03(4580)7680

本文組版　有限会社 一企画
印刷　中央精版印刷 株式会社
製本所　加藤製本 株式会社

ISBN978-4-7942-2477-4 Printed in Japan　検印省略

草思社刊

アインシュタインの旅行日記
日本・パレスチナ・スペイン

アルバート・アインシュタイン 著
畔上司 訳

二〇世紀を代表する知性が見出した日本人の美点とは？　一九二二年～二三年にかけての旅の間にアインシュタインが書き記した日記・手紙類を網羅した貴重な記録。

本体 2,200円

吉田謙吉が撮った戦前の東アジア
1934年満洲／1939年南支・朝鮮南部

塩澤珠江 著
松重充浩 監修

築地小劇場の舞台美術家が撮った写真一九〇枚。建国初期の満洲、華南など。子どもたちや女性の姿、街の賑わい。謙吉の現代的視点が捕らえた戦前東アジアの一側面。

本体 3,000円

双葉山の邪宗門
「璽光尊事件」と昭和の角聖

加藤康男 著

戦前、六九連勝を記録した名横綱双葉山。彼はなぜ邪宗と呼ばれた新宗教の門をくぐったのか。天皇が人間宣言を行った状況下、敗戦日本の語られなかった一面を描く。

本体 2,200円

【文庫】孤独な帝国 日本の一九二〇年代
ポール・クローデル外交書簡一九二一―二七

ポール・クローデル 著
奈良道子 訳

仏詩人大使が、第一次大戦の戦勝国として、さらなる近代化に向けて邁進する一方で、英米提携強化により孤立を深める日本社会の諸相を活写。初公開の第一級資料。

本体 1,500円

＊定価は本体価格に消費税を加えた金額です。

草思社刊

裏切られた自由（上・下）
フーバー大統領が語る第二次世界大戦の隠された歴史とその後遺症
ハーバート・フーバー 著
渡辺惣樹 訳
元アメリカ大統領が第二次世界大戦の過程を詳細に検証した回顧録。ルーズベルト外交を「自由への裏切り」と断罪するなど、従来の歴史観を根底から覆す一冊。
本体各 8,800円

21世紀の啓蒙（上・下）
理性、科学、ヒューマニズム、進歩
スティーブン・ピンカー 著
橘明美・坂田雪子 訳
世界は暗黒に向かってなどいない。飢餓、貧困から平和、人々の知能まで、多くの領域が啓蒙の理念と実践により改善されたことをデータで提示する、全米ベストセラー。
本体各 2,500円

【文庫】
銃・病原菌・鉄（上・下）
一万三〇〇〇年にわたる人類史の謎
ジャレド・ダイアモンド 著
倉骨彰 訳
なぜ人類は五つの大陸で異なる発展をとげたのか。分子生物学から言語学に至るまでの最新の知見を編み上げて人類史の壮大な謎に挑む。ピュリッツァー賞受賞作。
本体各 900円

【文庫】
日本人のための現代史講義
谷口智彦 訳
いよいよ複雑化する世界の動きを、大戦後からの歴史的経緯を冷静にふまえて検証し、いまの日本の正確な座標を見据える一冊。未来に備えるための画期的な入門現代史。
本体 900円

＊定価は本体価格に消費税を加えた金額です。